Office 2007

Office 2007

José Carlos Nicolás Rivas

GUÍAS PRÁCTICAS

Responsable editorial:
Eva-Margarita García

Diseño de cubierta:
Narcís Fernández

Realización de cubierta:
Cecilia Poza Melero

Primera edición, Febrero 2007
Primera reimpresión, Diciembre 2007

Juan Ignacio Luca de Tena, 15. 28027 Madrid
Depósito legal: M. 52.740-2007
ISBN: 978-84-415-2148-3
Printed in Spain
Impreso en: Lavel, S. A.

Índice

Introducción

Microsoft Office 2007 es la nueva versión de la suite ofimática, sucesora de Office 2003, en la que se ofrecen novedosas y atractivas funciones que permitirán ser mas eficaces y originales obteniendo los mejores resultados con la mínima cantidad de tiempo y esfuerzo. Microsoft Office 2007 está formado por las siguientes aplicaciones informáticas:

- El procesador de textos Microsoft Word 2007.
- La hoja de cálculo Microsoft Excel 2007.
- El programa de correo y comunicación Microsoft Outlook 2007.
- El administrador de bases de datos Microsoft Access 2007.
- La aplicación para representar presentaciones gráficas Microsoft PowerPoint 2007.
- El editor de publicaciones Microsoft Publisher.
- El Bloc de notas Microsoft OneNote 2007.
- El recopilador de datos y tipos de archivo Microsoft Office InfoPath 2007.
- La plataforma de colaboración Microsoft Groove 2007.

Todas estas aplicaciones siguen no solamente funcionando independientemente, sino que están relacionadas para que el usuario pueda intercambiar información entre las mismas de una forma rápida y sencilla.

Descripción general de la nueva interfaz de usuario de Microsoft Office 2007

En la versión 2007 se ha rediseñado la manera en que los usuarios interaccionan con Microsoft Office Word,

PowerPoint, Excel, Access y Outlook para que les resulte más fácil encontrar y utilizar las funciones de los programas. El aspecto general de estas aplicaciones se ha agilizado y se han incluido nuevas tecnologías y elementos ofreciendo una interfaz de usuario mejorada que permite encontrar y usar las funciones que necesita más rápidamente y que presentan a los usuarios opciones de posibles resultados, como ya hemos indicado en el capítulo de introducción, de forma que sólo tienen que "examinar, elegir y hacer clic" en lugar de los complicados cuadros de diálogo.

Microsoft Office 2007 incluye muchas novedades entre las que cabe destacar:

- **Nuevo aspecto de Office 2007:** Con la anexión de más características y funciones a las aplicaciones a lo largo del tiempo, se ha hecho más difícil para algunos usuarios encontrar las opciones que desean realizar con los productos. En la versión 2007 se ha rediseñado la manera en que los usuarios interaccionan con Microsoft Office Word, PowerPoint, Excel, Access y Outlook para que les resulte más fácil encontrar y utilizar las funciones de los programas. Cintas de opciones reemplazando a barras de herramientas, con subcomandos y controles ocultos; paneles de exploración y barras de tareas para indicar los pasos a seguir y marcar las tareas según se realizan; fichas contextuales que se activan al trabajar sobre los elementos relativos, son algunas de las novedades en Office 2007.
- **La Cinta de opciones:** Los menús y barras de herramientas tradicionales hasta Office 2003 y anteriores versiones, se han reemplazado con la Banda o **Cinta de opciones**, un nuevo dispositivo que presenta los comandos organizados en un conjunto de fichas o solapas. Las fichas de la Banda de opciones muestran los comandos que son más significativos para cada una de las áreas de tareas de Office Word 2007, Office PowerPoint 2007, Office Excel 2007 u Office Access 2007. Por ejemplo, Office Word 2007 posee fichas para escribir, insertar, cambiar el diseño de página, trabajar con referencias, realizar envíos de correo y revisar documentos. Office Excel 2007 ofrece un conjunto similar de fichas relacionadas con el trabajo con hojas de cálculo: crear hojas de cálculo, insertar objetos como gráficos y cuadros, cambiar el

diseño de página, trabajar con fórmulas, administrar los datos y revisar.

- **El Botón de Office:** Otro de los elementos novedosos en la interfaz de Office, es el botón de Office representado por el icono de Microsoft Office 2007, que sustituye al clásico menú Archivo, situado en el ángulo superior izquierdo de la ventana inicial. Al hacer clic en él, se desplegarán las opciones básicas: Nuevo, Abrir, Guardar, Guardar como, y Cerrar y se añaden otras funciones como Preparar, Enviar y Publicar.
- **Posibilidad de implementación para desarrolladores:** Los desarrolladores de otros fabricantes tienen a su disposición un amplio conjunto de funciones para agregar funcionalidad a la siguiente versión del sistema de productos Microsoft Office System de manera que se integren perfectamente con la nueva interfaz de usuario. Los desarrolladores podrán agregar fichas, fichas contextuales y galerías. Además, podrán integrar sus comandos en las fichas existentes.
- **Fichas contextuales:** Determinados conjuntos de comandos sólo son relevantes cuando se editan objetos de un determinado tipo. Por ejemplo, los comandos para editar gráficos no son relevantes hasta que aparece un gráfico en una hoja de cálculo y el usuario está intentando modificarlo. En las versiones anteriores de las aplicaciones de Microsoft Office, estos comandos pueden ser difíciles de encontrar. Sin embargo, en Office 2007, al hacer clic en un gráfico aparece una ficha contextual que contiene comandos utilizados para la edición de gráficos. Las fichas contextuales sólo aparecen cuando son necesarias y facilitan mucho la búsqueda y uso de los comandos necesarios para la operación que se va a realizar.
- **Galerías:** Las galerías son pieza fundamental de las aplicaciones rediseñadas: proporcionan a los usuarios un conjunto de resultados claros entre los que pueden elegir al trabajar en sus documentos, hojas de cálculo, presentaciones o bases de datos de Access. Al presentar un conjunto sencillo de posibles resultados en lugar de un cuadro de diálogo complejo con muchas opciones, las galerías simplifican el proceso de producción de trabajos con aspecto profesional.

Las tradicionales interfaces de cuadros de diálogo siguen estando disponibles para quienes desean ejercer un mayor grado de control sobre el resultado de la operación. Las galerías simplifican muchas operaciones al presentar un conjunto de los resultados que los usuarios pueden simplemente "elegir y hacer clic" para conseguir los resultados deseados.

- **La integración de los archivo XML:** Los archivos XML son formatos de archivo compactos y sólidos que facilitan la integración mejorada con orígenes de datos y sistemas externos para el intercambio entre servidores y equipos. Estos formatos son compatibles con Office 2003, Office XP y Office 2000 si se agrega una revisión de conversión de formato de archivo, disponible en Microsoft Office Online y Microsoft Update. Los usuarios de Office 2003, Office XP y Office 2000 pueden abrir, editar y guardar archivos con los nuevos formatos XML de Office 2007.
- **La barra de herramientas de acceso rápido:** Se trata de una barra de herramientas personalizable que contiene un conjunto de comandos independientes de la ficha que se esté mostrando en la Cinta de opciones. Puede agregar a esta barra botones que representan comandos utilizados con más frecuencia y volver a reestablecer o configurar según las tareas que se vayan a realizar en cada documento.
- **Los menús y las barras de herramientas de Microsoft Office:** Con la implementación de más características y funciones a las aplicaciones a lo largo del tiempo, se ha hecho más difícil para los usuarios encontrar las funciones del software. Por ejemplo, Word 1.0 sólo incorporaba unos 100 comandos, con lo que explorando los menús se podía saber todo lo que se podía hacer. En comparación, Office Word 2007 incluye más de 1.500 comandos. Uno de los objetivos que se persiguen con la inclusión en la nueva interfaz con la cinta de opciones y su sistema de fichas y grupos de comandos, algunos de ellos nuevos, es contribuir a que esos comandos sean más fáciles de encontrar y ahorre tiempo en la elaboración de los documentos.
- **La Vista previa activa:** La vista previa activa es una nueva tecnología que muestra los resultados de aplicar un cambio de edición o de formato a medida que

el usuario coloca el puntero sobre los resultados presentados en la galería. Esta nueva capacidad más dinámica agiliza el proceso de aplicar el diseño, editar y cambiar el formato, de forma que los usuarios pueden obtener excelentes resultados con menos tiempo y esfuerzo.

- **Compatibilidad:** Otra de las novedosas características de Office 2007 es la de la comprobar la compatibilidad de los documentos, para mejorar la funcionalidad y rendimiento. Al ejecutar el comprobador de compatibilidad disponible en cualquiera de las aplicaciones de Office 2007, nos va a informar si existe algún problema de compatibilidad o si algún objeto creado con una herramienta nueva, va a ser visualizada como objeto o como dibujo. Una vez asegurada la compatibilidad del documento, nos informará si es posible guardarla en el formato anterior. Igualmente, el comprobador de compatibilidad nos informa si permite el envío por correo electrónico en el formato XPS o PDF, o como correo electrónico, por ejemplo.
- **La ficha Programador:** una de las nuevas herramientas ubicada en la Cinta de opciones es la ficha Programador, que permite la creación y edición de macros, formularios o controles para agregar funcionabilidad a las aplicaciones para un uso personalizado, de manera que puedan integrarse con la nueva interfaz de usuario. Los desarrolladores podrán agregar fichas contextuales galerías y botones complementarios, además de poder integrar comandos en las fichas existentes.
- **El nuevo Panel de opciones de programa:** Para establecer manualmente de manera clara e intuitiva las opciones de funcionabilidad de cada programa según las preferencias del usuario o las tareas que más se ajusten para la elaboración y desarrollo del documento.
- **Las Herramientas de Microsoft Office:** Encontramos los siguientes recursos:
  - **Galería multimedia de Microsoft Office:** Para importar y organizar fotografías, imágenes prediseñadas y archivos de audio y movimiento utilizando la Galería.
  - **Configuración de idioma de Microsoft Office 2007:** Establece las preferencias del idioma de edición para todos los programas de Microsoft Office. También

define las características del tipo y tamaño de fuente y otras opciones de edición de los programas.

- **Microsoft Office Picture Manager:** Editor y organizador de imágenes que pueden ser utilizadas por cualquier programa de Office 2007. También podrá enviar imágenes por correo electrónico directamente.
- **Las Etiquetas inteligentes y controles de contenido:** Las etiquetas inteligentes son botones que aparecen en el documento en el que está trabajando y que le permitirán ahorrar tiempo. Podrá realizar acciones, en uno de los programas, que normalmente realizarían otros. También podrá realizar funciones sin tener que hacer clic en un botón de una barra de herramientas o tener que abrir un cuadro de diálogo.
  Los controles de contenido son controles individuales que puede agregar y personalizar para utilizarlo en plantillas, formularios y documentos.
- **El Centro de confianza:** Permite establecer los niveles de seguridad y privacidad de los programas de Office 2007 mediante editores que detectan si determinados macros o controles son o no fiables, en cuyo caso los deshabilita.
- **Implementación en el Web y recursos de red:** Microsoft Office 2007, tiene un mayor y más amplio plantel de recursos destinados a la comunicación, para compartir y publicar en red, los nuevos estándares como los archivos XLM, XPS, PDF, o MHTML, permiten a los archivos circular e intercambiarse sin perder calidad en la compresión o envío *online*. Igualmente, se han multiplicado los recursos Web y de usuario a servidor, mediante los Servidores de Microsoft SharePoint Services, Office Online o Groove, además de una integración general a la Web del resto de sus aplicaciones.

En esta guía práctica encontrará todo lo necesario para iniciarse en todos los programas de Microsoft Office 2007, para que, en poco tiempo, pueda manejar con soltura las tareas habituales, tanto personales como profesionales. Comenzando por los principios básicos en cada programa, irá desarrollando y conociendo los secretos y la potencial utilidad de cada uno de ellos para su vida diaria, el trabajo en la oficina o la empresa.

Cómo usar este libro

El objetivo básico de esta Guía práctica para usuarios es presentar la última versión de la *suite* ofimática de Microsoft Windows Office 2007. En ella encontrará todo lo necesario para iniciarse y familiarizarse con las funcionalidades y características específicas de cada uno de los programas que la integran, tanto si hace uso de ellos a nivel particular, como profesional. El propósito del libro es el de ayudarle a realizar sus tareas de forma rápida y eficaz y profundizar paulatinamente en cada una de las aplicaciones, tanto para los usuarios que ya han utilizado versiones anteriores a Office 2007, como para los neófitos.

Todos y cada uno de los procedimientos que se explican en esta guía están numerados e incluyen notas, trucos, comentarios y advertencias, y en muchos casos, van ilustrados con ejemplos que son reproducciones de ventanas, pantallas, menús y cuadros de diálogo que mostrarán los pasos de las tareas que se explican de manera sencilla y rápida. Si desea aprender el manejo de las aplicaciones del paquete de Office 2007, es necesario que lea y siga los pasos de todos los capítulos. No obstante, también puede consultar el libro para aquellos capítulos de los programas individuales que le interesen o necesite. En cualquiera de los casos, aprenderá al ritmo óptimo, sin prisas, de manera autodidacta y con ejemplos para la práctica.

- En el primer capítulo se explican los requisitos necesarios para utilizar Microsoft Office 2007 y los pasos para instalar todas y cada una de las aplicaciones.
- En el capítulo segundo hacemos un repaso de las novedades y los procedimientos comunes en todos los programas, así como de los conceptos básicos.

- El capítulo tercero está dedicado a Microsoft Office Word. Comenzará a trabajar con el programa conociendo las novedades, como la cinta de opciones y sus diferentes fichas, para continuar con tareas básicas de cómo desplazarse y escribir texto, manejarse con archivos, aplicar formato y diseño, aplicar imágenes u objetos, para posteriormente adentrarse en la edición y organización de los documentos.
- En el capítulo cuarto le ayudaremos con Microsoft Excel, a crear libros y tablas, así como estadísticas, gráficos y diagramas. Por supuesto, también orientamos a las tareas fundamentales del programa, como son las fórmulas, que en esta nueva versión se realizan de manera notablemente más sencilla, a partir de asistentes predeterminados que aprenderemos a utilizar.
- El programa de comunicación y administración de correo electrónico Microsoft Outlook se trata en el capítulo cinco. En él aprenderá a configurar y manejarse con las cuentas de correo, enviar y recibir mensajes, utilizar la libreta de direcciones, organizar y trabajar con los contactos y las tareas. También podrá manejar con facilidad su agenda, gestionando citas, reuniones o planificando eventos.
- En el capítulo seis damos un amplio repaso a cómo confeccionar una base de datos con Microsoft Access, las propiedades de los campos y los registros y cómo diseñar tablas, consultas, formularios e informes. Para finalizar, hacemos una introducción a su implementación en la Web y los grupos de trabajo.
- El capítulo siete, Microsoft PowerPoint, la aplicación por excelencia para la creación de presentaciones de diapositivas, fotografías y diagramas, tan útiles y habituales para la empresa, el ocio e incluso para la creación y publicación Web.
- En el capítulo ocho se trata la manera de realizar publicaciones impresas de calidad para maquetaciones y ediciones profesionales Microsoft Publisher, de forma sencilla e intuitiva.
- Y en el capítulo nueve, explicamos otras herramientas como son Microsoft Infopath, para la creación de formularios, tanto impresos como para el trabajo compartido o en red, y el bloc de notas virtual Microsoft OneNote.

1

Instalación de Office 2007

1.1. Requisitos del sistema

La configuración mínima del sistema recomendada para utilizar Office 2007 es Microsoft Windows XP Professional. Sin embargo se recomienda el uso del nuevo sistema operativo Windows Vista para un posterior y óptimo funcionamiento de la nueva versión.

1. **Equipo y procesador:** PC con procesador Pentium III a 500 MHz o superior, aunque se recomienda un procesador Pentium IV.
2. **Memoria:** 500 Mb de memoria RAM (se recomiendan 256 Mb) para el sistema operativo, más 16 Mb de RAM adicionales para cada aplicación que se ejecute simultáneamente.
3. **Disco duro:** 20 Gb de espacio de disco duro disponible con 115 Mb en el disco donde está instalado el sistema operativo. El uso del disco duro variará en función de la configuración. Las opciones de instalación personalizada pueden requerir más o menos espacio de disco duro. Mínimo 2 Gb para la instalación; después de la instalación se liberará una porción de este disco si se elimina el paquete de descarga del disco duro.
4. **Sistema operativo:** Microsoft Windows XP con el Service Pack 2 (SP2), o bien Microsoft Windows Server 2003 (o posterior) siendo recomendado Microsoft Windows Vista.
5. **Unidades:** DVD-ROM.

6. **Pantalla:** Monitor con resolución Super VGA (800 x 600) o superior con 256 colores.
7. **Dispositivos periféricos:** Mouse Microsoft, Microsoft IntelliMouse o dispositivo señalador compatible.
8. **Conexión a Internet:** Conexión de banda ancha, 128 kilobits por segundo (kbps) o superior para la descarga y activación de los productos.

1.1.1. Componentes adicionales

Microsoft Internet Explorer 6.0 con Service Packs actualizados, Microsoft Exchange Server 2000 o posterior es necesario para los usuarios de Outlook 2007. Para instalar Outlook 2007 con Business Contact Manager, primero deberá instalar Outlook 2007. Se necesita 1 gigahercio (GHz) y 512 MB de RAM o superior para ejecutar Microsoft Office Outlook 2007 con Business Contact Manager. Para algunos de los programas de Microsoft Office 2007 existen requisitos adicionales:

1. Microsoft Office OneNote: Es necesario un lápiz de entrada de Tablet PC para la captura de tinta digital. Ésta habilita funciones como la numeración y asignación de viñetas a notas manuscritas, conversión de notas manuscritas en texto y búsqueda de notas manuscritas.
2. Microsoft Office Front Page 2003: Es necesario Microsoft Windows Share Point Services para las funciones Web controladas por datos.
3. Microsoft Share Point Portal Server:

   - 512 Mb de memoria RAM y 1 Gb de espacio libre en disco duro.
   - Microsoft Windows Server 2003 Standard Edition con el Service Pack más reciente.
   - Windows Server 2003 Enterprise Edition con el Service Pack más reciente.
   - Windows Server 2003 Data Center Edition con el Service Pack más reciente o Windows Server 2003 Web Edition con el Service Pack más reciente.
   - En SharePoint Portal Server sólo se admite Windows Server 2003 Release Candidate. Antes de instalar SharePoint Portal Server asegúrese de tener instaladas las actualizaciones que se pueden obtener en el directorio Windows Updates del CD de SharePoint Portal Server.

- Microsoft Internet Explorer 5.5 o Internet Explorer 6.0, Nestcape 4.7 y 6.x.
- Compatibilidad de Office 2003 con la integración de almacenamiento de archivos.
- Compatibilidad de Office XP con la integración básica de datos y con todas las posibilidades de colaboración contextual.
- Windows Server 2003 x64; Microsoft ASP.NET 2.0; Internet Information Services (IIS) 6.0 con archivos comunes, Windows Workflow Foundation Beta 2.2, servicio Simple Mail Transfer Protocol (SMTP), servicio World Wide Web.

Nota: *Cada uno de los servidores mencionados requiere de especificaciones concretas. Para una correcta instalación en la caja única Servidor se recomienda disponer de un procesador con una velocidad de al menos 2.5 GHz; se recomienda una capacidad mínima de RAM de 1 Gb, siendo 2 Gb la óptima con espacio de disco libre hasta 2 Gb como mínimo para la instalación y 5 Gb más como mínimo para contenidos.*

Complementos y Servicios de Microsoft Office 2007.

- Microsoft Office 2007 incluye Access, Excel, Groove, InfoPath, OneNote, Outlook, Outlook con Business Contact Manager, PowerPoint, Project Professional, Publisher, SharePoint Designer, Visio y Word.

Para la actualización de Microsoft Office 2003 a la versión 2007, no necesita actualizar su hardware, aunque quizá deba actualizarse a un sistema operativo compatible. Al actualizar Microsoft Office 2000 u Office XP a la versión 2007 deberá asegurarse de que su hardware y su sistema operativo cumplen los requisitos mínimos del sistema Microsoft Office 2007.

Programas y conjuntos de programas de Microsoft Office System 2007: Microsoft Office 2007 incluye las aplicaciones Access, Excel, Groove, InfoPath, OneNote, Outlook, Outlook con Business Contact Manager, PowerPoint, Project, Publisher, SharePoint Designer, Visio y Word.

Los programas del sistema Microsoft Office están paralelamente asociados con la nueva versión de Microsoft Windows Vista, pero son perfectamente compatibles con las diferentes versiones de Windows XP (con Service Packs

2) pero no con versiones anteriores, el cliente de los programas del sistema Microsoft Office 2007 Beta 2 es una aplicación de 32 bits que se ejecuta en una plataforma de 64 bits (Windows XP y Windows Server 2003) mediante WOW64.

> ***Nota:*** *Microsoft Office 2007 significa el fin de FrontPage, que desaparece de su catálogo de productos, su sustituto será Microsoft Expresión.*

1.2. La instalación paso a paso

Encienda el ordenador y, una vez cargado el sistema operativo Windows, realice los siguientes pasos:

1. Introduzca el DVD-ROM en la unidad de DVD y aparecerá la ventana Programa de instalación de Microsoft Office 2007. El proceso de instalación se iniciará automáticamente.
2. La instalación se detendrá en el apartado Información del usuario. En este cuadro de diálogo, deberá introducir su nombre y apellido en Nombre de usuario. Haga clic en Siguiente.
3. En el siguiente cuadro, debe consignar el Código del producto (*Product Key*) y hacer clic en el botón **Siguiente**.
4. En el cuadro de diálogo Tipo de instalación no cambie los valores seleccionados por defecto (en este caso Actualizar Instalación recomendada) y haga clic en el botón **Siguiente**.
5. Haga clic en el botón **Instalar** si en el cuadro indica que el programa de instalación está listo.
6. En la figura 1.1 podrá observar el progreso de la instalación.
7. Si no hay errores, al finalizar la instalación aparecerá un cuadro de diálogo indicando que el proceso ha finalizado correctamente. A continuación, haga clic en **Aceptar**.
8. Puede comprobar la instalación haciendo clic en **Inicio**, situado en la esquina inferior izquierda de la pantalla (**Botón de Windows Vista** en la ultima versión del sistema operativo), y observando que en la opción **Programas** aparecen los iconos de los com-

ponentes de Office 2007, como aparece en la figura 1.2.

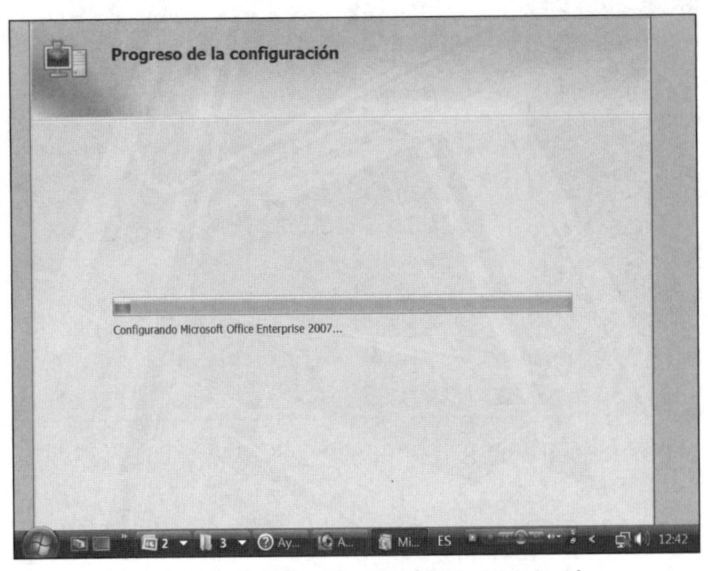

Figura 1.1. Primeros pasos de la instalación.

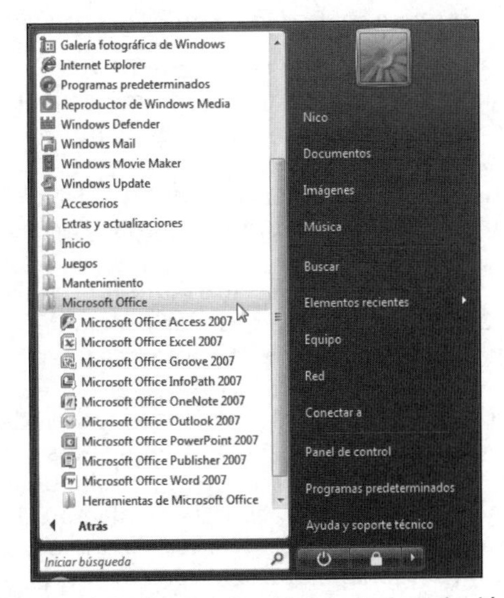

Figura 1.2. Comprobación de la instalación.

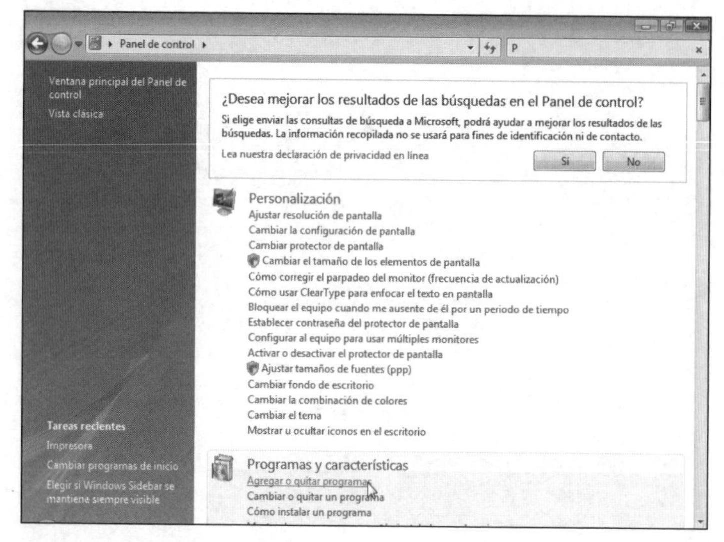

Figura 1.3. Agregar o quitar programas en el Panel de control.

1.3. Agregar o quitar programas de Office

Encienda el ordenador y una vez cargado el sistema operativo Windows realice los siguientes pasos:

1. Introduzca el DVD-ROM en la unidad correspondiente y aparecerá la ventana Programa de instalación de Microsoft Office 2007, el proceso de instalación se iniciará automáticamente.
2. La instalación se detendrá en el apartado Opciones del modo Mantenimiento: Agregar o quitar funciones, Reparar o Quitar.
   Deje seleccionada la opción Agregar o quitar funciones. Seguidamente, cambie las funciones que se instalan o quite otras específicas, y haga clic en el botón Siguiente.
3. En el siguiente cuadro le pedirá elegir el Idioma, una vez seleccionado, comenzara el progreso de instalación hasta que le solicite el tipo de instalación. Esta puede ser Compacta, con la instalación de elementos básicos, Completa, o Personalizada. Si escoge Instalación personalizada, seleccione las aplicaciones de Office 2007 que quiere instalar o anule haciendo clic

en la selección de las aplicaciones de Office 2007 que desea quitar. Observe en el margen inferior derecho los detalles del espacio requerido y el disponible en el disco C de su ordenador.

4. Por último, haga clic en el botón **Actualizar**. Si la instalación se ejecuta sin errores aparecerá un cuadro de diálogo indicando que el proceso ha finalizado correctamente. Haga clic en **Aceptar**.

> ***Nota:*** *La instalación de Microsoft Office 2007 en el sistema operativo Windows Vista, básicamente sigue los mismos pasos que en Windows XP (Home y Profesional) a diferencia que para comprobar su instalación y debido a las nuevas herramientas del nuevo sistema operativo de Windows, toman otra nomenclatura u ofrecen procedimientos alternativos. En el caso del* Panel de control, *podemos encontrar que para acceder a* Agregar o quitar programas, *existe un paso intermedio,* Programas y características *que ofrece nuevas tareas, como la de usar un* Programa antiguo con esta versión de Windows *o permitir predeterminar programas, en* Panel de Control>Programas Predeterminados.

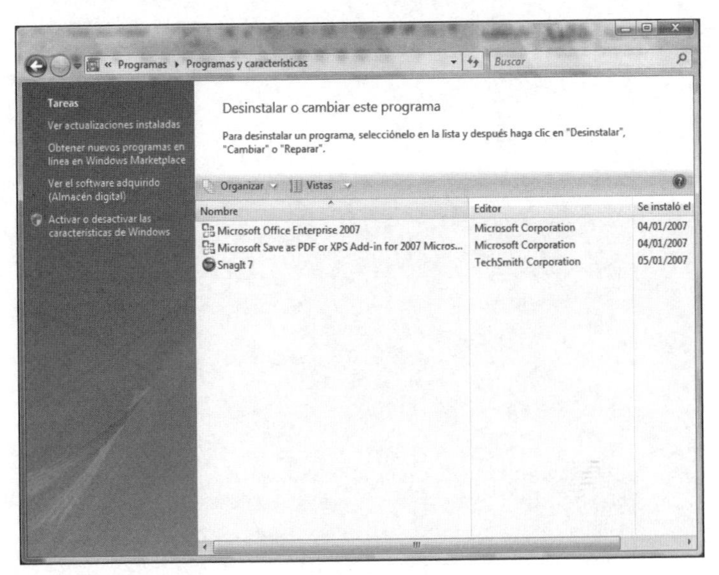

Figura 1.4. Cuadro de diálogo Agregar o quitar programas.

2 Principios Básicos

2.1. Descripción de la nueva interfaz

En la versión 2007 se ha rediseñado la manera en que los usuarios interaccionan con Microsoft Office Word, PowerPoint, Excel, Access y Outlook para que les resulte más fácil encontrar y utilizar las funciones de los programas. El aspecto general de estas aplicaciones se ha agilizado y se han incluido nuevas tecnologías ofreciendo una interfaz de usuario mejorada que permite encontrar y usar las funciones que necesita más rápidamente y que presentan a los usuarios opciones de posibles resultados como ya hemos indicado en el capítulo de introducción de forma que sólo tienen que "examinar, elegir y hacer clic" en lugar de los complicados cuadros de diálogo.

2.2. Iniciar y cerrar un programa

Para abrir cualquiera de las aplicaciones que componen Office 2007:

1. Haga clic en el **Botón de Inicio** (**Iniciar** en Windows Vista)
2. Sitúe el ratón sobre Programas y a continuación haga clic en la carpeta **Microsoft Office 2007**. En ese momento, se desplegará el menú en el que aparecen todas las aplicaciones.
3. Haga clic sobre el programa que desea utilizar: Microsoft Word, Microsoft Excel, Microsoft Power Point, Microsoft Access, Microsoft Outlook, Micro-

soft Publisher o Microsoft OneNote. A continuación, el programa se abrirá y aparecerá su ventana correspondiente.

Para abrir rápidamente cualquiera de las aplicaciones de Office que utilice con más frecuencia, puede crear en el Escritorio de Windows accesos directos.

1. Haga clic en el **Botón de Windows Vista (Iniciar)** .
2. Sitúe el ratón sobre Programas y haga clic en **Microsoft Office 2007** para que aparezca el menú con las distintas aplicaciones.
3. Desplace el ratón a la aplicación que desea crear el acceso directo y haga clic con el botón secundario del ratón.
4. Aparecerá un menú. Haga clic en la opción Enviar a y seleccione la opción Escritorio (crear Acceso directo).
5. A continuación, aparecerá en el Escritorio de Windows el icono correspondiente a cada aplicación. Haga doble clic en el icono del programa que quiera abrir. Por ejemplo, en el de Word o en el de Excel .

2.2.1. Cerrar una aplicación

Para cerrar una aplicación, haga clic en el botón **Cerrar** , situado en el margen superior derecho de la ventana de Word. O bien, en el **Botón de Office**, , haga clic en **Cerrar**. En caso de que no haya guardado el documento antes, le pedirá confirmación.

2.2.2. Abrir un documento

Para abrir cualquiera de las aplicaciones que componen Office 2007:

1. Haga clic en el **Botón de Windows Vista** y, a continuación, haga clic en Microsoft Office. En ese momento, se desplegará el menú en el que aparecen todas las aplicaciones.
2. Seleccione la aplicación que desee ejecutar.
3. Haga clic con el botón secundario del ratón sobre el programa que desea utilizar: Microsoft Word, Microsoft Excel, Microsoft Power Point, Microsoft Access, Microsoft Outlook, Microsoft Publisher o Microsoft OneNote.

A continuación, el programa se abrirá y aparecerá su ventana correspondiente.

Nota: *Para abrir rápidamente cualquiera de las aplicaciones de Office que utilice con más frecuencia, puede crear en el Escritorio de Windows accesos directos. Haga clic en el* ***Botón de Windows Vista (Iniciar)****, sitúe el ratón sobre* Programas *y haga clic en la carpeta* ***Microsoft Office*** *para que aparezca el menú con las distintas aplicaciones. Desplace el ratón a la aplicación que desea crear el acceso directo y haga clic con el botón secundario del ratón. Aparecerá un menú, haga clic en la opción* Enviar a *y seleccione la opción* Escritorio *(crear acceso directo).*

4. A continuación, aparecerá en el Escritorio de Windows el icono correspondiente a cada aplicación. Haga doble clic en el icono del programa que quiera abrir. Por ejemplo, en el de Word o en el Outlook .

Para cerrar una aplicación, haga clic en el botón **Cerrar** , situado en el margen superior derecho de la ventana del programa. O bien, si quiere cerrar solo el documento y mantener la aplicación activa haga clic en **Cerrar** en la ventana del documento. (Recuerde que si ha realizado cambios sin guardar, se mostrará el cuadro de diálogo del programa para recordárselo.)

2.3. Herramientas de Office

Para acceder a las herramientas de Office haga clic en el **Botón de Windows Vista (Iniciar)** , seleccione Programas, en el menú desplegable haga clic en la carpeta de **Microsoft Office** y, a continuación, en la carpeta Herramientas de Office. En ese momento aparecerá un submenú con las siguientes herramientas:

1. Certificado digital para proyectos de VBA. Este programa crea un certificado personal autofirmado que se puede utilizar para macros personales.
2. Diagnósticos de Microsoft Office.
3. Galería multimedia de Microsoft. Importa y organiza fotografías, imágenes prediseñadas y archivos de sonido y en movimiento.

4. Configuración del idioma de Microsoft Office.
5. Microsoft Office Picture Viewer. Muestra e imprime archivos Snapshot (.snp) de informes de Microsoft Office Access mediante Microsoft Office Access Snapshot Viewer.
6. Microsoft Office Picture Manager 2003 para organizar, editar y compartir archivos de imagen.

2.4. Crear documentos nuevos

1. Haga clic en el **Botón de Office** y en el menú desplegable seleccione Nuevo Documento de Office.
2. Haga clic en una de las dos opciones:
   - Documento en blanco: Para abrir un documento nuevo en Word.
   - Nueva entrada de blog.
3. Una vez seleccionado haga clic en **Aceptar**.

> ***Nota:*** *En todos los programas de Office, puede crear un nuevo documento haciendo clic en el* ***Botón de Office*** *y luego en* Nuevo.

2.5. Crear una plantilla

Una plantilla determina la estructura básica de un documento y contiene la configuración del mismo, como por ejemplo, fuentes, formato especial y estilos, asignaciones de teclas y comandos, macros, menús, diseño de página, Autotexto, etc.

1. Las plantillas globales, incluida la plantilla normal, contienen valores que están disponibles en todos los documentos.
2. Las plantillas de documento, como las de memorandos y fax del cuadro de diálogo Plantillas, contienen valores que sólo están disponibles para documentos basados en esa plantilla.

En la mayoría de los programas de Office, a través del panel de tareas **Nuevo**, se puede acceder a las Plantillas que hay en el PC o en Internet.

> ***Advertencia:*** *Las plantillas pueden almacenar virus de macros, por lo que se recomienda precaución a la hora de abrirlas o de crear archivos basados en ellas. Para ello, se aconseja adoptar las siguientes medidas:*
>
> 1. *Ejecutar en el equipo un software antivirus actualizado.*
> 2. *Establecer el nivel de seguridad de macros al máximo.*
> 3. *Desactivar la casilla de verificación* Confiar en todas las plantillas y complementos instalados.
> 4. *Utilizar firmas digitales.*
> 5. *Mantener una lista de orígenes de datos de confianza.*

2.5.1. Modificar una plantilla de Word

La modificación de una plantilla afectará a los nuevos documentos que cree en función de ésta. El contenido de los documentos existentes no se verá afectado por los cambios realizados en las plantillas en las que se basan.

Para modificar una plantilla de Word:

1. En el **Botón de Office**, haga clic en **Abrir** y, a continuación, busque y abra la plantilla que desee modificar. Si no hay ninguna plantilla en el cuadro de diálogo **Abrir**, haga clic en Tipo de archivo y seleccione Plantillas de documento (véase figura 2.1).

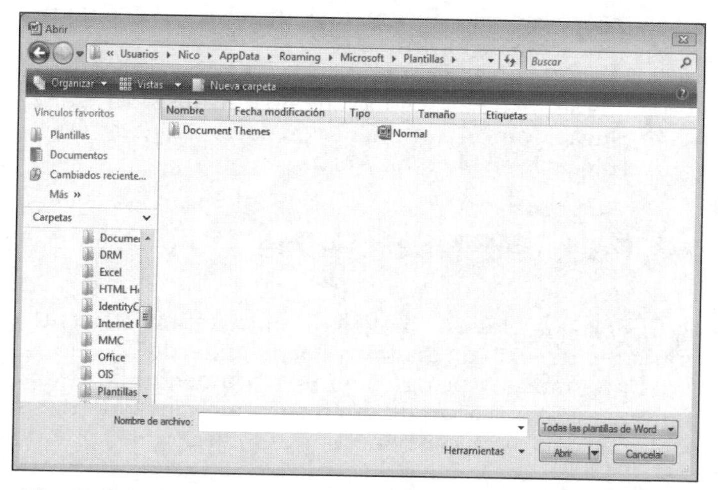

Figura 2.1. Seleccionar plantillas desde el cuadro de diálogo del menú Abrir.

2. Cambie el texto, los elementos gráficos, los estilos, el formato, las macros, los elementos de Autotexto, las barras de herramientas, los valores de los menús y las teclas de método abreviado que desee de la plantilla.
3. En el **Botón de Office**, haga clic en el botón **Guardar**.

> ***Nota:*** *Microsoft Word actualizará los estilos modificados al abrir un documento existente sólo si está activada la opción* Actualizar los estilos automáticamente. *Establezca esta opción en un documento en blanco, antes de abrir un documento existente, haciendo clic en el comando* Plantillas y complementos *del menú* Herramientas de Office.

2.6. Abrir documentos existentes

Podrá abrir cualquier documento de Office sin necesidad de arrancar primero su aplicación. Para ello:

1. Haga clic en el **Botón de Office** y, a continuación, en el menú desplegable haga clic en Abrir Documento de Office.
2. Aparecerá un cuadro de diálogo en la que se muestran todos los documentos creados con cualquier aplicación de Office.
3. Haga clic en Buscar en para localizar la carpeta en la que se encuentra el documento que busca.
4. Haga clic en el documento que desee abrir.
5. Haga clic en el botón **Abrir**.

2.7. Portapapeles de Office

El Portapapeles de Office le permite reunir elementos gráficos y de texto de distintos documentos de Office y de otros programas y pegarlos en un documento. Por ejemplo, puede copiar texto de un documento de Word, datos de Excel, una lista con viñetas de PowerPoint, texto de Internet Explorer y una hoja de datos de Access y, a continuación, volver a Word y organizar algunos o todos los elementos reunidos en el documento de Word.

El Portapapeles de Office se abre automáticamente al seguir uno de estos procedimientos:

1. Copiar o cortar sucesivamente dos elementos distintos en el mismo programa.
2. Copiar un elemento, pegarlo y, a continuación, copiar otro elemento en el mismo programa.
3. Copiar un elemento dos veces seguidas.

Se accede al Portapapeles de Office en la Cinta de opciones en la ficha Inicio. El Portapapeles de Office funciona con los comandos estándar **Copiar, Cortar** y **Pegar** del **Botón de Office** , o mediante atajos de teclado simples como **Control-C, Control-X** o **Control-V**.

Copie un elemento de un documento de Office y, automáticamente, aparecerá en el Portapapeles de Office como muestra la figura 2.2.

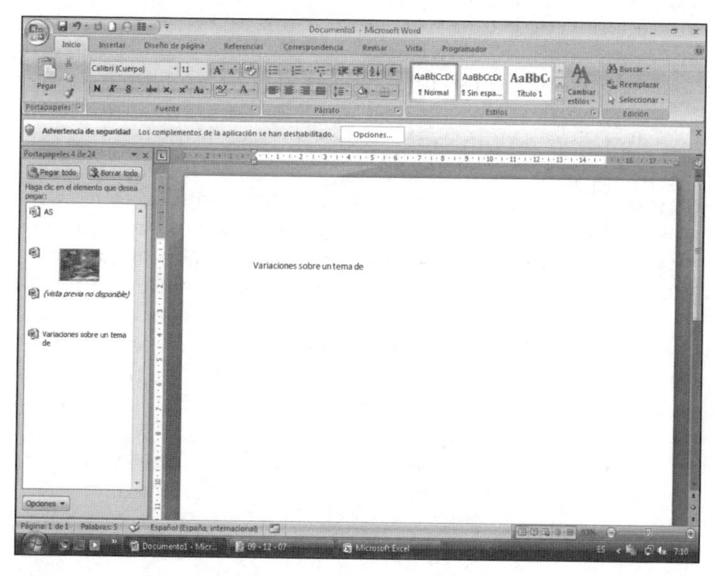

Figura 2.2. Portapapeles de Office con archivos de Word y Excel.

Cada entrada incluye un icono que representa el programa de origen de Office y una parte del texto copiado o una miniatura del gráfico copiado. Los elementos reunidos permanecerán en el **Portapapeles** hasta que salgan de Office. A continuación, podrá pegar los elementos en ese mismo documento o en otro documento de Office.

Para pegar elementos del **Portapapeles**, puede hacerlo uno por uno o todos a la vez. Si desea pegar uno por uno:

1. Sitúe el cursor en el lugar del documento donde quiere insertar el elemento.
2. A continuación, en el panel de tareas haga clic en el elemento del Portapapeles que quiere pegar.

2.8. Herramientas adicionales

2.8.1. Etiquetas inteligentes y controles de contenido

Las etiquetas inteligentes son botones que aparecen en el documento en el que está trabajando y que le permitirán ahorrar tiempo. Podrá realizar acciones, por ejemplo de Microsoft Word, que normalmente realizarían otros programas. También podrá realizar funciones sin tener que hacer clic en un botón de una barra de herramientas o tener que abrir un cuadro de diálogo. Controles de contenido: Los controles de contenido son controles individuales que puede agregar y personalizar para utilizarlo en plantillas, formularios y documentos. Por ejemplo, muchos formularios en línea están diseñados con un control de lista desplegable que proporciona un conjunto limitado de opciones al usuario del formulario. Los controles de contenido pueden proporcionar texto de instrucciones a los usuarios y es posible configurar controles para que desaparezcan cuando los usuarios escriban su propio texto. Puede reutilizar y distribuir controles de contenido personalizados, así como crear sus propios bloques de creación para incluirlos en un control de contenido. Puede encontrar los controles de contenido para un documento en la ficha Programador.

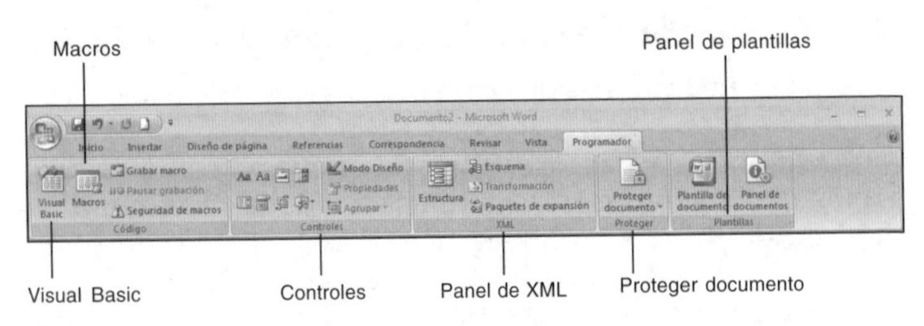

Figura 2.3. La ficha Programador.

2.8.2. Opciones de autocorrección

El botón Opciones de autocorrección (véase la figura 2.4) aparecerá primero como un pequeño cuadro de color azul con un rayo amarillo al situar el puntero del ratón junto a un texto corregido. El cuadro se convierte en un icono del botón al elegirlo.

Si en alguna ocasión no desea que se corrija el texto, podrá deshacer la corrección o ajustar las opciones de Autocorrección haciendo clic en el botón y realizando una selección. Es necesario configurar debidamente estas opciones, para ello proceda de la siguiente forma.

1. Haga clic en el **Botón de Office** y en el menú desplegable, haga clic de nuevo sobre Opciones del programa, por ejemplo Word.
2. En Opciones del programa, seleccione Revisión.
3. Sitúese en el apartado Opciones de autocorrección y haga clic sobre el botón correspondiente.
4. Marque las casillas de verificación que desee.
5. Haga clic en **Aceptar**.

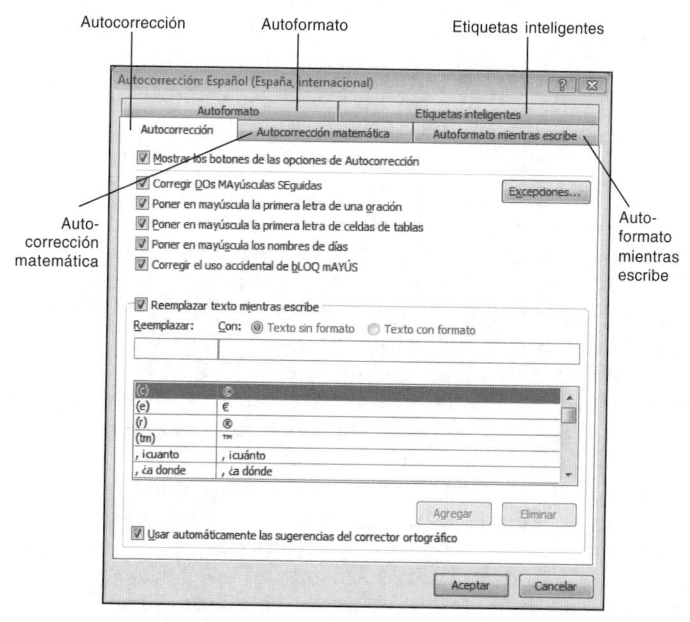

Figura 2.4. Opciones de Autocorrección.

2.8.3. El ayudante de Office

En cada una de las aplicaciones de Office podrá obtener información que le permitirá descubrir muchas utilidades y consultar dudas desde la misma pantalla del programa.

Para obtener ayuda:

1. En la Barra de Título, haga clic en el botón **Ayuda** .
2. Aparecerá un menú, seleccione la opción que desee:
   - Ayuda del programa, para buscar cualquier tema sobre el que desee recibir más información.
   - Mostrar el Ayudante de Office, que permite efectuar preguntas y mostrar sugerencias de trabajo.
   - Microsoft Office Online, para buscar en Internet cualquier información que necesite.

2.8.4. La barra de herramientas de acceso rápido

La barra de herramientas de acceso rápido es un dispositivo configurable que contiene un conjunto de comandos independientes de la ficha que se esté mostrando. Puede agregar a esta barra botones que representen comandos y moverla a dos posibles ubicaciones:

- Esquina superior izquierda junto al **Botón de Office** (ubicación predeterminada).
- Debajo de la Cinta de opciones.

Para Agregar un comando a la barra de herramientas de acceso rápido, puede hacerlo desde una lista de comandos del cuadro de diálogo Opciones del Nombre de programa, donde Nombre de programa es el nombre del programa en el que está utilizando, por ejemplo, Opciones de Access. (Véanse capítulos posteriores.)

También puede agregar un comando a la barra de herramientas de acceso rápido directamente desde los comandos que se muestran en la Cinta de opciones.

En la Cinta de opciones, haga clic en la ficha o el grupo correspondiente para mostrar el comando que desee agregar a la barra de herramientas de acceso rápido.

Haga clic con el botón secundario del ratón en el comando y, a continuación, haga clic en la opción Agregar a la barra de herramientas de acceso rápido del menú contextual.

3 Word

3.1. Introducción

Word 2007 es la nueva versión del procesador de textos del sistema Microsoft Office.

En este capítulo ofrecemos una descripción amplia de las nuevas opciones de interfaz de ventana y visualización generales de la aplicación orientadas a un uso rápido e intuitivo que permitirá realizar presentaciones de texto mas dinámicas y con la que podrá comenzar a trabajar de inmediato utilizando los nuevos menús y las barras de herramientas.

Con las nuevas herramientas de edición podrá crear plantillas, entradas de blog, insertar gráficos o diagramas, aplicar estilo y formato, así como crear columnas y tablas entre otras muchas funciones y conseguir resultados visualmente efectivos sin necesidad de invertir demasiado tiempo en dar formato a los documentos.

Word 2007 ofrece nuevas funciones que facilitan la creación, el uso compartido y la lectura de documentos. Las funciones de revisión, anotación y extras se han mejorado para solucionar las múltiples formas en que los usuarios controlan los cambios y administran los comentarios. Word se puede utilizar también para guardar y activar archivos XML e integrarlos con datos empresariales de organización.

3.2. La Nueva ventana de Word

La ventana inicial de Word aparecerá cuando se abra el programa, eligiendo para ello cualquiera de estas formas:

1. Haga clic en el botón **Inicio** (o en el logotipo de Microsoft Office en Windows Vista), seleccione Programas, haga clic en la carpeta de Microsoft Office y, a continuación, haga clic en Microsoft Word. O bien:
2. Haga clic en el **Botón de Windows Vista** y haga clic en Nuevo documento de Office. Cuando aparezca el cuadro de diálogo Nuevo documento de Office, active la ficha General y haga doble clic sobre el icono Documento en blanco.

Una vez arrancado el programa, en la ventana inicial de Word (véase la figura 3.1) aparecerán los elementos indicados a continuación:

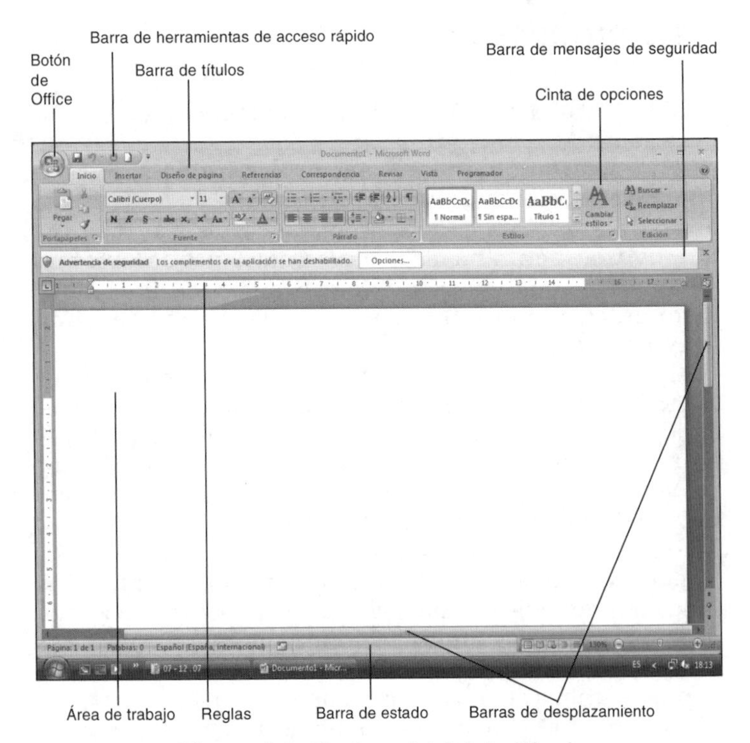

Figura 3.1. Ventana inicial de Word.

1. **Botón de Office.** Al hacer clic, verá los mismos comandos básicos disponibles en versiones anteriores de Microsoft Office para crear, abrir, guardar, copiar e imprimir el archivo. Sin embargo en esta versión de Office, hay disponibles más comandos, como Preparar, Enviar o Publicar.
2. **Barra de herramientas de acceso rápido.** Es una barra de herramientas personalizable que contiene un conjunto de comandos independientes de la ficha que se está mostrando. Puede agregar botones que representen comandos que esté usando en cada momento.
3. **Barra de Títulos.** Aparece el nombre que asigna al documento, una vez que se ha guardado en el disco. Si todavía no le ha dado un nombre, aparecerá Documento1 Word. En la parte derecha de esta barra, hay tres botones para **Minimizar**, **Restaurar** o **Cerrar** el documento.
4. **La Cinta de opciones.** Una de las novedades del programa, así como de otras aplicaciones de Office 2007, que reemplaza a la anterior Barra de Menús. Contiene las fichas Inicio, Insertar, Diseño Página, Referencias, Correspondencia, Revisar, Vista, y Complementos, ordenados a modo de solapas o fichas, en las que al seleccionar, mantienen a la vista todas sus funciones, como muestra la figura 3.2.

Figura 3.2. La Cinta de opciones de Word 2007.

5. **Barra de mensajes de seguridad.** Muestra alertas de seguridad cuando hay contenido activo y que no puede ser seguro en el documento que se va a abrir. Por ejemplo, el documento puede contener una macro sin firma o una macro firmada con firma no válida. En tales casos y de forma predeterminada, aparece la barra de mensajes para alertarle del problema.
6. **Reglas.** Las reglas horizontal y vertical de Word se suelen utilizar para alinear textos, gráficos, tablas y otros elementos en un documento.

7. **Área de Trabajo.** Es una hoja de papel en blanco en la que podrá escribir, insertar cualquier tipo de gráfico y editar entre otras funciones. (También llamada Zona de texto.)
8. **Barras de desplazamiento.** Permiten moverse con rapidez por la zona de texto. Están situadas, una en la parte derecha de la ventana para desplazarse de arriba a abajo y otra, en la parte inferior, para hacerlo horizontalmente. Al lado izquierdo de esta última, hay cuatro botones de formateo de página.
9. **Barra de estado.** Ofrece información del documento, como el número de página, la sección, la línea en la que se encuentra, el número de palabras, el selector de vistas y un control deslizante lineal del zoom de – a + de la página, como aparece en la figura 3.3.

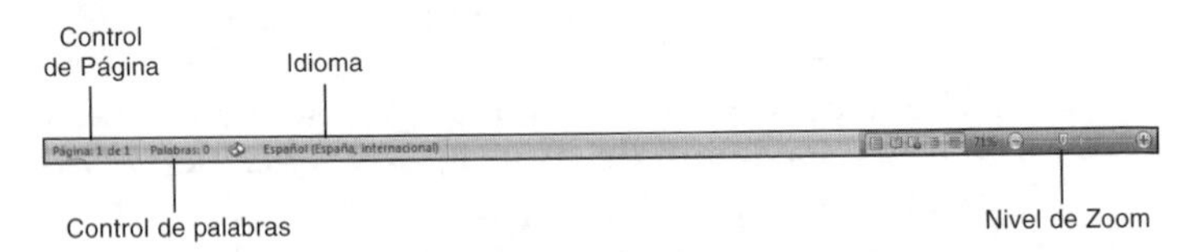

Figura 3.3. La barra de estado de Word.

> ***Nota:*** *Para acceder al clásico menú edición, tan solo hay que situarse en el texto, imagen u objeto en el área de trabajo, hacer clic con el botón derecho del ratón en él y aparecerá la lista con las opciones típicas de la edición, como Cortar, Copiar, Pegar, así como funciones de formato y estilo, y otra ventana arriba con las opciones de Fuente, Cuerpo, Tamaño, Tipo, etc.*

3.3. La Cinta de opciones

La primera vez que inicie Word, quizás le sorprenda que los menús y las barras de herramientas tengan otra apariencia distinta. En Word y en otros programas de Office 2007, se han sustituido por la Cinta de opciones, una forma más rápida e intuitiva para ofrecer más opciones a los textos y facilidad para realizar las tareas.

Principalmente, la Cinta de opciones se ha diseñado para ayudar al usuario a encontrar fácilmente los comandos necesarios para completar una tarea. Los comandos se organizan en grupos lógicos, que se reúnen en fichas. Cada ficha está relacionada con un tipo de actividad (como escribir o diseñar una página). Para reducir la aglomeración de elementos en pantalla, algunas fichas sólo se muestran cuando son necesarias. Por ejemplo, la ficha Herramientas de imagen sólo se muestra cuando se selecciona una imagen. La Cinta de opciones consta de tres componentes básicos:

- **Las fichas:** Se encuentran en la parte superior de la cinta y cada una de ellas representa las tareas principales que se llevan a cabo en un programa determinado.
- **Los grupos:** Son conjuntos de comandos relacionados que se muestran en las fichas, agrupan los comandos más necesarios para un tipo de tarea y permanecen expuestos y disponibles, lo que constituye una rica ayuda visual.
- **Los comandos:** Están organizados en grupos. Un comando puede ser un botón, un menú o un cuadro en el que se especifica información.

3.3.1. La ficha Inicio

La primera ficha de Word 2007 es la ficha Inicio. La tarea principal en Word consiste en escribir, por tanto, los comandos de la ficha Inicio, mostrados en la figura 3.4, son los que más se utilizan para escribir documentos: comandos de formato de fuente (en el grupo Fuente), opciones de párrafo (en el grupo Párrafo) y estilos de texto (en el grupo Estilo) y formatos de edición (en el grupo Edición).

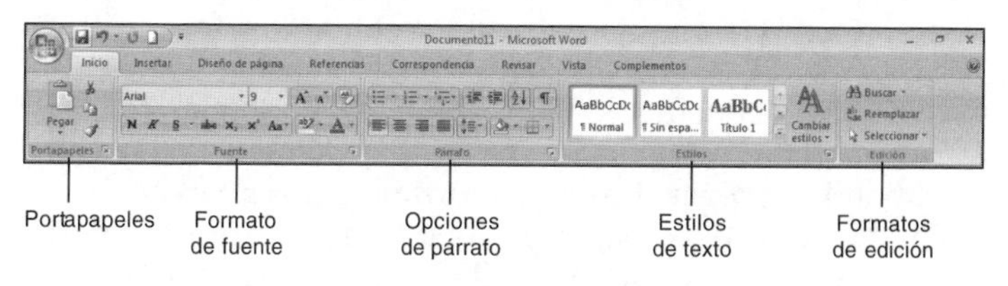

Figura 3.4. Ficha de Inicio.

3.4. Crear nuevo Documento

Al abrir un documento con Word 2007 creado en versiones anteriores de Word (1997-2003), se activa el modo de compatibilidad y en la barra de título de la ventana del documento aparece Modo de compatibilidad.

De esta manera se puede trabajar en este modo o bien convertir el documento al formato de archivo de Office Word 2007.

Para abrir un documento de Word 97-2003 en Office Word 2007, aparecerá Modo de compatibilidad en la barra de título de la ventana del documento. De esta forma, puede abrir, modificar y guardar documentos de Word 97-2003, pero no podrá utilizar ninguna de las nuevas funciones de Office Word 2007.

Con la conversión, podrá tener acceso a las características nuevas y avanzadas de Office Word 2007. Sin embargo, puede que quienes utilicen versiones anteriores de Word no puedan editar ciertas partes del documento creadas con las características avanzadas de Word 2007.

Como novedad importante, en la interfaz de Word 2007, el menú archivo estándar ha sido reemplazado por el **Botón de Office,** situado en el ángulo superior izquierdo, entre la Barra de herramientas de acceso rápido y la Cinta de opciones, a modo de carpeta con solapas. Al pulsar sobre él se desplegará la lista con los habituales comandos del menú (Nuevo, Abrir, Guardar, Imprimir, Preparar, Enviar, Publicar y Cerrar) con sus correspondientes submenús.

Para disponer del clásico menú de comandos de archivo, haga clic con el botón derecho del ratón sobre el **Botón de Office** y aparecerá la ventana Opciones de Word, seleccione Personalizar, y a la derecha dispondrá de la ventana de Personalización de la Barra de herramientas de acceso rápido que consta de dos desplegables: Comandos disponibles en (con una amplia lista de los comandos más utilizados de edición, etc.) y un segundo desplegable debajo con los diferentes comandos (Abrir, Guardar, Imprimir, etc.). Seleccione aquellos que utilice más frecuentemente y haga clic en el botón **Agregar**. Los comandos elegidos aparecerán en el cuadro a su derecha, y la opción, mediante flechas de ordenar al gusto de cada uno. (Pulsando con el botón derecho del ratón sobre el botón de **Microsoft Office**, podrá mostrar u ocultar la barra de herramientas de acceso rápido.)

Haga clic en el **Botón de Office** y seleccione **Nuevo**, aparecerá una ventana de tareas dividida en tres partes. A la izquierda aparecerá Plantillas, con bastantes novedades, al seleccionar cualquiera de ellas se visualizarán en la subventana central las preinstaladas (con la posibilidad de que aparezcan cientos más por conexión a Internet a Office Online) y haga clic por ejemplo en **Nuevo**.

3.5. Tareas básicas para manejar archivos

3.5.1 Abrir un documento

Para abrir un documento ya existente (véase la figura 3.5):

1. Haga clic en el **Botón de Office** o use la combinación de teclas **Control-A**.
2. En la lista Buscar en, seleccione la unidad, carpeta u otra ubicación que contenga el documento que quiera abrir.
3. En la lista de carpetas busque y abra la carpeta que contenga el archivo.
4. Haga clic sobre el archivo elegido.
5. Por último haga clic en **Abrir**.

3.5.2. Guardar un documento

Una vez hemos terminado la sesión con el documento, haga clic en el botón **Guardar** del menú Archivo, o bien pulsando sobre el botón **Guardar** de la Barra de herramientas de acceso rápido. Si desea guardar una copia de un documento:

1. Haga clic en Guardar como del **Botón de Office**.
2. Le aparecerá un cuadro de diálogo. Seleccione dónde quiere ubicar el documento en la lista desplegable de Guardar en. La carpeta Mis documentos es un buen lugar para almacenar archivos de trabajo, de lo contrario elija o cree una nueva carpeta.
3. En el cuadro Nombre de archivo, escriba un nombre para el archivo.
4. Haga clic en **Guardar**.

También puede guardar un archivo con otro formato:

1. En el botón del **Botón de Office**, haga clic en Guardar como.
2. Aparecerá un cuadro con el título Guardar una copia del documento con cinco diferentes tipos de archivo: Documento de Word, Plantilla de Word, Documento de Word 97-2003, PDF o XPS, y Otros formatos. Se-

leccione la carpeta y el tipo que más le convenga, por ejemplo como Archivo XPS.

3. En el cuadro Nombre de archivo, escriba un nombre para el documento.
4. Haga clic en **Guardar**.

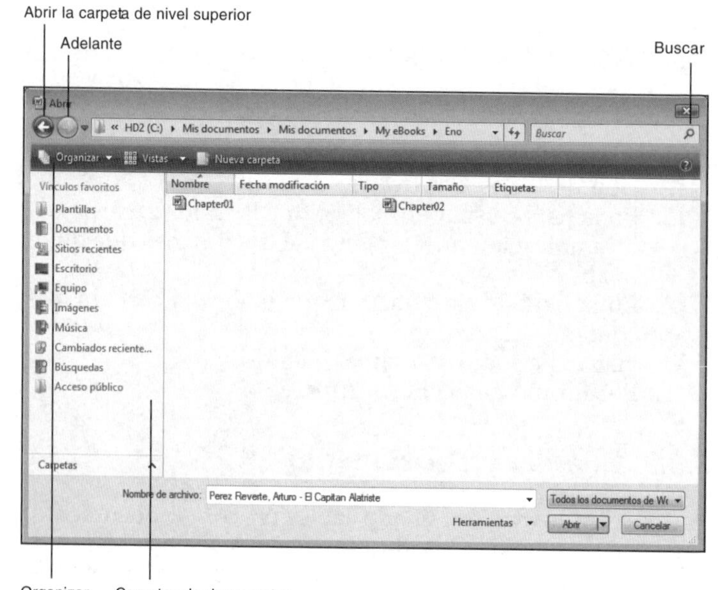

Figura 3.5. Cuadro de diálogo para abrir un documento de Word.

Si quiere guardar un documento de Word como página Web:

1. En el **Botón de Office** haga clic en Guardar como página Web.
2. Si desea guardar el documento en otra carpeta, deberá buscarla y, a continuación, abrirla.
3. En el cuadro Nombre de archivo, escriba un nombre para el documento.
4. Haga clic en **Guardar**.

3.5.3. Cerrar un documento

Si quiere cerrar el documento, haga clic en el **Botón de Office** y haga clic en **Cerrar** o bien en la Barra de herramientas de acceso rápido, en el icono correspondiente o el clásico botón **Cerrar** , que está situado en la esquina superior derecha de la ventana del documento. Puede utilizar las teclas **Control-R**.

3.5.4. Crear una plantilla

Puede comenzar con un documento vacío y guardarlo como una plantilla o puede crear una plantilla basada en un documento o plantilla ya existente. Comenzar con una plantilla en blanco:

1. Haga clic en el **Botón de Office** y, a continuación, haga clic en **Nuevo**.
2. Haga clic en Documento en blanco y, a continuación, haga clic en **Cerrar** .
3. Realice los cambios que desee en los valores de los márgenes, el tamaño y la orientación del papel, los estilos y otros formatos. Agregue el texto informativo, los controles de contenido (por ejemplo, un selector de fecha) y los gráficos que desee que aparezcan en todos los documentos nuevos basados en la plantilla.
4. Haga clic en el **Botón de Office** y, a continuación, haga clic en Guardar como.
5. En el cuadro de diálogo Guardar como, haga clic en Plantillas de confianza.
6. A continuación, escriba un nombre de archivo para la nueva plantilla, seleccione Plantilla de Word en la lista Guardar como tipo y haga clic en **Guardar**.
7. Cierre la plantilla.

Crear una plantilla basada en un documento existente:

1. Haga clic en el **Botón de Office** y, a continuación, haga clic en Abrir.
2. Abra el documento que desee.
3. Haga clic en el **Botón de Office** y, a continuación, haga clic en Guardar como.
4. Efectúe los cambios que desea que aparezcan en todos los documentos nuevos basados en la plantilla.
5. En el cuadro de diálogo Guardar como, haga clic en Plantillas de confianza.
6. Escriba un nombre de archivo para la nueva plantilla, seleccione Plantilla de Word en la lista Guardar como tipo y, a continuación, haga clic en **Guardar**.
7. Cierre la plantilla.

Crear una nueva plantilla basada en una ya existente:

1. Haga clic en el **Botón de Office** y, a continuación, haga clic en **Nuevo**.
2. Debajo de Plantillas, haga clic en Nuevo a partir de existente.
3. Haga clic en una plantilla que sea similar a la que desee crear y, a continuación, haga clic en Crear nuevo.
4. Realice los cambios que desee en los valores de los márgenes, el tamaño y la orientación del papel, los estilos y otros formatos.
5. Haga clic en el **Botón de Office** y, a continuación, haga clic en Guardar como.
6. En el cuadro de diálogo Guardar como, haga clic en Plantillas de confianza.
7. Escriba un nombre de archivo para la nueva plantilla, seguidamente, haga clic en Plantilla de Word en el cuadro Guardar como tipo y, a continuación, haga clic en **Guardar**.
8. Cierre la plantilla.

> ***Nota:*** *Puede guardar cualquier tipo de plantilla como una Plantilla habilitada con macros de Word* (`archivo.dotm`) *o como una Plantilla de Word 97-2003* (`archivo.dot`).

3.5.5. Creación de Blogs en Word 2007

Ante el éxito e impacto en el mundo de Internet de la aparición de Blogs, Microsoft Office 2007 ha decido oportunamente integrar la creación de entradas de Blog para su publicación.

Igualmente, ha puesto en servicio proveedores gratuitos de espacios para todos aquellos usuarios que así lo precisen, como por ejemplo Windows Live Spaces, Blogger o Microsoft Windows SharePoint Services.

Si ya dispone de una cuenta con un proveedor de servicios de blog, puede comenzar a crear un blog en Word inmediatamente.

1. Haga clic en el **Botón de Office** y, a continuación, haga clic en **Nuevo**.
2. Haga doble clic en Nueva entrada de blog de la subventana central mostrada en la figura 3.6.

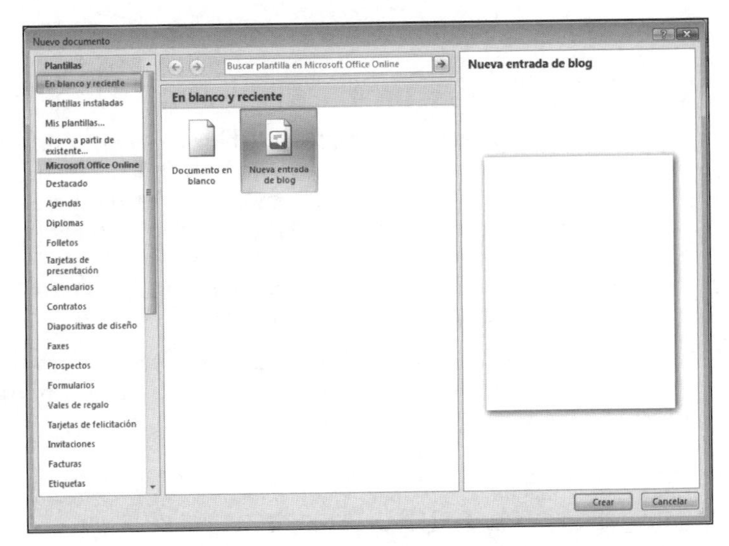

Figura 3.6. Nueva entrada de blog.

3. En el cuadro de diálogo Registrar una cuenta de blog, haga clic en **Registrarse ahora** para registrar su cuenta de blog con Word.

Si ya dispone de una cuenta con un proveedor de servicios de blog, puede configurar Word para que utilice la información de dicha cuenta al abrir o publicar entradas de blog.

Si tiene varias cuentas de blog, puede registrarlas todas en Word. Cuando cree o edite un blog, podrá elegir la cuenta que desee utilizar para una entrada determinada.

El procedimiento para registrar la cuenta de blog con Word depende del proveedor de servicios de blog que utilice. Básicamente en todos ellos su nombre de usuario y su contraseña son las credenciales que utiliza para iniciar una sesión en la cuenta de blog. Para registrar una cuenta de Windows Live Spaces con Word, escriba su nombre de espacio y su palabra secreta en el cuadro de diálogo para registrar cuentas de blog en Word.

El nombre de espacio es la parte única de su dirección Web de Windows Live Spaces.

Por ejemplo, si su dirección Web de Windows Live Spaces es `http://chamaleon.spaces.live.com/`, entonces el nombre de espacio es `chamaleon`.

Para activar la publicación de correo electrónico:

1. Inicie sesión en su espacio.
2. Haga clic en Opciones.
3. Haga clic en la ficha E-mail Publishing y, a continuación, siga los pasos para activar la publicación de correo electrónico rellenando los datos que pedirá el proveedor, nombre de usuario, palabra secreta, la interfaz de programación de aplicaciones (API) y la dirección URL del blog expuesto en el cuadro de diálogo para registrar cuentas en Word.

Los problemas más frecuentes con los que se encontrará se producirán al registrar la cuenta, publicar, abrir una entrada de blog o cargar imágenes.

> ***Nota:*** *Además del texto, el sistema también permite subir a nuestro blog las imágenes a través del protocolo FTP garantizando un código correcto.*

3.5.6. Seleccionar una vista del documento

En la nueva versión de Word 2007, hay cinco tipos de vista de diseño de un documento: Borrador, Diseño Web, Diseño Impresión, Esquema y Lectura de pantalla completa que se pueden activar en la Barra de opciones en el menú Vista, o bien, haciendo clic en cualquiera de los botones que aparecen en la figura 3.3, ubicados en el margen inferior derecho de la ventana, al lado del control deslizante de Zoom.

1. **Borrador.** O vista Normal. Para escribir, modificar y aplicar formato al texto. Muestra el formato del texto pero simplifica el diseño de la página, así podrá escribir y modificarlo rápidamente. No aparecen los márgenes de la página ni los encabezados y pies de página.
   Esta vista puede activarse haciendo clic en Borrador del menú Vista, en la cinta de opciones, o bien, en la barra de estado de la parte inferior de la ventana en el botón **Vista Borrador** .
2. **Vista Diseño Web.** Utilice esta modalidad cuando esté creando una página Web o un documento que ve en la pantalla. Puede ver fondos, el texto se ajusta

a la ventana y los gráficos se colocan del mismo modo que en un Explorador de Web. Puede activar esta vista haciendo clic en Diseño Web del menú Vista y también, en la barra de estado, en el botón **Vista Diseño Web**  .

3. **Vista Diseño de Impresión.** Trabaje con esta vista para ver previamente la colocación de texto, gráficos y otros elementos en la página impresa. Es muy útil para modificar los encabezados y los pies de página, ajustar los márgenes y trabajar con columnas y objetos de dibujo. Para pasar a esta vista, haga clic en Diseño de Impresión del menú Vista, o bien, en el botón **Vista Diseño de Impresión**.
4. **Vista Esquema.** Podrá ver la estructura de un documento y mover, copiar y reorganizar texto arrastrando títulos. También facilita el trabajo con documentos maestros, que permiten organizar y modificar un documento largo de una forma más sencilla, como, por ejemplo, un libro con capítulos. En esta vista no aparecen los márgenes de la página, ni los encabezados y pies de páginas y tampoco los gráficos y los fondos.
   Si prefiere esta vista, haga clic en Esquema, del menú Vista, o bien, en el botón **Vista Esquema**.
5. **Vista en miniatura.** Las miniaturas son pequeñas vistas de cada una de las páginas del documento, mostradas en un panel independiente. Las miniaturas proporcionan una impresión visual del contenido de las páginas. Puede hacer clic en una miniatura para saltar directamente a la página. Las miniaturas están disponibles en las vistas Normal, Diseño de impresión, Esquema y Diseño de lectura. No están disponibles en la vista Diseño Web ni en conjunción con el Mapa del Documento. Para elegir esta opción, haga clic en Miniatura, en el menú Vista.

3.5.7. Desplazarse por un documento

Una vez haya abierto un documento, sitúese en cualquier parte de él donde deseé empezar a escribir, y a continuación siga uno de estos procedimientos:

- **Desplazarse una línea hacia arriba.** Haga clic en la flecha de desplazamiento hacia arriba .

- **Desplazarse una línea hacia abajo.** Haga clic en la flecha de desplazamiento hacia abajo .
- **Desplazarse a la pantalla siguiente.** Haga clic sobre el cuadro de desplazamiento .
- **Desplazarse a la pantalla anterior.** Haga clic debajo del cuadro de desplazamiento .
- **Desplazarse a una página específica.** Arrastre la barra de desplazamiento.
- **Desplazarse a la izquierda.** Haga clic en la flecha de desplazamiento izquierda .
- **Desplazarse a la derecha.** Haga clic en la flecha de desplazamiento derecha .
- **Desplazarse hacia la izquierda, más allá del margen, en la vista Normal.** Mantenga presionada la tecla **Mayús** y haga clic en la flecha de desplazamiento izquierda.

> ***Truco:** Para desplazarse más lentamente, utilice las teclas de dirección o la tecla **Re Pág** o **Av Pág** del teclado.*

También puede dividir la ventana para desplazarse al mismo tiempo por dos partes de un documento. Para ello:

1. Elija el cuadro de división, que aparece en la figura 3.7, en la parte superior de la barra de desplazamiento vertical.

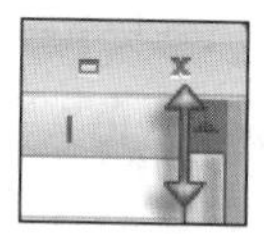

Figura 3.7. Cuadro de división.

2. Cuando el puntero del ratón se transforma en el símbolo que aparece en la figura 3.8, arrastre la barra de división a la posición que quiera.
3. Para volver a ver una sola ventana, haga doble clic en la barra de división.
4. Para mover o copiar texto entre distintas partes de un documento extenso, divida la ventana en dos paneles. Muestre el texto o los gráficos que desee mover o copiar en uno de los paneles y el lugar de destino en el otro panel. A continuación, seleccione

y arrastre el texto o los gráficos al otro lado de la barra de división.

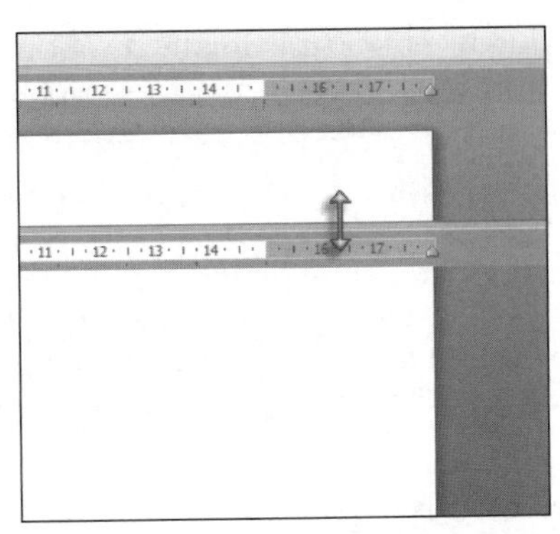

Figura 3.8. Ventana de Word dividida en dos partes.

En la nueva ventana de Word 2007 se puede acceder pulsando con el botón secundario (o derecho) del ratón sobre el texto o la imagen elegida, en la que se desplegarán los comandos habituales (**Cortar**, **Copiar**, **Pegar**, **Fuente**, **Párrafo**, **Viñetas**, etc.).

Si desea ir a eliminar un texto específico, tabla u otro elemento como línea o sección:

1. Sitúese en el objeto que quiera modificar, haga clic con el botón derecho del ratón y haga clic en **Cortar**.
2. En el cuadro Ir a, haga clic en el tipo de elemento.
3. Para ir a un elemento específico, escriba el nombre o el número del elemento en el cuadro y, a continuación, haga clic en el botón Ir a.
4. Para ir al elemento anterior o siguiente del mismo tipo, deje el cuadro vacío y haga clic en **Siguiente** o en **Anterior**.
5. Haga clic en **Cerrar**.

3.5.8. Acercar o alejar un documento

Puede utilizar la función de Zoom para acercar la vista del documento o para alejarla y ver un porcentaje mayor de la página a tamaño reducido. Para ello Word 2007 ha simplificado esta tarea integrando una barra de control deslizante de zoom en la barra de estado (véase la figura 3.9).

Figura 3.9. La barra de control deslizante de Zoom.

También puede elegir un ajuste de Zoom concreto y decidir qué cantidad del documento se debe presentar en pantalla. Siga uno de estos procedimientos:

1. En la ficha Vista, en el grupo Zoom, haga clic en Zoom 100%.
2. En la ficha Vista, en el grupo Zoom, haga clic en Una página, Dos páginas o Ancho de página.
3. En la ficha Vista, en el grupo Zoom, haga clic en Zoom y escriba un porcentaje o elija el valor que desee.

3.6. Trabajar con texto

En la zona de texto (página en blanco) aparece el punto de inserción (barra vertical parpadeante), que indica dónde quedará colocado el texto que vayamos a escribir. A continuación, bastará con teclear.

Para modificar las opciones de escritura:

1. En el **Botón de Office** haga clic en Opciones de Word.
2. Haga clic en el menú de la izquierda Mostrar.
3. Seleccione las opciones que más le convenga y haga clic en **Aceptar**.
4. Vuelva a repetir el mismo procedimiento seleccionando el menú Mas frecuentes, Revisión, Guardar y Avanzadas y haga clic en **Aceptar**.

El texto nuevo que escriba en medio de una línea se insertará entre el texto existente. Si el texto que ya existía desaparece mientras escribe, puede que esté activado el modo Sobrescribir. Para solucionar los problemas al sobrescribir:

1. En el **Botón de Office** haga clic en Opciones de Word.
2. Haga clic en el menú Avanzadas y desactive la casilla de verificación Usar modo sobrescribir.

3.6.1. Seleccionar texto

Sobre un texto escrito, puede seleccionarlo mediante el ratón o el teclado, en ambos casos el texto queda resaltado como aparece en la figura 3.10. Para terminar la selección, únicamente hay que hacer clic en cualquier parte en blanco del área de trabajo o página, o haga clic en cualquier **Tecla de cursor**.

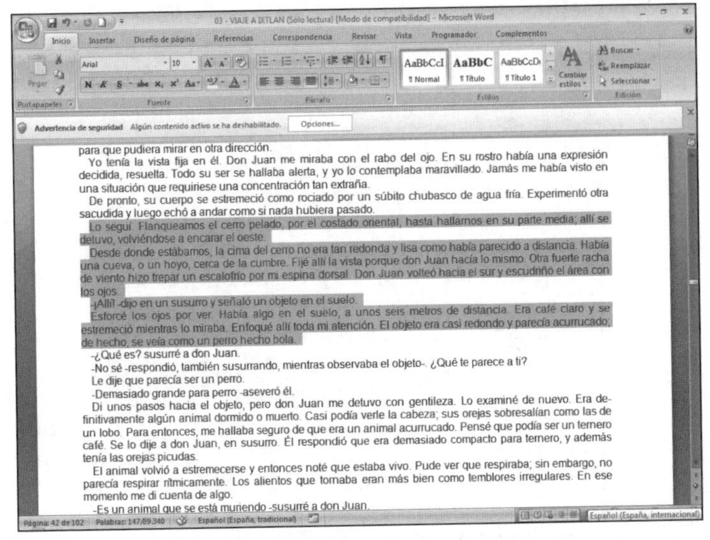
para que pudiera mirar en otra dirección.

Yo tenía la vista fija en él. Don Juan me miraba con el rabo del ojo. En su rostro había una expresión decidida, resuelta. Todo su ser se hallaba alerta, y yo lo contemplaba maravillado. Jamás me había visto en una situación que requiriese una concentración tan extraña.

De pronto, su cuerpo se estremeció como rociado por un súbito chubasco de agua fría. Experimentó otra sacudida y luego echó a andar como si nada hubiera pasado.

Lo seguí. Flanqueamos el cerro pelado, por el costado oriental, hasta hallarnos en su parte media; allí se detuvo, volviéndose a encarar el oeste.

Desde donde estábamos, la cima del cerro no era tan redonda y lisa como había parecido a distancia. Había una cueva, o un hoyo, cerca de la cumbre. Fijé allí la vista porque don Juan hacía lo mismo. Otra fuerte racha de viento hizo trepar un escalofrío por mi espina dorsal. Don Juan volteó hacia el sur y escudriñó el área con los ojos.

-¡Allí! -dijo en un susurro y señaló un objeto en el suelo.

Esforcé los ojos por ver. Había algo en el suelo, a unos seis metros de distancia. Era café claro y se estremeció mientras lo miraba. Enfoqué allí toda mi atención. El objeto era casi redondo y parecía acurrucado; de hecho, se veía como un perro hecho bola.

-¿Qué es? susurré a don Juan.

-No sé -respondió, también susurrando, mientras observaba el objeto-. ¿Qué te parece a ti?

Le dije que parecía ser un perro.

-Demasiado grande para perro -aseveró él.

Di unos pasos hacia el objeto, pero don Juan me detuvo con gentileza. Lo examiné de nuevo. Era definitivamente algún animal dormido o muerto. Casi podía verle la cabeza; sus orejas sobresalían como las de un lobo. Para entonces, me hallaba seguro de que era un animal acurrucado. Pensé que podía ser un ternero café. Se lo dije a don Juan, en susurro. Él respondió que era demasiado compacto para ternero, y además tenía las orejas picudas.

El animal volvió a estremecerse y entonces noté que estaba vivo. Pude ver que respiraba; sin embargo, no parecía respirar rítmicamente. Los alientos que tomaba eran más bien como temblores irregulares. En ese momento me di cuenta de algo.

-Es un animal que se está muriendo -susurré a don Juan.

Figura 3.10. Selección de texto.

> ***Truco:*** *Seleccione la opción* Usar cursor inteligente *para especificar que el cursor se mueva a medida que se desplace hacia arriba o hacia abajo. Cuando presione las teclas* ***Flecha izquierda, Flecha derecha, Flecha arriba*** *o* ***Flecha abajo*** *después de desplazarse, el cursor responderá en la página que se esté viendo en ese momento, no en la posición previa al desplazamiento.*

Para seleccionar texto utilizando el ratón:

- Cualquier cantidad de texto: Sitúe el cursor en el punto en el que desea comenzar la selección y arrastre el puntero del ratón hasta la zona donde desee terminar. (De izquierda a derecha y de arriba abajo.)
- Una palabra: Haga doble clic sobre la palabra.
- Una o varias líneas de texto: Mueva el puntero a la izquierda de la línea hasta que cambie a una flecha abierta e inclinada a la derecha. A continuación, haga clic. Si arrastra el puntero del ratón hacia arriba o

hacia abajo, la selección abarcará las líneas seleccionadas que estén seguidas.

- Uno o varios párrafos: Mueva el puntero a la izquierda del párrafo hasta que cambie a una flecha abierta e inclinada hacia la derecha y haga doble clic. También puede hacer tres veces clic en cualquier parte del párrafo. Si arrastra el puntero del ratón hacia arriba o hacia abajo, la selección abarcará los párrafos seleccionados que estén seguidos.
- Un bloque grande de texto: Haga clic en el principio del texto que quiere seleccionar, desplácese hasta el final y, manteniendo la tecla **Mayús**, haga clic.
- Un documento completo: Mueva el puntero a la izquierda de cualquier página del documento hasta que cambie a una flecha abierta e inclinada hacia la derecha y haga tres veces clic.
- Encabezados y pies de páginas: En la Vista Borrador, haga clic en Encabezado o pie de página en la ficha Insertar. En la Vista Diseño de impresión, haga doble clic en el texto del encabezado o del pie de página, mueva el puntero a la izquierda del encabezado o pie de página hasta que cambie a una flecha abierta e inclinada hacia la derecha y haga tres veces clic.
- Notas al pie y notas al final: Haga clic en el panel, mueva el puntero a la izquierda del texto hasta que cambie a una flecha abierta inclinada hacia la derecha y haga tres veces clic.
- Un bloque vertical de texto: Señale el punto en el que desea comenzar la selección de texto. Haga clic en la tecla **Alt** y arrastre el puntero del ratón hasta la zona del texto donde desee terminar la selección.

Para seleccionar el texto utilizando el teclado siga las instrucciones de la tabla 3.1.

Tabla 3.1. Selección de texto mediante el teclado.

Elemento	*Modo de selección*
Una o varias palabras	**Control-Mayús-Flecha derecha** más 1 clic por cada palabra a seleccionar.
Una o varias líneas	**Mayús-Inicio**, desde el punto de inserción al principio de una línea.
	Mayús-Flecha abajo, una línea hacia abajo.

Elemento	*Modo de selección*
Un párrafo	**Mayús-Flecha arriba**, una línea hacia arriba. **Control-Mayús-Flecha arriba**, desde el punto de inserción hasta el principio del párrafo. **Mayús-Flecha abajo**, desde el punto de inserción hasta el final del párrafo.
Una pantalla	**Mayús-Av Pág**, una pantalla hacia abajo. **Mayús-Re Pág**, una pantalla hacia arriba.
Documento	**Control-Mayús-Inicio**, desde el punto de inserción al principio del documento. **Control-Mayús-Fin**, desde el punto de inserción al final del documento. **Control-E**, el documento entero.

También puede seleccionar elementos no contiguos, como por ejemplo, seleccionar un párrafo de la página dos y una frase de la página cuatro del documento. Para realizar esta operación:

1. Seleccione el elemento de texto que desee con el ratón (palabra, párrafo, etc.).
2. Mantenga presionada la tecla **Control**.
3. Seleccione los elementos adicionales que quiera.

Microsoft Word proporciona métodos adicionales para seleccionar texto en la vista Esquema.

3.6.2. Copiar, cortar y pegar

La operación copiar permite trasladar el texto seleccionado sin suprimirlo de su posición original, mientras que mover, se utiliza para trasladar el texto seleccionado dentro de un documento, suprimiéndolo de su posición original y situándolo en el punto del documento de destino que seleccione.

Si desea mover o copiar un solo elemento basta con sólo hacer un clic en la palabra, frase, o párrafo, previa selección, y con el botón secundario escoger la opción **Copiar** (Control-C). O recurriendo al botón de la ficha Portapapeles, en Inicio. Para copiar y pegar varios elementos:

1. En la Ficha Inicio, haga clic en Portapapeles de Office, de esta manera se colocará en una subventana aparte a la derecha que mostrará las diferentes palabras o grupos de texto que se han cortado o copiado.
2. Seleccione en el documento el primer elemento que desee.
3. En la barra de herramientas haga clic en **Copiar** . Siga copiando elementos de los documentos que desee, hasta un máximo de 24. Los elementos se irán registrando en el Portapapeles.
4. Haga clic en el lugar del documento donde desee pegar los elementos. Para pegar los elementos de uno en uno, haga clic en cada uno de ellos en el Portapapeles de Office. Si desea pegar todos los elementos copiados, haga clic en el botón **Pegar todo** del panel de tareas Portapa-peles de Office.

Truco: *Seleccione la opción* Habilitar hacer clic y escribir *para insertar texto, gráficos, tablas y otros elementos en un área en blanco de un documento haciendo doble clic en ella. La característica Hacer clic y escribir inserta párrafos automáticamente y aplica la alineación necesaria para colocar el elemento en el lugar en el que hizo doble clic. Esta característica sólo está disponible en las vistas* Diseño de impresión *y* Diseño Web.

1. Haga clic en el **Botón de Office** y seleccione Opciones de Word.
2. Seleccione Avanzadas y en Opciones de edición habilite la casilla de verificación Habilitar hacer clic y escribir de la figura 3.11.

Para mover o copiar un texto que está incluido dentro de uno o varios cuadros:

1. Active la vista Diseño de Impresión.
2. Seleccione el primer cuadro de texto. Para ello, desplace el puntero del ratón sobre el borde del cuadro hasta que se convierta en una flecha de cuatro puntas y, a continuación, haga clic en el borde.
3. Mantenga presionada la tecla **Mayús** y seleccione cada cuadro de texto adicional que desee copiar o mover.

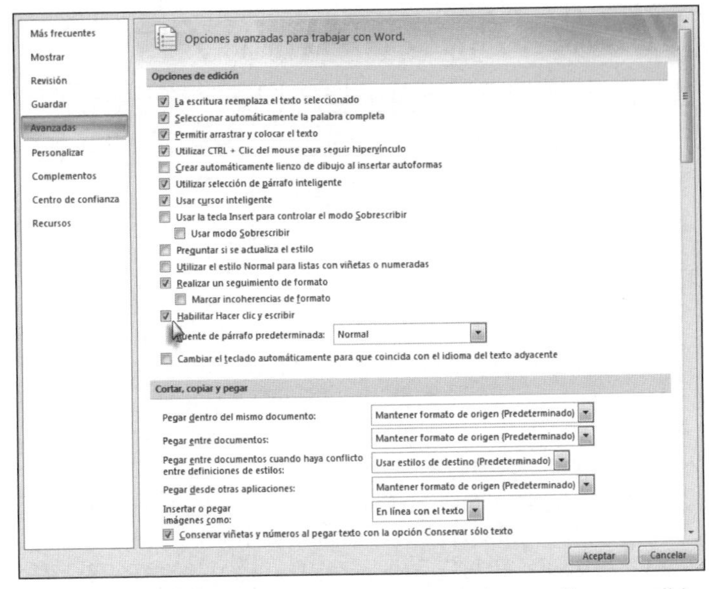

Figura 3.11. Opciones de Word. Habilitar hacer clic y escribir.

4. En la ficha de Inicio, haga clic en el botón **Copiar** o **Cortar**.
5. Haga clic en el lugar del documento al que desee mover o copiar los cuadros de texto.
6. En la barra de herramientas, haga clic en **Pegar**.

Otras opciones de copiado y pegado, se pueden escoger yendo a las opciones de Word que se encuentran pulsando el **Botón de Office** en el menú Avanzadas.

> ***Nota:*** *Seleccione esta opción para utilizar la tecla* ***Insert*** *para insertar el contenido del* Portapapeles *de Office en un documento. Para más información, diríjase a las opciones de Word o en la ayuda del programa* .

3.6.3. Buscar y Reemplazar

Puede buscar rápidamente todas las apariciones de una palabra o frase determinada siguiendo estos pasos:

1. En la ficha Inicio, en el grupo Edición, haga clic en Buscar.

2. En el cuadro buscar, que muestra la figura 3.12, escriba el texto que quiera localizar.

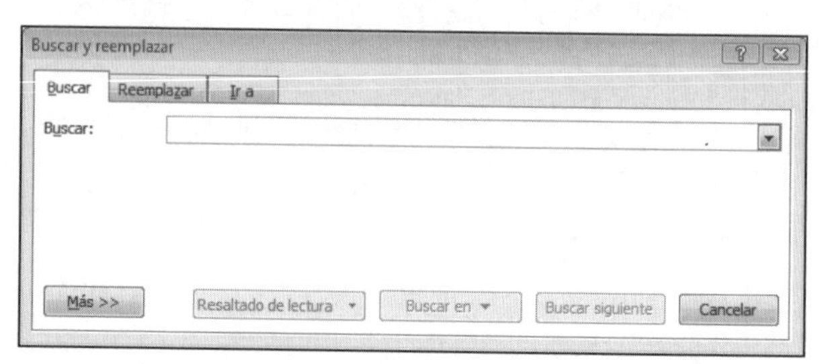

Figura 3.12. Cuadro de búsqueda de palabra o frase en un documento.

Siga uno de estos procedimientos:

1. Para buscar una de las apariciones de las palabras o frases haga clic en buscar siguiente.
2. Para buscar todas las apariciones o frases concretas de una sola vez, haga clic en Buscar todo y, a continuación, en Documento principal.
3. Para seleccionar a la vez todas las apariciones de una palabra o frase determinada, active la casilla de verificación Resaltar todos los elementos en Opciones de Word.

> ***Nota:** Para cancelar una búsqueda en ejecución presione la tecla **Esc**.*

3.7. Ortografía y gramática

Microsoft Word revisa automáticamente la ortografía y la gramática mientras escribe, utilizando un subrayado ondulado de color rojo para indicar los posibles errores ortográficos y un subrayado ondulado de color verde para indicar los posibles errores gramaticales. Puede que le interese una forma de buscar y corregir errores de ortografía en el documento de forma más rápida y sencilla. O puede que no desee ver las líneas onduladas de color rojo que se muestran en el documento. En esta sección se explica el funcionamiento de la revisión ortográfica y gramatical automática, y cómo activarla y desactivarla.

Para corregir Ortografía

1. Seleccione el párrafo o área de texto que desea corregir.
2. En la ficha Revisar de la Cinta de opciones haga clic en Ortografía y Gramática . Aparecerá un cuadro con las diferentes opciones como se describen en la figura 3.21 a continuación.

Si desea revisar la ortografía y la gramática a la vez, cuando haya terminado de escribir el documento:

1. Vaya una vez más a la ficha Revisar, haga clic en Ortografía y Gramática.
2. Cuando el corrector ortográfico encuentra una palabra que no reconoce, aparecerá el cuadro de diálogo Ortografía y gramática, que aparece en la figura 3.13, y que muestra la palabra presuntamente errónea y una lista de términos que tienen una ortografía similar, resaltando la que más coincida. Si el error fuera gramatical, el cuadro informaría de la regla sintáctica incumplida.

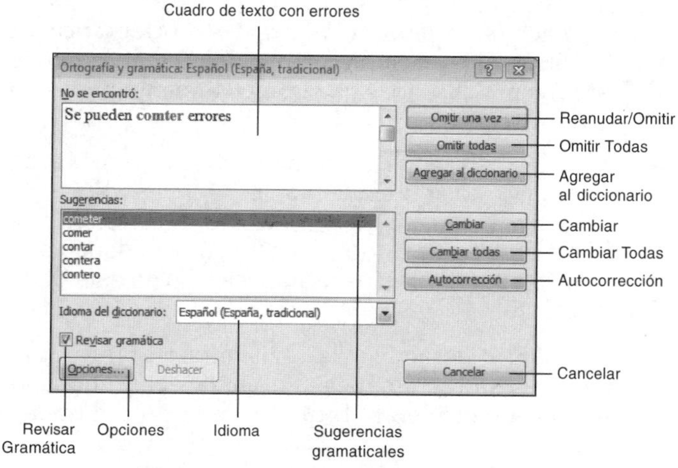

Figura 3.13. Ortografía y Gramática.

3. Para sustituir una palabra errónea por la correcta, seleccione con el ratón una de las sugeridas y haga clic en **Cambiar**. Si la palabra marcada no es inco-

rrecta o simplemente no desea sustituirla, haga clic sobre el botón **Omitir todas**.

4. Si desea cerrar el cuadro de diálogo sin finalizar la corrección, haga clic en **Cancelar**.

> ***Nota:*** *Word revisa la ortografía y la gramática de forma predeterminada. Si desea revisar sólo la ortografía: en la lista del* ***botón de Microsoft Office****, haga clic en* Opciones de Word *en el menú* Revisión. *Busque el grupo* Para corregir Ortografía y gramática *y después en la ficha desactive la casilla de verificación* Revisar gramática con ortografía. *A continuación, haga clic en* ***Aceptar***.

> ***Truco:*** *Puede activar el corrector ortográfico pulsando en el teclado* ***F7***.

Para activar o desactivar la revisión ortográfica y gramatical automática:

1. Haga clic en el **botón de Office** y, a continuación, en Opciones de Word.
2. Haga clic en Revisión.
3. Para activar o desactivar la revisión ortográfica automática y la revisión gramatical automática para el documento abierto, siga el procedimiento descrito a continuación:
   - En Excepciones para, haga clic en Nombre del archivo abierto actualmente.
   - Active o desactive las casillas de verificación Ocultar errores de ortografía sólo en este documento y Ocultar errores de gramática sólo en este documento.

Para activar o desactivar la revisión ortográfica automática y la revisión gramatical automática para todos los documentos que cree en el futuro, siga el procedimiento siguiente:

1. En Excepciones para, haga clic en Todos los documentos nuevos.
2. Active o desactive las casillas de verificación Ocultar errores de ortografía sólo en este documento y Ocultar errores de gramática sólo en este documento.

> ***Nota:*** *Si desactiva la revisión ortográfica o gramatical automática de un archivo que comparte con otros usuarios, es conveniente que les notifique que ha realizado este cambio.*

La revisión gramatical sólo está disponible en Microsoft Office Outlook y Microsoft Office Word.

En algunos programas, también puede usar Autocorrección para corregir automáticamente la ortografía mientras escribe, sin tener que confirmar cada corrección.

Por ejemplo, si escribe **acesorios** y, a continuación, escribe un espacio u otro signo de puntuación, la característica Autocorrección reemplaza automáticamente la palabra mal escrita por "accesorios". Puede utilizar la función Autocorrección para corregir errores tipográficos u ortográficos, y para insertar símbolos y otros fragmentos de texto.

La función Autocorrección está configurada de manera predeterminada con una lista de errores ortográficos y símbolos comunes, pero se puede modificar dicha lista.

Cambiar el contenido de una entrada de texto de la lista de Autocorrección

Siga uno de estos procedimientos en estos programas de Microsoft Office:

1. Haga clic en el **botón de Office** y, a continuación en Opciones de Nombre de programa, donde el nombre del programa que está utilizando es, Opciones de Word.
2. Haga clic en Revisión.
3. Haga clic en Opciones de Autocorrección.
4. En el menú Herramientas, haga clic en Opciones de Autocorrección.

   Para poder hacer clic en Opciones de ortografía, debe haber un archivo abierto. Cree uno para que el comando esté disponible.

3.7.1. Diccionario de sinónimos

El diccionario de sinónimos proporciona una lista de palabras para ofrecer diferentes opciones que más se ajusten al término que se haya escrito.

Para utilizarlo:

1. Seleccione o escriba la palabra que desee buscar.
2. En la Cinta de opciones elija la ficha Revisar y haga clic en Sinónimos, dentro del grupo Revisión. Si no aparece en el submenú Idioma, es posible que necesite instalar el diccionario de sinónimos.
3. En la ventana Referencia que se abre de forma instantánea en el margen derecho, escriba la palabra en el cuadro Buscar y haga clic en la flecha verde.
4. A continuación, aparecerá una lista de sinónimos. Seleccione el que le interese haciendo clic con el ratón.

> ***Nota:*** *En Word y otros programas de Office 2007 puede buscar una palabra rápidamente haciendo clic con el botón secundario del ratón en cualquier lugar un documento, una presentación, un mensaje abierto o una vista previa del mensaje en el Panel de lectura, y seleccionando* Sinónimo *en el menú contextual.*

3.7.2. Caracteres comodín para buscar y reemplazar elementos

Puede ampliar las búsquedas usando caracteres comodín y códigos para buscar palabras o frases que contengan letras concretas o combinaciones de letras.

- Si activa la casilla de verificación Usar caracteres comodín, Word buscará sólo el texto exacto que especifique. (Las casillas de verificación Coincidir mayúsculas y minúsculas y Sólo palabras completas no están disponibles o aparecen atenuadas para indicar que estas opciones se activan automáticamente; no es posible desactivarlas.)
- Para buscar un carácter definido como comodín, escriba una barra invertida (\) antes del carácter. Por ejemplo, escriba **\?** para buscar el signo de interrogación.
- Puede usar paréntesis para agrupar los caracteres comodín y el texto, e indicar el orden de evaluación. Por ejemplo, escriba **(pre)-(do)** para buscar "predefinido" y "preestablecido".
- Puede utilizar el carácter comodín **\n** para buscar una expresión y, a continuación, reemplazarla por la

misma expresión en un orden distinto. Por ejemplo, escriba **(Pérez) (Pablo)** en el cuadro Buscar y \2 \1 en el cuadro Reemplazar con. Word buscará "Pérez Pablo" y lo reemplazará por "Pablo Pérez".

Buscar palabras en el Asistente en inglés

El Asistente en inglés es un servicio de Microsoft Office Online diseñado para ayudar a los usuarios de Microsoft Office para los que el inglés es su segunda lengua, a escribir textos en inglés profesional. El servicio incluye una guía de referencia integrada que proporciona ayuda con la ortografía, la explicación y el uso, así como sugerencias para sinónimos y combinaciones léxicas (la asociación entre dos palabras que se suelen utilizar juntas).

1. En la ficha Revisar en el grupo Revisión, haga clic en Ayudante en inglés.
2. Para buscar una palabra o frase en un documento, seleccione las palabras que desea, haga clic con el botón secundario del ratón en la selección y haga clic en el menú contextual Asistente en inglés.

3.8. Trabajar con gráficos

Existen dos tipos básicos de gráficos que podrá utilizar para mejorar los documentos de Word: objetos de dibujo e imágenes.

Los objetos de dibujo incluyen Autoformas, Diagramas, Curvas, Imágenes prediseñadas, Líneas y objetos de dibujo de WordArt. Estos objetos forman parte del documento de Word. Utilice la Cinta de opciones, ficha Insertar en el grupo Ilustraciones para cambiar y mejorar estos objetos con colores, tramas, bordes y otros efectos. Véase figura 3.14.

Figura 3.14. Trabajar con gráficos en el panel Ilustraciones.

Las imágenes son gráficos creados desde otro archivo. Pueden ser mapas de bits, imágenes digitalizadas y fotografías, e imágenes prediseñadas. Éstas se podrán modificar y perfeccionar mediante las opciones de Ilustraciones, en la ficha Insertar como aparece en la figura 3.15, y sobre todo en algunas de las opciones de la ficha contextual Formato de herramientas de imagen. En algunos casos, será necesario desagrupar y convertir una imagen en objeto de dibujo para poder utilizar las opciones de la barra de herramientas Dibujo.

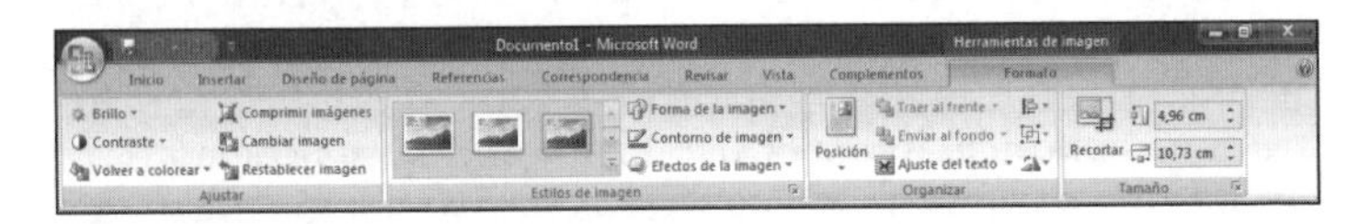

Figura 3.15. Ficha Formato de Herramientas de imagen

3.8.1 Insertar una imagen

Para insertar una imagen en un documento de Word podrá seguir dos procedimientos: desde un archivo o desde un escáner o una cámara digital.

Para insertar una imagen desde un archivo:

1. Haga clic en el lugar en que desee insertar la imagen.
2. En la ficha Insertar, en el grupo Ilustraciones, haga clic en Imagen.
3. Busque la imagen que desee insertar en las carpetas del cuadro de diálogo.
4. Haga doble clic en la imagen que desee insertar.

> ***Nota:*** *De forma predeterminada, Microsoft Word incrusta las imágenes en los documento. Para reducir el tamaño de los archivos, puede vincular las imágenes. En el cuadro de diálogo* Insertar imagen, *haga clic en la flecha situada junto a* Insertar *y, a continuación, haga clic en* Vincular al archivo. *Véase la figura 3.16.*

La opción insertar una imagen desde escáner o cámara digital para agregar imágenes a un documento no está disponible en Microsoft Office Word 2007.

En su lugar, puede agregar imágenes desde la cámara o el escáner si descarga primero las imágenes a cualquier carpeta en el equipo y, a continuación, las copia desde el equipo a Word.

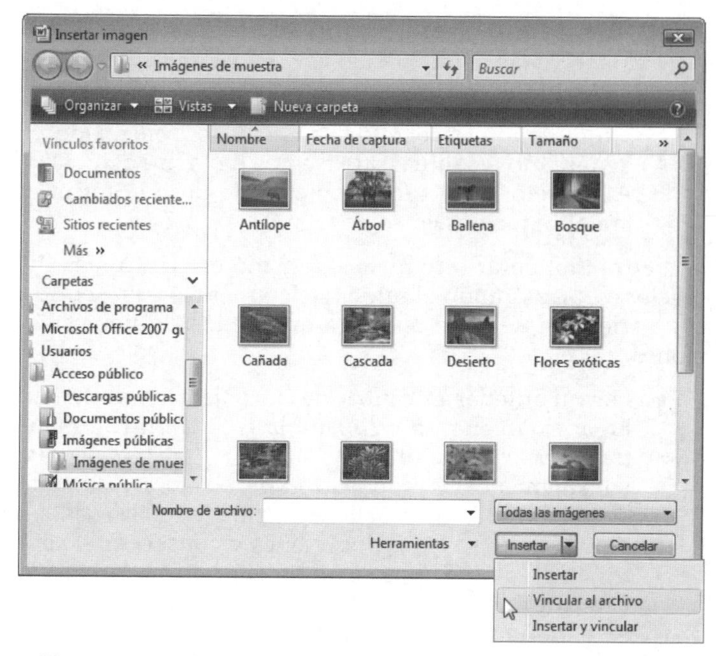

Figura 3.16. Cuadro Insertar imagen y Vincular al archivo.

Después de descargar una imagen en el equipo, siga este procedimiento:

1. En la ficha Insertar, en el grupo Ilustraciones, haga clic en Imagen.
2. Busque la imagen que desee agregar y, a continuación, haga clic en Insertar.
3. Puede digitalizar imágenes y almacenarlas en la Galería multimedia de Microsoft.
4. Con el escáner preparado y la imagen en el cristal del escáner, en la Galería multimedia, en el menú Inicio, elija Agregar clips a la galería y después haga clic en Desde escáner o cámara. En el cuadro de diálogo Insertar imagen desde escáner o cámara, en Dispositivo, seleccione el escáner.

***Advertencia:** Puede que el botón **Insertar** no esté disponible en algunos escáneres debido a que el programa del escáner no admite la digitalización automática. Utilice, en su lugar, el botón* Personalizar inserción.

3.8.2. Modificar una imagen

Para cambiar el tamaño de una imagen o forma:

1. Sitúe el puntero del ratón en uno de los controladores de tamaño (esquinas y extremos de la imagen).
2. Arrástrelo hasta que el objeto adquiera la forma y tamaño que desee.

Podrá aumentar o reducir el tamaño en una o más direcciones, arrastrando el ratón hacia el centro o en sentido contrario, a la vez que realizará una de las siguientes acciones:

- Para mantener el centro de un objeto en el mismo lugar, mantenga presionada la tecla **Control** mientras arrastra el ratón.
- Para mantener las proporciones del objeto, arrastre uno de los controladores de tamaño situados en la esquina.
- Para mantener las proporciones y conservar el centro en el mismo lugar, mantenga presionada la tecla **Control** mientras arrastra uno de los controladores de tamaño situados en la esquina.

Para insertar una imagen vinculada desde una página Web:

1. Abra el documento de Word.
2. En la página Web, haga clic con el botón derecho del ratón en la imagen que desee y haga clic en Copiar.
3. En el documento de Word, haga clic con el botón derecho en el lugar donde quiere insertar la imagen y a continuación, haga clic en Pegar.

3.8.3. Crear un dibujo

En la nueva cinta de opciones, se ha sustituido la clásica barra de herramientas de dibujo por la ficha Insertar y una serie de submenús o grupos, algunos ordenados de la siguiente manera.

Para crear un nuevo dibujo:

1. Haga clic en la ficha Insertar y en el grupo Ilustraciones, haga clic en Formas.
2. En Formas, escoja la opción Nuevo lienzo de dibujo. Aparecerá en la Cinta de opciones la nueva ficha Formato con las distintas opciones.

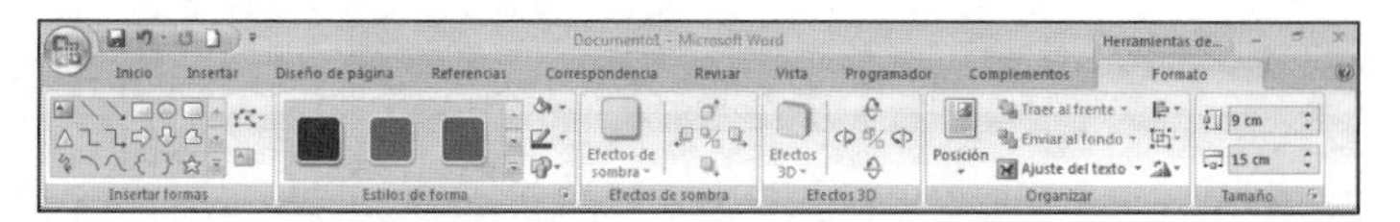

Figura 3.17. Ficha Formato para las Herramientas de dibujo.

Cuando inserte un lienzo de dibujo, puede realizar cualquiera de estas acciones en la ficha Formato, bajo Herramientas de dibujo:

- Hacer clic en una o varias formas para insertarlas en el documento.
- También puede cambiar la forma y agregarle texto.
- Dibujar en el lienzo. Para ello, haga clic en Formas y, a continuación, en Forma libre o en A mano alzada bajo Líneas.
  Para terminar de dibujar con las líneas de los tipos Forma libre o A mano alzada, haga doble clic la que desee.

3.8.4. Ajustar texto

Word 2007 permite ajustar fácilmente el texto en torno a las imágenes, formas y tablas con cualquier posición o estilo que desee. Una vez que haya insertado la imagen u objeto, podrá ajustar el texto alrededor de ella:

1. Si la imagen o el objeto se encuentra en un lienzo, seleccione el lienzo. Si la imagen o el objeto no se encuentra en un lienzo de dibujo, seleccione la imagen o el objeto. (Reaparecerá la ficha Formato en la Cinta de opciones.)
2. En la ficha Formato, dentro del grupo Organizar, haga clic en Posición. Véase la figura 3.18.
   Si no aparece la opción Posición, haga clic en Organizar y, a continuación, en Posición. Haga clic en la posición de ajuste que desee aplicar.

Ajustar texto alrededor de una tabla:

1. Haga clic en la tabla.
2. En la ficha contextual Herramientas de tabla, en la ficha Diseño, en el grupo Tabla, haga clic en Propiedades.
3. En Ajuste del texto, haga clic en Alrededor. Véase la figura 3.19.

Figura 3.18. Ubicar una imagen en la página.

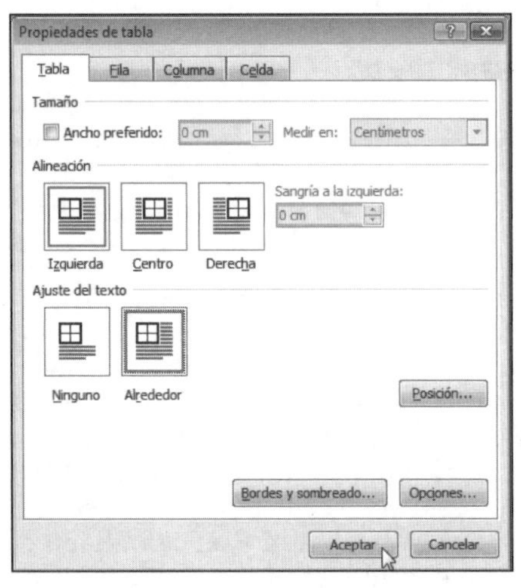

Figura 3.19. Ajustar texto alrededor de una tabla.

Para establecer la posición horizontal y vertical de la tabla, la distancia desde el texto adyacente y otras opciones, en Ajuste del texto, haga clic en Posición y elija las opciones que desee.

Separar el texto que rodea los objetos en las páginas Web. Para separar el texto que rodea los objetos incluidos en páginas Web se utilizan saltos de ajuste de texto. Por ejemplo, puede utilizar un salto de ajuste de texto para separar el texto del título del texto independiente:

1. En la página Web, haga clic donde desee que termine el texto ajustado.
2. En la ficha Diseño de página, en el grupo Configuración de página, haga clic en **Saltos** y después en Ajustes de Texto.

Nota: Los saltos de ajuste de texto son marcas de formato que normalmente no se ven en los documentos. Si desea verlos, active las marcas de formato haciendo clic en ***Mostrar u ocultar*** *en el grupo* Párrafo *de la ficha* Inicio. *El carácter de salto de ajuste de texto ¶ indica que se produce un salto de ajuste de texto.*

3.9. Aplicar estilo y formato a los documentos

3.9.1. Márgenes de página

Los márgenes de página son el espacio en blanco alrededor de los bordes de una página. Generalmente, el texto y los gráficos se insertan en el área de impresión dentro de los márgenes.

No obstante, algunos elementos podrán colocarse en los márgenes, como por ejemplo, los encabezados, pies de página y los números de página. Microsoft Word ofrece varias opciones de márgenes de página. Se pueden usar los márgenes predeterminados.

- **Utilizar los márgenes de página predeterminados** o especificar otros.
- **Agregar márgenes de encuadernación.** Utilizar un margen de encuadernación para agregar espacio adicional a los márgenes lateral o superior de un documento que se va a encuadernar. Un margen de encuadernación evita que se oculte texto al encuadernar un documento. Véase la figura 3.20 (1).
- **Establecer márgenes para páginas opuestas.** Utilice márgenes simétricos para configurar páginas opuestas en documentos de doble cara, como libros

o revistas. En este caso, los márgenes de la página izquierda son una imagen simétrica de los de la derecha; es decir, los márgenes interiores y exteriores son del mismo ancho en las dos páginas. Véase la figura 3.20 (2).

- **Agregar un libro plegado.** Mediante la opción Libro plegado del cuadro de diálogo Configurar página, se puede crear un folleto. Esta misma opción se puede usar para crear un menú, invitación, programa de un evento o cualquier otro tipo de documento que utilice un solo plegado central. Word inserta un solo plegado central para libro.

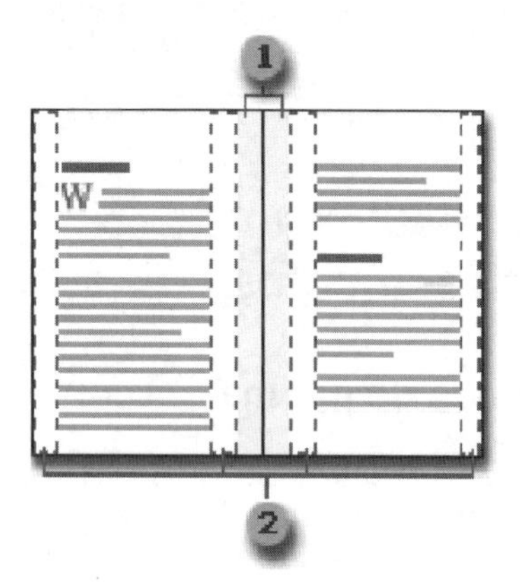

Figura 3.20. Márgenes simétricos y de encuadernación.

Cambiar o establecer los márgenes de página

1. En la ficha Diseño de página, en el grupo Configurar página, haga clic en Márgenes, como muestra la figura 3.21.

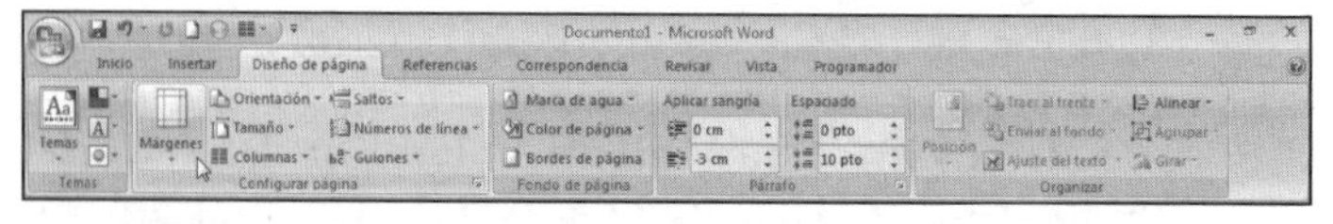

Figura 3.21. El botón Márgenes en Configurar página.

2. Haga clic en el tipo de margen que desea utilizar. Para usar el ancho de margen más común, haga clic en Normal. Véase la figura 3.22.

Cuando haga clic en el tipo de margen deseado, todo el documento cambiará para utilizar el tipo de margen seleccionado.

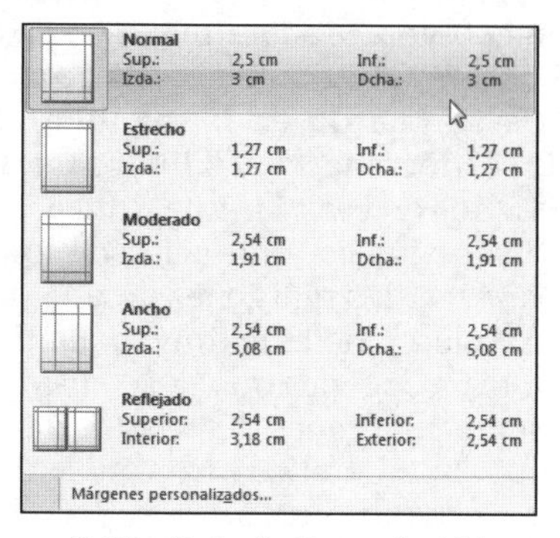

Figura 3.22. Galería tipos de Márgenes.

3. También puede utilizar su propia configuración de márgenes. Haga clic en Márgenes, después en Márgenes personalizados y, a continuación, en los cuadros Superior, Inferior, Izquierdo y Derecho, mostrados en la figura 3.23, escriba los nuevos valores de los márgenes.

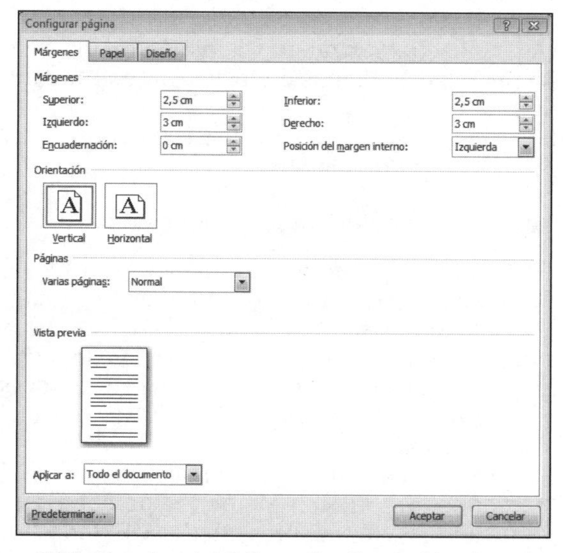

Figura 3.23. Cuadro de diálogo Configuración de márgenes.

- Para cambiar los márgenes predeterminados, haga clic en Márgenes después de seleccionar un nuevo margen y, a continuación, haga clic en Avanzados. En el cuadro de diálogo Configurar página, haga clic en el botón Predeterminado y, a continuación, haga clic en **Sí**. La nueva configuración predeterminada se guarda en la plantilla en la que está basado el documento. Todos los nuevos documentos basados en esa plantilla utilizarán automáticamente la nueva configuración de los márgenes.
- Para cambiar los márgenes de una parte del documento, seleccione el texto y, a continuación, establezca los márgenes que desee usar especificando los nuevos márgenes del cuadro de diálogo Configurar página. En el cuadro Aplicar a, haga clic en Texto seleccionado. Microsoft Word inserta automáticamente saltos de sección antes y después del texto que tiene los márgenes nuevos. Si el documento ya está dividido en secciones, puede hacer clic en una sección o seleccione varias secciones y, a continuación, cambie los márgenes.

Ver los márgenes de página

1. Haga clic en el **botón de Office** y, a continuación, haga clic en Opciones de Word.
2. Haga clic en Avanzados y active la casilla de verificación Mostrar límites de texto en Mostrar contenido de documento.

   Los márgenes de página aparecen como líneas de puntos en el documento.

Establecer márgenes de páginas opuestas

1. Cuando se eligen márgenes simétricos, los márgenes de la página izquierda son una imagen simétrica de los de la derecha; es decir, los márgenes interiores y exteriores son del mismo ancho en las dos páginas.
2. En la ficha Diseño de página, en el grupo Configurar página, haga clic en Márgenes y a continuación, haga clic en Reflejado.
3. Para cambiar el ancho de los márgenes, haga clic en Márgenes, después en Márgenes personalizados y, por último, en los cuadros Interior y Exterior, escriba los valores de ancho que desea utilizar.

3.9.2. Seleccionar la orientación de la página

Utilizar las orientaciones vertical y horizontal en el mismo documento:

1. Seleccione las páginas o párrafos cuya orientación desee cambiar a vertical u horizontal.
2. En la ficha Diseño de página, en el grupo Configurar página, haga clic en Orientación.
3. Haga clic en Vertical o en Horizontal.

Utilizar las orientaciones vertical y horizontal en el mismo documento:

1. Seleccione las páginas o párrafos cuya orientación desee cambiar a vertical u horizontal.
2. En la ficha Diseño de página, en el grupo Configurar página, haga clic en Márgenes.
3. Haga clic en Márgenes personalizados.
4. En la ficha Márgenes, haga clic en Vertical u Horizontal.
5. En la lista Aplicar a, haga clic en Texto seleccionado.

> ***Nota:*** *Si selecciona parte del texto de una página pero no todo para cambiar la orientación a vertical u horizontal, Word coloca el texto seleccionado en su propia página y el texto anterior o posterior en páginas independientes.*

Microsoft Word inserta automáticamente saltos de sección antes y después del texto que tiene la nueva orientación de página. Si el documento ya está dividido en secciones, se puede hacer clic en una sección, o seleccionar varias secciones, y después cambiar la orientación sólo de las secciones seleccionadas.

3.9.3. Seleccionar el tamaño del papel

1. En la ficha Diseño de página, seleccionar Tamaño, y aparecerá un menú desplegable.
2. En el borde inferior de la ventana seleccione Más Tamaños de papel y le mostrará el cuadro de configuración de página, seleccione la solapa Papel en el que podrá escoger las dimensiones de la tabla sobre la que desea trabajar, las medidas latitudinales y longitudinales, Origen, Vista Previa y Aplicación.

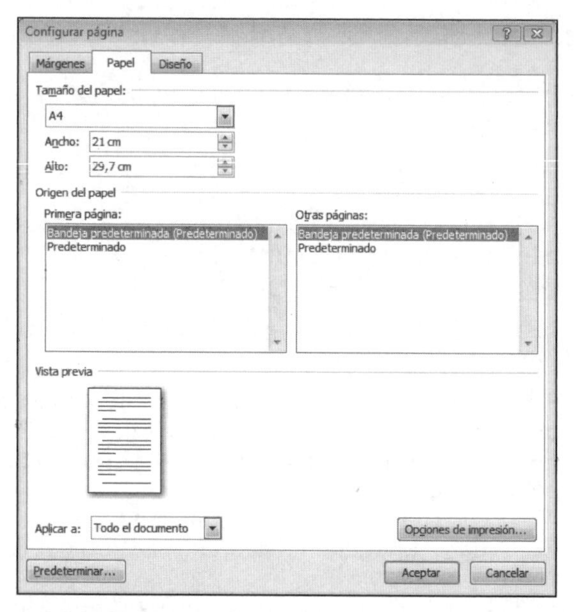

Figura 3.24. Cuadro de Configuración del tamaño de papel.

3.9.4. Encabezados y pies de página

Los encabezados y pies de página son áreas de los márgenes superior, inferior y laterales de cada página de un documento que sirven para insertar texto o gráficos, como por ejemplo el título del documento, logotipos, fechas, o número de la página del documento.

Los encabezados y pies de página también pueden ser cambiados. Por ejemplo, puede agregar nuevos números de página, la hora y la fecha, el nombre del archivo o el nombre del autor. Si desea crear el mismo encabezado o pie para cada página:

1. En la ficha Insertar, en el grupo Encabezado y pie de página, haga clic en Encabezado.
2. En el Cuadro de Encabezado elija las opciones que le ofrece; En blanco, Tres columnas, Alfabeto o Anual y escriba en el cuadro seleccionado o bien haga clic en Editar. Véase la figura 3.25.

Si desea cambiar un encabezado o pie de página que haya insertado, la ficha Encabezado y pie de página situada bajo Herramientas para encabezado y pie de página proporciona más opciones para manipular estos elementos.

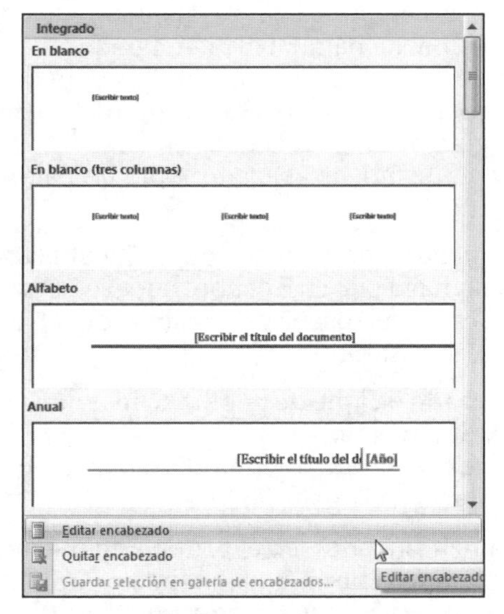

Figura 3.25. Cuadro de Encabezado.

1. Haga clic en el **botón de Office** y, a continuación, haga clic en Opciones de Word.
2. Haga clic en Complementos.
3. En la lista Administrar, seleccione Elementos deshabilitados y haga clic en Buscar.
4. Haga clic en Bloques de creación .dotx y en **Habilitar**.
5. Reinicie Word.

Trabajar con encabezados y pie de página en un documento sin secciones

En un documento sencillo que no tenga secciones, puede insertar, cambiar y quitar encabezados y pies de página. Si no está seguro de si el documento tiene secciones:

1. Haga clic en Borrador en la barra de estado.
2. En la ficha Inicio, dentro del grupo Buscar, haga clic en Ir a.
3. Haga clic en Sección y, a continuación, en Siguiente para buscar los saltos de sección que haya en el documento.

Insertar o cambiar encabezados o pies de página

Puede insertar encabezados o pies de página prediseñados en el documento y cambiar fácilmente los diseños de encabezado y pie de página. O bien, puede crear su propio encabezado o pie de página con un logotipo de organización y un aspecto personalizado, y guardar el encabezado o pie de página nuevos en la galería.

Insertar el mismo encabezado y pie de página en todo un documento:

1. En la ficha Insertar, en el grupo Encabezado y pie de página, haga clic en Encabezado o en Pie de página.
2. Haga clic en el diseño de encabezado o pie de página que desea usar.

El encabezado o el pie de página se insertan en todas las páginas del documento.

Insertar texto o gráficos en un encabezado o pie de página y guardarlo en la galería:

1. En la ficha Insertar, en el grupo Encabezado y pie de página, haga clic en Encabezado o en Pie de página.
2. Haga clic en Editar encabezado o en Editar pie de página.
3. Inserte texto o gráficos.

> ***Nota:*** *En caso necesario, puede dar formato al texto del encabezado o del pie de página seleccionando el texto y utilizando las opciones de formato de la mini-barra de herramientas.*

Hacer que sean distintos los encabezados o pies de página de las páginas pares e impares, por ejemplo, podría decidir utilizar el título del documento en las páginas impares y el título del capítulo en las páginas pares:

1. En la ficha Diseño de página, haga clic en el Iniciador del cuadro de diálogo Configurar página y, a continuación, haga clic en la ficha Diseño.
2. Active la casilla de verificación Pares e impares diferentes.

Ahora puede insertar el encabezado o el pie de página para las páginas pares en una página par y el encabezado o pie de página para páginas impares en una página impar.

3.9.5. Aplicar formato de texto

El formato automático puede facilitar y agilizar la entrada de cierto tipo de texto. Las opciones específicas disponibles dependen del programa que utilice. Para ver y modificar las opciones de formato automático, proceda como se indica a continuación:

1. Haga clic en el **Botón de Office** y, a continuación en Opciones de Word.
2. Haga clic en Revisión.
3. Haga clic en el botón-barra Opciones de Autocorrección.
4. Haga clic en la ficha Autoformato mientras escribe.
5. Seleccione o desactive las casillas de verificación de las opciones que desea activar o desactivar.

Para aplicar la autocorrección y el autoformato, diríjase a las Opciones de Word en el **Botón de Office** y haga clic en el botón alargado de Opciones de Autocorrección. Véase la figura 3.26.

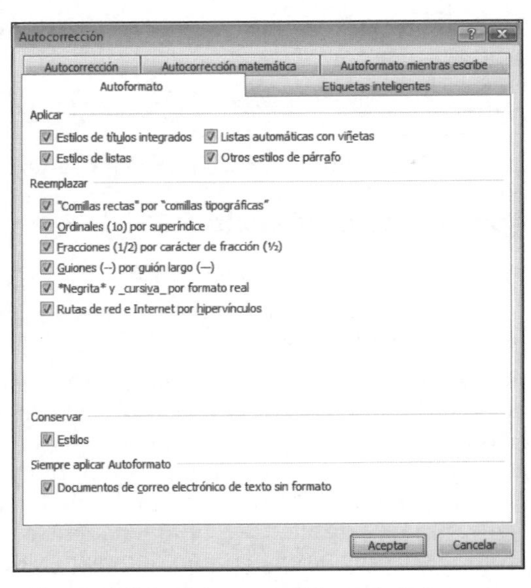

Figura 3.26. Autocorrección y Autoformato.

En el cuadro correspondiente, pulsando en la solapa Fuente, como aparece en la figura 3.27, aparecen las funciones habituales de formato de texto: Tipo de fuente, Estilo, Tamaño, Color, Subrayado, Efectos y Vista previa. Marque las casillas de verificación de las opciones que desee y haga clic en **Aceptar**. También se accede colocando el cursor en cualquier parte del texto del área de trabajo con el botón derecho del ratón.

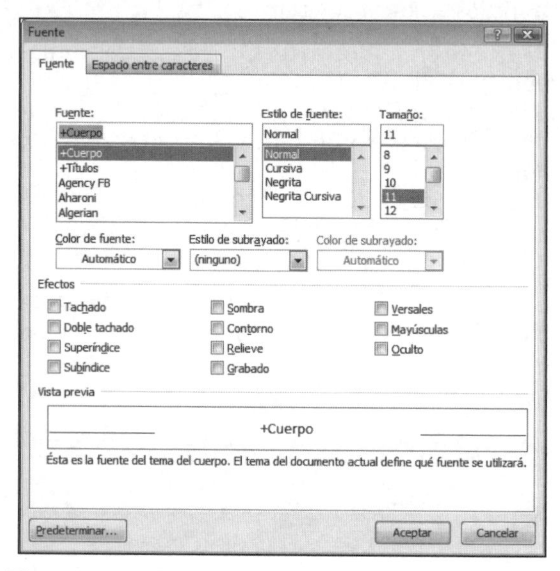

Figura 3.27. Cuadro para aplicar formato de texto.

3.9.6. Aplicar estilo de texto

En Microsoft Office Word 2007, aplicar un estilo a una selección de texto es tan fácil como hacer clic en un botón de la galería Estilos rápidos.

1. Seleccione el texto al que desea aplicar un estilo. Por ejemplo, puede seleccionar texto que desea convertir en un título. Si desea cambiar el estilo de todo un párrafo, haga clic en cualquier lugar del párrafo.
2. En la ficha Inicio, dentro del grupo Estilos, haga clic en el estilo que desea usar. Si no encuentra el estilo apropiado, haga clic en el botón Cambiar estilos para ampliar la galería Estilos rápidos (al sobreponer el cursor sobre los diversos estilos verá como se aplica la vista activa sobre el texto que haya seleccionado en la página).

Por ejemplo, si selecciona texto al que desea aplicar el formato de título, haga clic en el estilo denominado Título en la galería Estilos rápidos.

> ***Nota:*** *Puede ver el aspecto que presentará el texto con un estilo particular colocando el puntero sobre el estilo del que desea obtener una vista previa.*

Otra opción, rápida e intuitiva, para una revisión inmediata del texto mientras se escribe por ejemplo, es previa selección del texto hacer clic en el botón secundario del ratón y elegir las opciones de fuente, tipo de letra, tamaño, color, etc.

Para establecer la fuente predeterminada, es decir, una configuración definida:

1. Seleccione el texto, si el formato del texto tiene las propiedades que desea utilizar.
2. En el menú Formato, haga clic en Fuente.
3. Seleccione las opciones que desea aplicar a la fuente (véase figura 3.28).
4. Haga clic en Predeterminar.

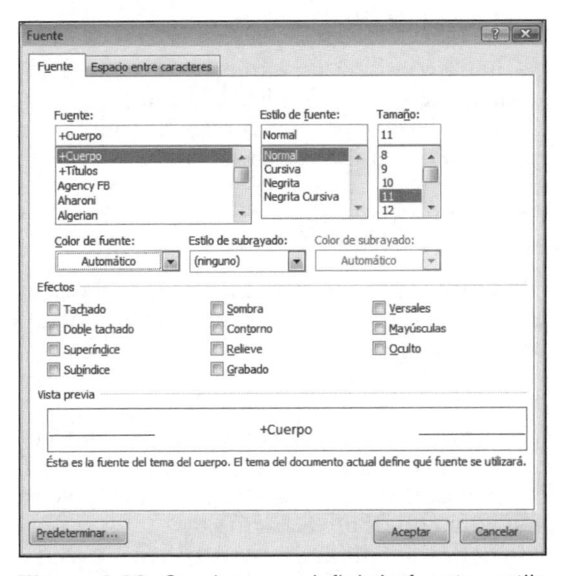

Figura 3.28. Cuadro para definir la fuente, estilo y tamaño de la letra.

3.9.7. Párrafos

El interlineado determina la cantidad de espacio en sentido vertical entre las líneas de texto de un párrafo.

> ***Nota:*** *Si el estilo que desea usar no aparece en la galería* Estilos rápidos, *presione el método abreviado de teclado* **Control-Mayús-W** *para abrir el panel de tareas* Aplicar estilos. *Bajo* Nombre de estilo, *escriba el nombre del estilo que desea usar. La lista muestra únicamente los estilos que ya se han utilizado en el documento, pero puede escribir el nombre de cualquier estilo que haya definido para el mismo.*

El espacio entre párrafos determina la cantidad de espacio encima o debajo de un párrafo. De forma predeterminada, las líneas se separan con espacio simple, con un espacio ligeramente mayor a continuación de cada párrafo. Si desea reutilizar el espacio entre párrafos o el interlineado configurado, puede crear un estilo. Para obtener más información sobre cómo crear estilos que reutilicen el formato usado, vea Crear un nuevo Estilo rápido.

Cambiar el interlineado

Si una línea contiene un carácter de texto grande, un gráfico o una fórmula, Office Word aumentará el espaciado de esa línea. Para espaciar uniformemente las líneas de un párrafo, utilice un interlineado exacto y especifique el interlineado necesario para que quepa el carácter o gráfico de mayor tamaño de la línea. Si los elementos aparecen cortados, aumente el interlineado.

1. Seleccione el párrafo cuyo interlineado desea cambiar.
2. En la ficha Inicio, en el grupo Párrafo, haga clic en Interlineado.

Siga uno de estos procedimientos:

- Para aplicar una nueva configuración, haga clic en el número de espacios entre líneas que desea usar. Por ejemplo, si hace clic en 2,0, el texto seleccionado se separa con doble espacio.
- Para definir medidas de espaciado más precisas, haga clic en Opciones de interlineado y, a continuación, seleccione las opciones deseadas en Espaciado.

Opciones de interlineado:

- **Sencillo.** Esta opción se ajusta a la fuente de mayor tamaño de esa línea, más una pequeña cantidad de espacio adicional. La cantidad de espacio adicional varía dependiendo de la fuente utilizada.
- **1,5 líneas.** Esta opción corresponde a una vez y media el interlineado sencillo.
- **Doble.** Esta opción equivale al doble del interlineado sencillo.
- **Mínimo.** Con esta opción se define el interlineado mínimo necesario para ajustarse a la fuente o el gráfico de mayor tamaño de la línea.
- **Exacto.** Esta opción establece un interlineado fijo que no ajusta Microsoft Office Word.
- **Múltiple.** En esta opción se establece un interlineado que aumenta o reduce el interlineado sencillo en un porcentaje que especifique. Por ejemplo, al definir un interlineado de 1,2 se aumentará el espaciado en un 20 por ciento.

Aplicar sangría sólo a la primera línea de un párrafo:

1. Haga clic delante de la línea a la que desee aplicar sangría.

> ***Nota:*** *Se aplicará sangría a la primera línea de ese párrafo y a la de todos los párrafos siguientes que escriba. No obstante, a los párrafos existentes antes del párrafo seleccionado se debe aplicar la sangría manualmente mediante el mismo procedimiento.*

2. En la ficha Diseño de página, haga clic en el Iniciador del cuadro de diálogo Párrafo y, a continuación, haga clic en la ficha Sangría y espaciado.
3. En la lista Especial de la sección Sangría, haga clic en **Primera línea** y, a continuación, en el cuadro En, establezca la cantidad de espacio que desee que tenga la sangría de la primera línea. Véase la figura 3.29.

Aumentar o disminuir la sangría izquierda de un párrafo completo:

1. Seleccione el párrafo que desee cambiar.
2. En la ficha Diseño de página, en el grupo Párrafo, haga clic en las flechas situadas junto a Sangría iz-

quierda para aumentar o reducir la sangría izquierda del párrafo.

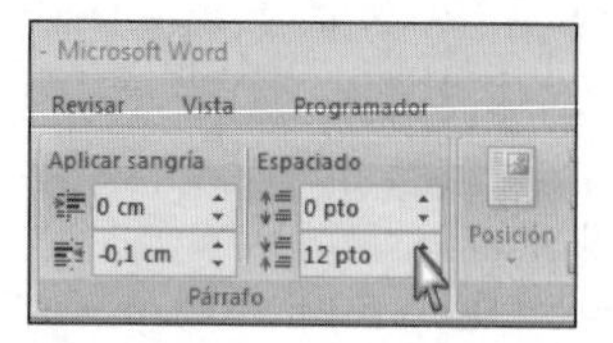

Figura 3.29. Sangría a primera línea de un párrafo.

Aumentar o disminuir la sangría derecha de un párrafo completo:

1. Seleccione el párrafo que desee cambiar.
2. En la ficha Diseño de página, en el grupo Párrafo, haga clic en las flechas situadas junto a Sangría derecha para aumentar o reducir la sangría derecha del párrafo.

Establecer una sangría utilizando la tecla **Tab**:

1. Haga clic en el **botón de Office** y, a continuación, haga clic en Opciones de Word.
2. Haga clic en Revisión.
3. En Configuración de Autocorrección, haga clic en Opciones de Autocorrección y, a continuación, en la ficha Autoformato mientras escribe.
4. Active la casilla de verificación Establecer la primera sangría y la sangría izquierda con tabulaciones y retrocesos.
5. Para aplicar sangría a la primera línea de un párrafo, haga clic delante de la línea. Para aplicar sangría a un párrafo completo, haga clic delante de cualquier línea que no sea la primera.
6. Presione la tecla **Tab**. La figura 3.30 muestra un texto con la sangría aplicada.

> ***Truco:*** *Para quitar la sangría, presione la tecla* ***Retroceso*** *antes de mover el punto de inserción. También puede hacer clic en el comando* Deshacer *de la* Barra de herramientas de acceso rápido.

Figura 3.30. Sangría a párrafo completo.

Aplicar sangría a todas las líneas de un párrafo excepto a la primera:

1. Seleccione el párrafo a cuyas líneas, excepto la primera, desee aplicar sangría, lo que también se conoce como sangría francesa.
2. En la regla horizontal, arrastre el marcador **Sangría francesa** hasta la posición en la que desee que comience la sangría. Véase la figura 3.31.

Si no aparece la regla horizontal situada en la parte superior del documento, haga clic en el botón **Ver regla** de la parte superior de la barra de desplazamiento vertical.

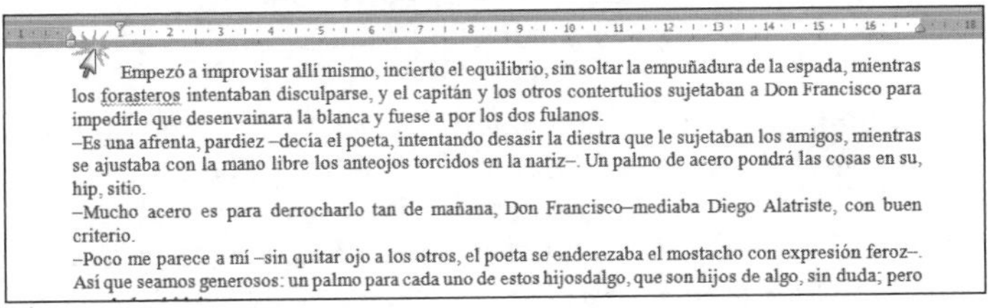

Empezó a improvisar allí mismo, incierto el equilibrio, sin soltar la empuñadura de la espada, mientras los forasteros intentaban disculparse, y el capitán y los otros contertulios sujetaban a Don Francisco para impedirle que desenvainara la blanca y fuese a por los dos fulanos.
–Es una afrenta, pardiez –decía el poeta, intentando desasir la diestra que le sujetaban los amigos, mientras se ajustaba con la mano libre los anteojos torcidos en la nariz–. Un palmo de acero pondrá las cosas en su, hip, sitio.
–Mucho acero es para derrocharlo tan de mañana, Don Francisco–mediaba Diego Alatriste, con buen criterio.
–Poco me parece a mí –sin quitar ojo a los otros, el poeta se enderezaba el mostacho con expresión feroz–. Así que seamos generosos: un palmo para cada uno de estos hijosdalgo, que son hijos de algo, sin duda; pero

Figura 3.31. Ejemplo de sangría francesa.

3.9.8. Tabulaciones

Las tabulaciones se suelen usar para crear documentos a los que resulte fácil aplicar formato, pero las opciones de diseño del documento de Microsoft Office Word 2007 pueden realizar el trabajo automáticamente.

Por ejemplo, se puede crear fácilmente una tabla de contenido o un índice sin ajustar una sola tabulación. También se pueden utilizar las opciones de tabla y encabezado y pie de página prediseñadas de Office Word 2007.

> **Nota:** *Además, Office Word 2007 proporciona páginas prediseñadas, como portadas y diversas opciones de diseño de página, que hacen que las tabulaciones no sean necesarias.*

Las tabulaciones se suelen usar para crear documentos a los que resulte fácil aplicar formato, pero las opciones de diseño del documento de Microsoft Office Word 2007 pueden realizar el trabajo automáticamente.

Por ejemplo, se puede crear fácilmente una tabla de contenido o un índice sin ajustar una sola tabulación.

También se pueden utilizar las opciones de tabla y encabezado y pie de página prediseñadas de Office Word 2007.

Establecer las tabulaciones

Puede que desee utilizar la regla, mostrada en la figura 3.32, para establecer las tabulaciones manuales en las partes izquierda, central y derecha del documento.

Figura 3.32. Marcadores de regla para sangrías y tabulaciones.

Para establecer las tabulaciones de forma rápida, haga clic en el selector de tabulaciones que aparece en el extremo izquierdo de la regla hasta que se muestre el tipo de tabulación que desee usar (véase tabla 3.2) y, a continuación, haga clic en la regla en la ubicación deseada.

Tabla 3.2. Tipos de tabulación disponibles.

⌊	Una **Tabulación izquierda** establece la posición inicial del texto que se irá extendiendo hacia la derecha a medida que se escribe.
⊥	Una **Centrar Tabulación** establece la posición del centro del texto, que se centra en este punto a medida que se escribe.
⌋	Una **Tabulación derecha** establece el extremo derecho del texto. A medida que se escribe, el texto se desplaza hacia la izquierda.
⊥.	Una **Tabulación decimal** alinea los números entorno a una coma decimal. Independientemente de los dígitos que tenga el número, la coma decimal permanece en la misma posición (los números sólo se pueden alinear en torno a un carácter decimal; no se puede usar la tabulación decimal para alinear números alrededor de otro carácter, como puede ser un guión o un símbolo de Y comercial).
|	La **Barra de tabulaciones** no establece la posición del texto, sino que inserta una barra vertical en la posición de la tabulación.

Si desea que las tabulaciones estén situadas en posiciones exactas que no pueda conseguir haciendo clic en la regla, o si desea insertar un carácter específico (carácter de relleno) delante de la tabulación, puede utilizar el cuadro de diálogo **Tabulaciones**. Para mostrar este cuadro de diálogo, haga doble clic en cualquier tabulación de la regla.

Utilizar la regla horizontal para establecer las tabulaciones:

- De forma predeterminada, cuando se abre un nuevo documento en blanco, no hay ninguna tabulación en la regla.
- Las dos últimas opciones del selector de tabulaciones son, en realidad, para las sangrías. Se puede hacer clic en ellas y, a continuación, hacer clic en la regla para colocar las sangrías, en lugar de deslizar por la regla los marcadores de sangría. Haga clic en **Sangría de primera línea** y, a continuación, haga clic en la mitad superior de la regla horizontal, en el punto donde desee que comience la primera línea de un párrafo. Haga clic en **Sangría francesa** y, a continuación, haga clic en la mitad inferior de la regla horizontal, en el punto donde desee que comiencen la segunda y todas las líneas subsiguientes de un párrafo.
- Cuando establezca una tabulación en la barra de tabulaciones, aparece una línea vertical de tabulación en el lugar donde la establezca; no es necesario presionar la tecla **Tab**. Una barra de tabulaciones se parece al formato de tachado del texto, pero se dispone en sentido vertical en el párrafo, en el punto donde esté situada la tabulación. Al igual que ocurre con otros tipos de tabulaciones, se puede establecer una tabulación en la barra de tabulaciones antes o después de escribir el texto del párrafo.
- Las tabulaciones se pueden quitar arrastrándolas (hacia arriba o hacia abajo) hasta sacarlas de la regla. Cuando se suelte el botón del ratón, desaparecerán.
- También se pueden arrastrar las tabulaciones hacia la izquierda o hacia la derecha hasta otra posición en la regla.
- Cuando se seleccionan varios párrafos, sólo aparecen las tabulaciones del primer párrafo en la regla.

Cambiar el espaciado existente entre las tabulaciones predeterminadas. Si establece tabulaciones manualmente, éstas interrumpen las tabulaciones predeterminadas. Las tabulaciones manuales establecidas en la regla reemplazan la configuración de predeterminadas.

1. En la ficha Diseño de página, haga clic en el Iniciador del cuadro de diálogo Párrafo.
2. En el cuadro de diálogo Párrafo, haga clic en **Tabulaciones** como indica la figura 3.33.

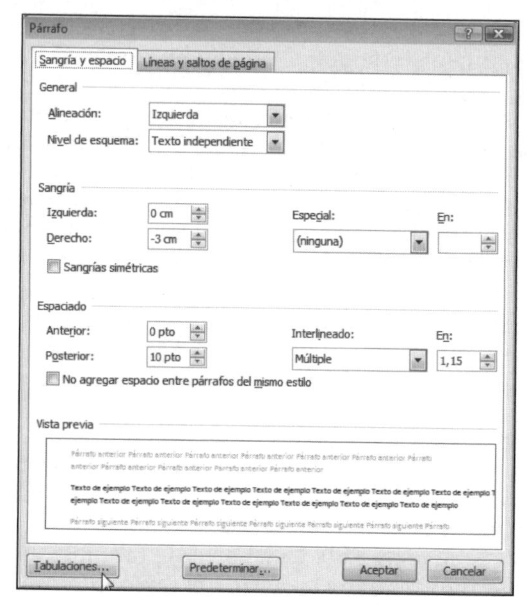

Figura 3.33. Cuadro de Párrafo. Seleccionar Tabulaciones.

3. En el cuadro Tabulaciones predeterminadas, escriba el espacio que desee que haya entre las tabulaciones predeterminadas.

Cuando presione la tecla **Tab**, la tabulación se situará a lo ancho de la página y a la distancia especificada.

3.9.9. Numeraciones y Viñetas

Crear una lista numerada o con viñetas

Puede agregar rápidamente viñetas o números a líneas de texto existentes, o bien, Word puede crear automáticamente listas mientras escribe. De manera predeterminada, si empieza un párrafo con un asterisco o un número 1, Word reconoce que está intentando iniciar una lista numerada o con viñetas. Si no desea que el texto se convierta en una lista, puede hacer clic en el botón **Opciones de Autocorrección** correspondiente.

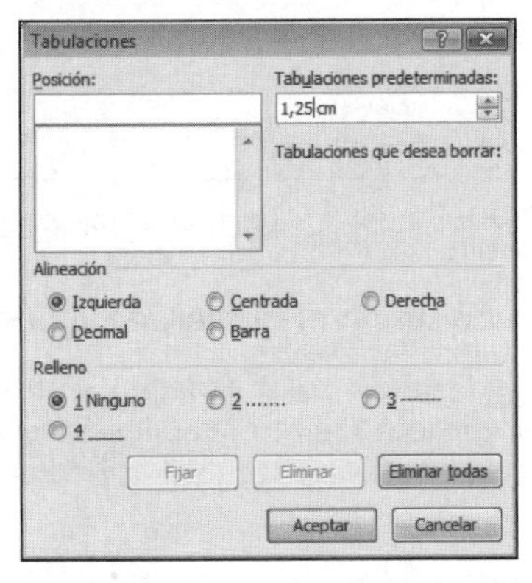

Figura 3.34. Cuadro de Tabulaciones.

Listas: con uno o varios niveles

Cree una lista con un solo nivel, o convierta una lista con varios niveles para mostrar listas dentro de una lista.

Cuando cree una lista con viñetas o numerada, puede realizar cualquiera de estas operaciones:

- Utilizar las cómodas bibliotecas de numeración y viñetas.
  Use los formatos predeterminados de viñetas y numeración para las listas, personalice las listas o seleccione otros formatos en las bibliotecas de viñetas y numeración. Véase la figura 3.35.
- Aplicar formato a las viñetas o a los números. Aplicar a las viñetas o números distintos formatos al del texto de una lista.
  Por ejemplo, haga clic en un número y cambie el color de los números de toda la lista, sin efectuar cambios en el texto de la lista.
- Aplicar formato a las viñetas o a los números. Aplicar a las viñetas o números distintos formatos al del texto de una lista.

Por ejemplo, haga clic en un número y cambie el color de los números de toda la lista, sin efectuar cambios en el texto de la lista.

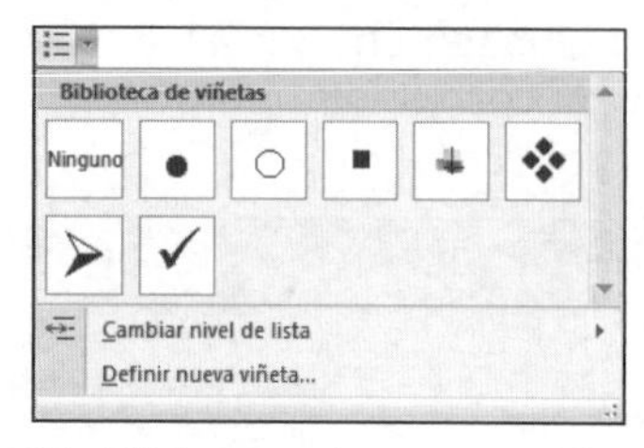

Figura 3.35. Biblioteca de numeración y viñetas.

Crear una lista de un nivel numerada o con viñetas

Word también puede crear automáticamente listas con viñetas y listas numeradas mientras escribe, o puede agregar rápidamente viñetas o números a líneas de texto existentes.

Escribir una lista con viñetas o una lista numerada

1. Escriba * (asterisco) para empezar una lista con viñetas o **1.** para iniciar una lista numerada y, a continuación, presione las teclas **Barra espaciadora** o **Tab**.
2. Escriba el texto que desee.
3. Presione **Intro** para agregar el siguiente elemento de la lista.
   Word inserta automáticamente la viñeta o número siguiente
4. Para finalizar la lista, presione **Intro** dos veces o presione la tecla **Retroceso** para eliminar la última viñeta o el último número de la lista.

Si las viñetas y la numeración no se inician automáticamente:

1. Haga clic en el **Botón de Office** y, a continuación, haga clic en Opciones de Word.
2. Haga clic en Revisión.
3. Haga clic en Opciones de Autocorrección y, a continuación, haga clic en la ficha Autoformato mientras escribe.
4. Bajo Aplicar mientras escribe, active las casillas de verificación Listas.

Agregar viñetas o números a una lista

1. Seleccione los elementos a los que desee agregar viñetas o números.
2. En la ficha Inicio, en el grupo Párrafo, haga clic en Viñetas o en Numeración (figura 3.36).

Figura 3.36. Cuadro de Párrafo. Viñetas y Numeración.

> ***Truco:*** *Haciendo clic en la flecha que aparece junto a* Viñetas *o* Numeración *en la ficha* Inicio, *dentro del grupo* Párrafo. *Puede mover una lista completa hacia la izquierda o hacia la derecha. Haga clic en una viñeta o en un número de la lista y arrástrelo hasta su nueva ubicación. Toda la lista se mueve mientras arrastra, pero no cambian los niveles de la numeración.*

3.9.10. Bordes y sombreados

Puede aplicar los bordes para separar un determinado texto del resto del documento y sombreado para resaltar una parte del texto. En Word 2007, los bordes pueden agregar interés y énfasis a distintas secciones del documento. Se puede agregar bordes a páginas, texto, tablas y celdas de tablas, objetos gráficos e imágenes.

Agregar bordes a imágenes, tablas o texto

1. Seleccione el texto, la imagen o la tabla al que desee aplicar un borde.
   Para aplicar un borde a determinadas celdas de una tabla, selecciónelas, sin olvidar incluir las marcas de fin de celda.
2. En la ficha Diseño de página, en el grupo Fondo de página, haga clic en Bordes de página.
3. En el cuadro de diálogo Bordes y sombreado, haga clic en la ficha Bordes.
4. En una de las opciones de borde que aparecen bajo Configuración seleccione el estilo, el color y el ancho del borde, como muestra la figura 3.37.

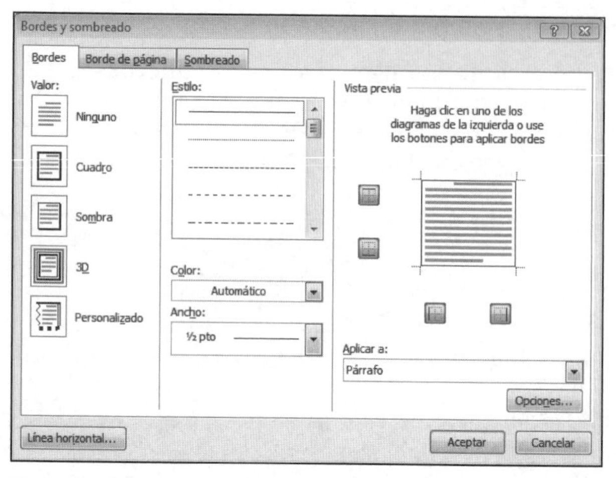

Figura 3.37. Cuadro para definir Bordes y sombreado.

Para aplicar bordes sólo para algunos lados del área seleccionada:

1. Haga clic en Personalizar, en el cuadro Valor.
2. En Vista previa, haga clic en los lados del diagrama, o bien, en los botones para aplicar o quitar los bordes correspondientes.

Para especificar la posición exacta de un borde de párrafo con respecto al texto:

1. Haga clic en Párrafo en Aplicar a.
2. Haga clic en Opciones.
3. A continuación, seleccione las opciones que desee.

> ***Nota:*** *Para especificar que el borde aparezca en una celda o tabla determinada, haga clic en la opción que desee en* Aplicar a.

Agregar un borde a una página

1. En la ficha Diseño de página, en el grupo Fondo de página, haga clic en Bordes de página, que se muestra en la figura 3.38.
   Asegúrese de estar en la ficha Borde de página del cuadro de diálogo Bordes y sombreado.
2. Haga clic en una de las opciones de borde de Valores.

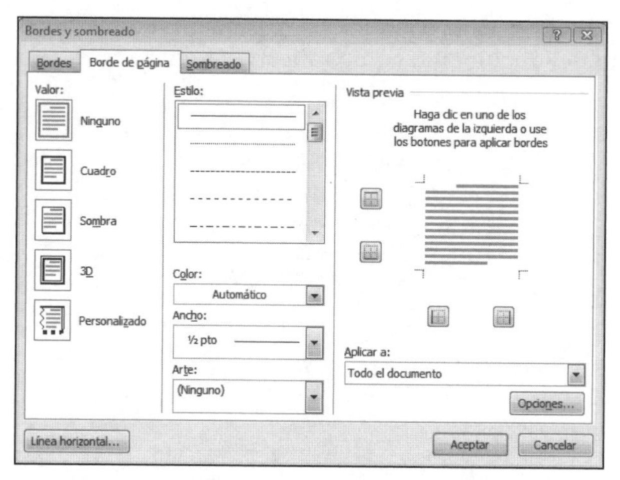

Figura 3.38. Cuadro borde de página.

Si desea que el borde aparezca en un lugar específico de la página, como por ejemplo sólo en la parte superior, haga clic en Personalizar en el cuadro Valor. En Vista previa, haga clic en el lugar donde desee que aparezca el borde.

3. Seleccione el estilo, el color y el ancho del borde.

   - Para especificar un borde artístico, por ejemplo, árboles, seleccione una opción del cuadro Arte.
   - Si desea que el borde aparezca en una página o sección determinada, haga clic en la opción que desee en Aplicar a.
   - Para especificar la posición exacta del borde en la página, haga clic en Opciones y seleccione las opciones que desee.

> ***Nota:*** *Para ver los bordes de página en la pantalla, muestre el documento en vista* Diseño de impresión.

3.10. Escribir en columnas

Puede dividir u organizar el texto del documento en columnas, para ello debe activar la **Vista Diseño de Impresión** . En la ficha Diseño de página, en el grupo Configurar página, haga clic en Columnas y simplemente seleccione el número de columnas que prefiera para el formato del documento como muestra la figura 3.39.

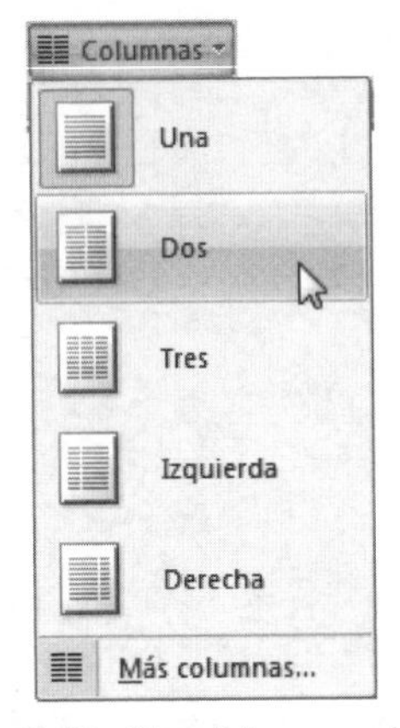

Figura 3.39. Escribir en columnas.

Para determinar el ancho de las columnas:

1. Seleccione la columna o columnas que desee darle mayor o menor ancho.
2. En la ficha Diseño de página, haga clic en el botón en Columnas.
3. Regule según desee el ancho de cada columna en los valores, Ancho y Espacio (figura 3.40).

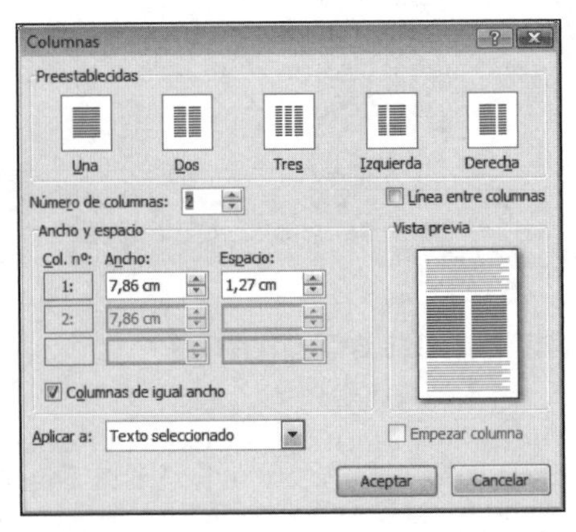

Figura 3.40. Determinar el ancho de las columnas.

4. Seleccione en la lista desplegable Aplicar a y seleccione Texto seleccionado.
5. Puede calibrar el resultado de la tarea con la Vista previa insertada en el cuadro.

Nota: *Si desea que el ancho de columnas sea homogéneo, para dejar la distancia de los márgenes en blanco, utilice las flechas de posición de la regla superior del área de trabajo.*

3.11. Trabajar con tablas

Las tablas se utilizan a menudo para organizar y presentar información estructurada (ver tabla 3.3). Se componen de filas y columnas de celdas que se podrán rellenar con texto y gráficos.

También podrá utilizar tablas para crear diseños de página interesantes o crear textos, gráficos y tablas animadas en una página Web.

Tabla 3.3. Información organizada en una tabla.

Artista	Miles Davis	-
Título	*Well you needn't*	-
Año	1951	-
Album	*The Capitol Years*	-

En Microsoft Office Word 2007 se puede insertar una tabla eligiendo un diseño entre varias tablas con formato previo (rellenas con datos de ejemplo) o seleccionando el número de filas y columnas deseadas. Se puede insertar una tabla en un documento o bien insertar una tabla dentro de otra para crear una tabla más compleja. También se puede dibujar una tabla en aquellos casos en las que las celdas o columnas deban ser desiguales o simplemente, por deseo de personalizarla.

Insertar una tabla

Puede utilizar plantillas de tabla para insertar tablas basadas en una galería de tablas con formato previo. Las plantillas de tabla contienen datos de ejemplo para ayudar a visualizar el aspecto que tendrá la tabla cuando se agreguen datos.

1. Haga clic donde desee insertar una tabla.
2. En la ficha Insertar, dentro del grupo Tablas, haga clic en Tabla, elija Tablas rápidas y, a continuación, haga clic en la plantilla que desee usar (por ejemplo una de las mostradas en la figura 3.41).
3. Reemplace los datos incluidos en la plantilla con los datos deseados.

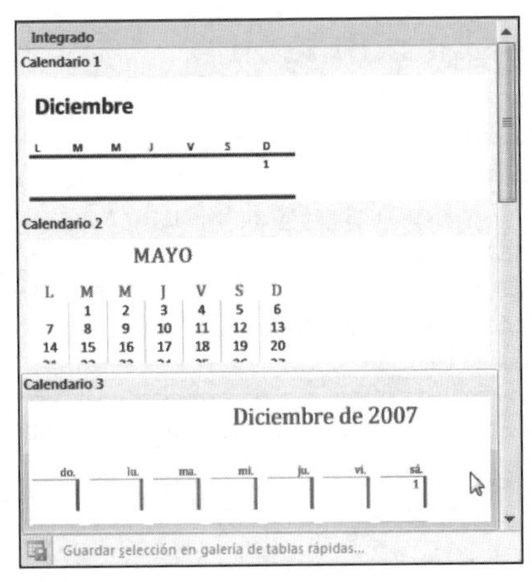

Figura 3.41. Insertar Tablas rápidas.

Utilizar el menú Tabla

1. Haga clic donde desee insertar una tabla.
2. En la ficha Insertar, dentro del grupo Tablas, haga clic en Tabla y, a continuación, bajo Insertar tabla, seleccione el número de filas y columnas que desea usar. Véase la figura 3.42.

Utilizar el comando Insertar tabla

El comando Insertar tabla permite especificar las dimensiones de la tabla y aplicarle formato manualmente antes de insertar la tabla en un documento.

1. Haga clic donde desee insertar una tabla.
2. En la ficha Insertar, en el grupo Tablas, haga clic en Tabla y, a continuación, haga clic en Insertar tabla.

Figura 3.42. Insertar tablas manualmente.

Dibujar una tabla

Puede dibujar una tabla compleja; por ejemplo, una con celdas de diferente alto o que tengan un número variable de columnas por fila.

1. Haga clic en el lugar en que desee crear la tabla.
2. En la ficha Insertar, en el grupo Tablas, haga clic en Tabla y, después, en Dibujar tabla (figura 3.43). El puntero se convierte en un lápiz.
3. Para definir los límites exteriores de la tabla, dibuje un rectángulo. A continuación, dibuje las líneas de las columnas y de las filas dentro del rectángulo.

Figura 3.43. Dibujar Tabla.

Colocar una tabla dentro de otra

Las tablas incluidas dentro de otras tablas se denominan tablas anidadas y se suelen utilizar para diseñar páginas Web. Si imagina una página Web como una gran tabla que contiene otras tablas (con texto y gráficos dentro de distintas celdas de la tabla), puede distribuir los distintos elementos de la página. Puede insertar una tabla anidada haciendo clic en una celda y, a continuación, usando cualquiera de los métodos de insertar tablas, o bien, puede dibujar una tabla en el lugar donde desea colocar la tabla anidada.

> ***Nota:*** *También puede copiar y pegar una tabla existente dentro de otra tabla.*

3.11.1. Agregar o eliminar una celda, fila o columna

1. Haga clic en una celda situada a la derecha o encima del lugar donde desea insertar la celda.
2. En Herramientas de tabla, en la ficha Diseño, haga clic en el Iniciador del cuadro de diálogo Filas y columnas. Véase tabla 3.4 a continuación.

Tabla 3.4. Opciones de tabla.

Haga clic en	*Para*
Desplazar las celdas hacia la derecha	Insertar una celda y desplazar hacia la derecha todas las demás celdas de esa fila.
Desplazar las celdas hacia abajo	Insertar una celda y desplazar las celdas existentes una fila hacia abajo. Se agrega una nueva fila al final de la tabla.
Insertar una fila completa	Insertar una fila encima de la celda en la que se ha hecho clic.
Insertar una columna completa	Insertar una columna a la izquierda de la celda en la que se ha hecho clic.

> ***Nota:*** *Word no inserta una nueva columna. Esta acción puede hacer que haya una fila con más celdas que las demás.*

Agregar una fila encima o debajo:

1. Haga clic en la celda encima o debajo de la cual desea agregar una fila.
2. En Herramientas de tabla, en la ficha Presentación, siga uno de estos procedimientos:

   - Para agregar una fila encima de la celda, haga clic en Insertar en la parte superior dentro del grupo Filas y columnas.
   - Si desea agregar una fila debajo de la celda, haga clic en Insertar en la parte inferior dentro del grupo **Filas y columnas**.

Agregar una columna a la izquierda o a la derecha:

1. Haga clic en la celda a la izquierda o a la derecha de la cual desea agregar una columna.
2. En Herramientas de tabla, en la ficha Presentación, siga uno de estos procedimientos:

   - Para agregar una columna a la izquierda de la celda, haga clic en Insertar a la izquierda dentro del grupo Filas y columnas.
   - Si desea agregar una columna a la derecha de la celda, haga clic en Insertar a la derecha en el grupo Filas y columnas.

3.11.2. Crear una tabla de contenido

Las tablas de contenido se crean eligiendo los estilos de título, como por ejemplo "Título 1", "Título 2" y "Título 3", que se desea incluir en las mismas. Microsoft Word busca los títulos que tienen el estilo elegido, aplica formato y sangría al texto del elemento en función del estilo de texto e inserta la tabla de contenido en el documento.

Word ofrece una galería con varias tablas de contenido para elegir. Marque las entradas de la tabla de contenido y, a continuación, haga clic en el estilo de la tabla de contenido que desee en la galería de opciones. Word crea automáticamente la tabla de contenido a partir de los títulos que haya marcado.

Marcar elementos para una tabla de contenido

La manera más sencilla de crear una tabla de contenido es utilizar Estilos de título integrados (formato que se aplica a un título). También se puede crear tablas de contenido basadas en los estilos personalizados que haya aplicado. O bien, se puede asignar niveles de tabla de contenido a elementos de texto específicos.

1. Seleccione el título al que desea aplicar un estilo de título.
2. En la ficha Inicio, en el grupo Estilos, haga clic en el estilo que desee. (figura 3.44).

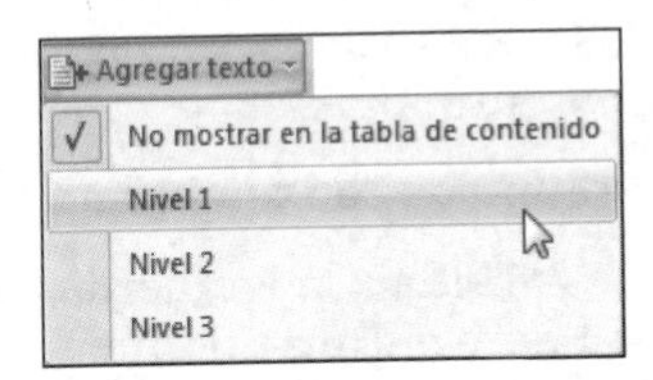

Figura 3.44. Cuadro de estilos predeterminados en la ficha Inicio.

3. Haga clic en el estilo denominado Título 1, por ejemplo, si seleccionó texto al que desea aplicar un estilo de título principal en la galería de estilos rápidos.

Marcar elementos de texto concretos

Si desea que la tabla de contenido incluya texto que no tiene formato de título, puede utilizar este procedimiento para marcar elementos de texto específicos.

1. Seleccione el texto que desea incluir en la tabla de contenido.
2. En la ficha Referencias, en el grupo Tabla de contenido, haga clic en Agregar texto (figura 3.45).
3. Haga clic en el nivel en que desea etiquetar la selección como, por ejemplo, Nivel 1 para mostrar un nivel principal en la tabla de contenido.
4. Repita los pasos 1 a 3 hasta haber etiquetado todo el texto que desea que aparezca en la tabla de contenido.

3.11.3. Aplicar formato de una tabla

Una vez creada una tabla, Microsoft Office Word 2007 ofrece muchas formas de aplicarle formato. Si decide utilizar la opción Estilos de tabla, puede aplicar formato a la tabla en un solo paso e incluso obtener una vista previa del aspecto que tendrá la tabla con el formato de un estilo concreto antes de aplicar efectivamente ese estilo.

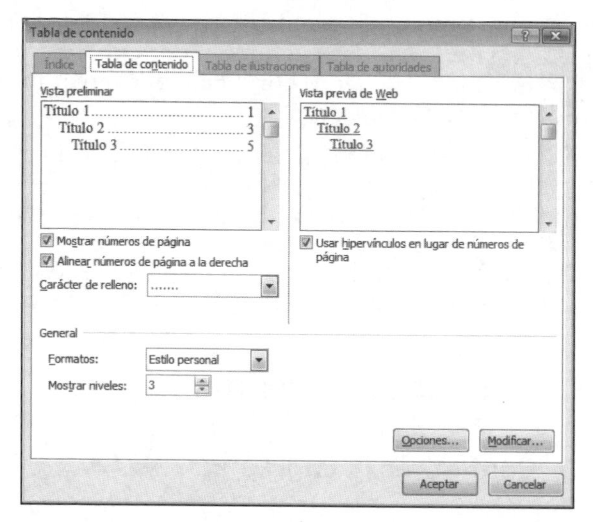

Figura 3.45. Cuadro de tablas de contenido. Agregar texto.

Puede crear un aspecto personalizado para las tablas dividiendo o combinando celdas, agregando o eliminando columnas o filas, o agregando bordes. Si está trabajando con una tabla larga, puede repetir los títulos de tabla en cada una de las páginas en las que aparece la tabla. Para impedir que aparezcan saltos de página inadecuados que interrumpan el flujo de la tabla, también puede especificar cómo y dónde debe dividirse la tabla entre las distintas páginas.

Colocando el puntero sobre cada uno de los estilos de tabla con formato previo, puede obtener una vista previa del aspecto que tendrá la tabla.

1. Haga clic en la tabla a la que desea aplicar formato.
2. En Herramientas de tabla, haga clic en la ficha Diseño Dentro del grupo Estilos de tabla, coloque el puntero sobre los estilos de tabla hasta que encuentre el estilo que desea utilizar.
3. Haga clic en un estilo para aplicarlo a la tabla.
4. En el grupo Opciones de estilo de tabla, active o desactive la casilla de verificación que aparece junto

a cada uno de los elementos de tabla para aplicarle o quitarle el estilo seleccionado.

3.11.4. Combinar celdas

Puede unir en una sola celda dos o más celdas de tabla situadas en la misma fila o columna. Por ejemplo, puede unir varias celdas en sentido horizontal para crear un título que ocupe varias columnas.

1. Seleccione las celdas que desea combinar haciendo clic en el borde izquierdo de una celda y, sin soltar el botón, arrastre el ratón por las otras celdas que desea combinar.
2. En Herramientas de tabla, en la ficha Presentación, en el grupo Combinar, haga clic en Combinar celdas.

3.12. Imprimir documentos

3.12.1. Configurar la impresora

Para que pueda imprimir documentos es necesario configurar la impresora.

1. Haga clic en el **Botón Inicio**, elija Configuración. (En Windows Vista, debe hacerse en el **Botón de Windows Vista**, elegir Panel de Control y después, Impresoras.)
2. Haga clic en Impresoras.
3. Haga doble clic en el icono Agregar impresora.
4. Siga las instrucciones del asistente.

3.12.2. Establecer una impresora como predeterminada

Probablemente, le aparezcan por defecto varios iconos de impresoras. Para establecer una impresora como predeterminada:

1. Haga clic en el **Botón de Windows Vista**, **Inicio** en el resto de sistemas de Windows elija Panel de Control (figura 3.46).
2. Haga clic en Impresoras.

Figura 3.46. Primeros pasos para configurar la impresora.

3. Con el botón derecho del ratón, haga clic en el icono de la impresora que desee utilizar como predeterminada.
4. Aparecerá un menú, haga clic en **Fijar como predeterminada**.
5. Si hay una marca de verificación junto al icono **Impresora**, ya está configurada como predeterminada.

3.12.3. Vista preliminar

La vista preliminar resulta muy útil porque muestra el aspecto que tendrán las páginas una vez impresas.

1. En Word 2007 haga clic en el **Botón de Office**, elija la flecha situada junto a imprimir y a continuación haga clic en Vista preliminar.
2. A continuación, en la cinta de opciones, aparecerá una nueva ficha contextual, Vista preliminar (figura 3.47).
   Utilice los botones para revisar la página o realizar ajustes antes de imprimir.
3. Para volver a la vista anterior del documento, haga clic en **Cerrar**.

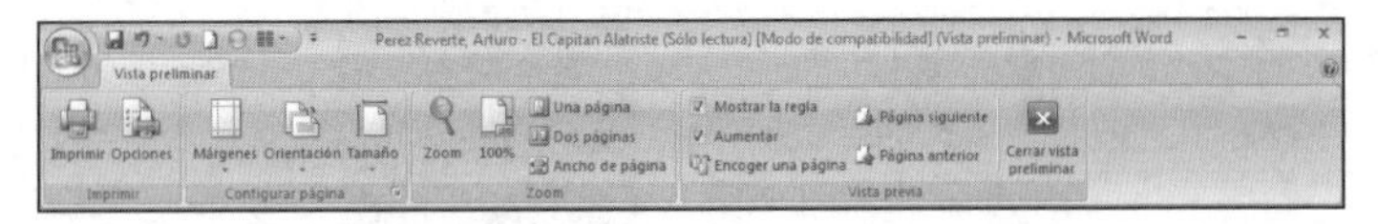

Figura 3.47. Ficha contextual Vista preliminar de impresión.

Para modificar el texto en la vista preliminar:

1. Haga clic en el botón Aumentar, de la ficha Vista previa.
2. Cuando la forma del puntero del ratón cambie de una lupa a un cursor, realice los cambios que desee en el documento.
3. Para salir de la vista preliminar y volver a la vista anterior del documento, haga clic en **Cerrar**.

3.12.4. Imprimir uno o varios documentos

Puede imprimir una copia del documento que tiene abierto, haciendo clic en el botón Imprimir del menú del **Botón de Office**. Si quiere imprimir parte o la totalidad de un documento:

1. En el **Botón de Office**, haga clic en Imprimir.
2. Aparecerá el cuadro de diálogo Imprimir.
3. En el cuadro Impresora, asegúrese de que aparece el nombre de la impresora que ha seleccionado, así como su estado, tipo y ubicación.
4. En el cuadro Intervalo de página, especifique la parte del documento que quiere imprimir: Todo, Página actual, o especifique el número de las Páginas que quiere imprimir. Si son páginas aisladas, separe los números con una coma. Si las páginas están contiguas, escriba el número de la primera y la última separados por un guión. Ejemplo: 1,5,7-10 (imprimiría la 1ª página, la 5ª, la 7ª, la 8ª, la 9ª y la 10ª). Selección sirve para imprimir un bloque de texto. Es necesario seleccionar el texto antes de abrir el cuadro de diálogo Imprimir (Archivo>Imprimir).
5. En el cuadro Copias, seleccione el número de copias que quiere imprimir.
6. Active la casilla de verificación Intercalar, si ha elegido dos o más copias del documento y prefiere que imprima una copia completa del documento antes de que imprima la primera página de la siguiente copia.

7. Si desea imprimir todas las copias de la primera página y, a continuación, todas las copias de las siguientes páginas, desactive la casilla de verificación Intercalar.
8. En el cuadro Imprimir, seleccione si prefiere imprimir el intervalo o sólo las páginas impares o las pares.
9. El cuadro Zoom, permite modificar, de forma temporal, el tamaño de las páginas del documento para imprimir varias páginas en una misma hoja de papel.
10. Una vez seleccionadas las opciones de impresión, haga clic en **Aceptar**.

Para imprimir varios documentos a la vez:

1. Haga clic en el **Botón de Microsoft Office**, en la ventana inicial de Word.
2. Abra la carpeta que contenga los documentos que desee imprimir.
3. Seleccione los documentos.
4. Haga clic en Herramientas y, a continuación, en Imprimir .

3.13.5. Cancelar la impresión

Si está desactivado el modo de impresión en segundo plano, haga clic en **Cancelar** o haga clic en la tecla **Esc**.

Si está activado el modo de impresión en segundo plano, haga clic en el icono de impresora situado en la barra de estado (en el margen inferior de la ventana de Word).

Advertencia: *Si va imprimir un documento corto y está activado el modo de impresión en segundo plano, puede que el icono de impresora no aparezca en la barra de estado el tiempo suficiente para que pueda hacer clic en él y cancelar la impresión.*

4 Excel

4.1. Introducción

Excel 2007 es la última versión del programa de hoja de cálculo de Microsoft Office. Al igual que en Word 2007 y otras aplicaciones de la suite, lo más destacado a primera vista, es su interfaz, por la funcionalidad y por su nuevo sistema de organización de comandos según tareas. Muchos cuadros de diálogo han sido reemplazados por galerías desplegables que muestran las opciones disponibles. Además se ofrece información descriptiva sobre herramientas y vistas previas de ejemplo para ayudarle a elegir la opción mas adecuada.

En este capítulo aprenderá a crear libros y tablas, así como gráficas estadísticas. Podrá simplificar los cálculos utilizando fórmulas y dar vida a las presentaciones insertando imágenes, personalizando formatos y añadiendo gráficos.

Excel 2007 incluye mejoras en la compatibilidad con XML, así como funciones nuevas que facilitan el análisis y el uso compartido de la información. Podrá definir una parte de la hoja de cálculo como una lista y exportarla a un sitio Web que utilice Microsoft Windows SharePoint Server. Las etiquetas inteligentes de Excel son más flexibles y las funciones estadísticas permiten analizar mejor la información.

4.2. La ventana de Excel

La ventana de Excel se abrirá automáticamente cuando inicie el programa. Haga clic en el **Botón de Microsoft**

Windows Vista (Iniciar) (**Inicio** en el resto de sistemas), seleccione Programas, haga clic en Microsoft Office y, a continuación, en Microsoft Excel. Una vez ejecutado el programa, aparecerá la ventana inicial de Excel con los elementos que se observan en la figura 4.1.

1. **Botón de Office**. Reemplaza al Menú Archivo y dispone de una lista con los comandos básicos como **Nuevo**, **Abrir**, **Guardar**, **Guardar como**, **Imprimir** o **Cerrar**, a los que se le han añadido **Preparar**, **Enviar** y **Publicar**, cada uno de ellos con submenús que proporcionan más opciones directas.
2. Barra de herramientas de acceso rápido. Es una barra de herramientas personalizable que contiene un conjunto de comandos independientes que el usuario puede agregar o quitar según desee en virtud de las tareas más frecuentes que está utilizando.
3. Barra de títulos. Es el nombre que se ha dado al documento una vez se ha guardado en el disco. Si aún no ha asignado ningún nombre al documento, aparecerá Libro 1.
4. Cinta de opciones. La nueva barra permite a partir de fichas, divididas en grupos, visualizar de forma inmediata las funciones y comandos que en versiones anteriores permanecían ocultas escondidos en menús o en paneles separados.
5. Barra de fórmulas. Consta de: Cuadro de nombres y Barra de fórmulas.

   - Cuadro de nombres. Cuadro situado en el extremo izquierdo de la barra de fórmulas que identifica la celda, elemento de gráfico u objeto de dibujo seleccionado. Para dar nombre a una celda o rango, escriba el nombre en el cuadro Nombre y presione **Intro**. Para desplazarse hasta una celda con nombre y seleccionarla, haga clic en su nombre en el cuadro Nombre.
   - Barra de fórmulas. Es la parte superior de la ventana de Excel que se utiliza para escribir o editar valores o fórmulas en celdas o gráficos. Muestra la fórmula o el valor constante almacenado en la celda activa.

6. Área de trabajo. Es la hoja de cálculo propiamente dicha, es la zona que contiene las celdas en las que se introducirán los datos.

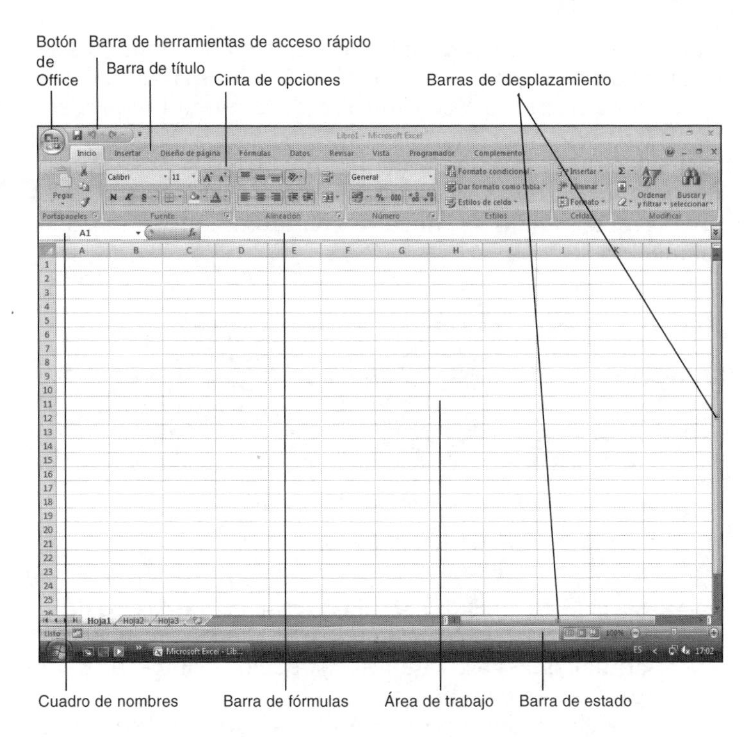

Figura 4.1. La ventana de inicio de Excel.

7. Barras de Desplazamiento. Permiten moverse con rapidez por las celdillas. Están situadas una en la parte derecha de la zona de las celdillas, para desplazarse verticalmente, y otra en la zona inferior, para desplazarse horizontalmente. A la izquierda de esta última existen unas etiquetas tipo ficha que permiten moverse por las diferentes páginas del Libro.
8. Barra de estado. Situada en la parte inferior indica si las opciones como contar celdas, filas o columnas, cambiar seguimiento y macros están activadas o desactivadas, el selector de vistas y una barra deslizante rápida de Zoom para alejar o acercar la visualización del documento o libro.

4.2.1. La Cinta de opciones de Excel

La Cinta de opciones, mostrada en la figura 4.2, se ha diseñado para ayudarle a encontrar fácilmente los comandos necesarios para completar una tarea. Los comandos se organizan en grupos lógicos, que se reúnen en fichas. Cada ficha está relacionada con un tipo de actividad (como escribir o diseñar una página).

Para reducir la confusión, algunas fichas sólo se muestran cuando es necesario. Por ejemplo, la ficha Herramientas de imagen sólo se muestra cuando se selecciona una imagen.

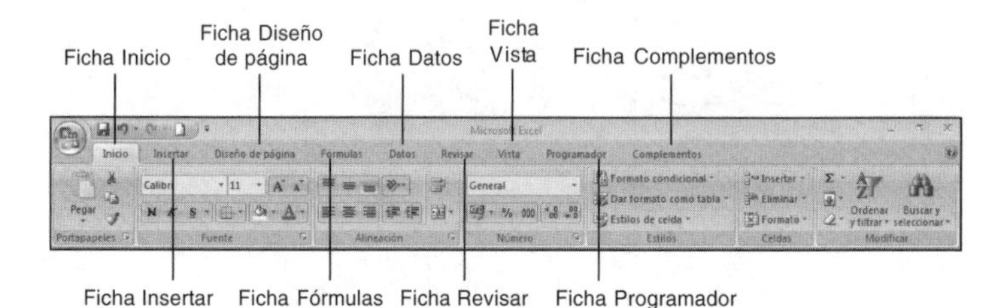

Figura 4.2. La Cinta de opciones de Excel.

- En la ficha Inicio, se encuentran las tareas básicas para utilizar la hoja de cálculo, tales como **Cortar**, **Copiar** o **Pegar**, Fuente, Alineación, Número, Estilos, Celdas o Modificar.
- La ficha Insertar consta de una serie de funciones para agregar objetos o vínculos a la hoja de cálculo. Están agrupados en: Tablas, Ilustraciones, Gráficos, Vínculos y **Texto**.
- La ficha Diseño de página se utiliza, como indica su nombre, para dar un formato y estilo más atractivo a sus documentos en la hoja de cálculo.
  Está dividida en los grupos Temas, Configurar página, Ajustar área de impresión, Opciones de la hoja, y **Organizar**.
- La ficha Fórmulas está destinada para el trabajo de las múltiples operaciones que pueden realizarse en la hoja de cálculo de Excel.
  Estas operaciones se encuentran agrupadas en Insertar función, Nombres definidos, Auditoria de fórmulas y Cálculo.
- La ficha Datos muestra las diversas opciones para trabajar con datos relativos externos o del propio documento, y complementarios tales como comentarios o especificar criterios complejos para limitar registros.

Está dividida en los grupos Obtener datos externos, Conexiones, Ordenar y filtrar, Herramientas de datos y Esquema.

- La ficha Revisar permite revisiones automáticas, gestionar cambios y proteger datos contenidos en las celdas, filas, columnas, la hoja completa y hasta el propio libro de trabajo.
  Consta de los siguientes grupos: Revisión (Ortográfica, Sinónimos, Traducción), Comentarios y Cambios.
- La ficha Vista está destinada a la visualización de la hoja. Los grupos de paneles son Vista de página, Zoom, Ventana y Macros.
- La ficha Programador sirve para ver, crear, convertir o definir funciones de código, crear macros y gestionar archivos XML. Estas funciones están agrupadas en: Código, Controles, XML y Modificar.
- La ficha Complementos, inicialmente en blanco, sirve para asociar determinadas extensiones a la aplicación que amplían la funcionalidad más si cabe de Excel, como por ejemplo, etiquetas inteligentes, plantillas globales o controles de seguridad. Es necesario configurar dichas extensiones y Microsoft Office Online ofrece un amplio surtido de ellas.

4.3. Crear un libro nuevo

Para crear un nuevo libro en blanco, sitúese en el **Botón de Office** y haga clic en Nuevo (**Control-U**) y, a continuación, en Nuevo libro, haciendo clic en Libro en blanco (figura 4.3). Para utilizar las plantillas (archivos que dan forma a un documento), en el menú **Botón de Office** haga clic en cualquiera de las tres opciones (véase la figura 4.4):

- **Plantillas instaladas:** Las que ofrece Excel por defecto con su instalación.
- **Mis Plantillas:** Las que ya estén creadas, en este caso. Se mostrará un cuadro de diálogo, seleccione la carpeta de ubicación y después, haga clic en el de la plantilla que desee.
- **Microsoft Office Online:** Para buscar y descargar plantillas en la red.

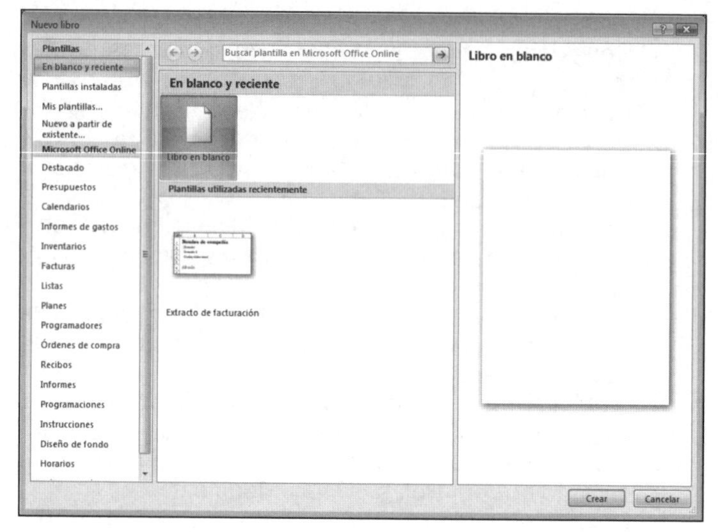

Figura 4.3. Panel de tareas Nuevo libro en Blanco.

4.4. Tareas básicas para manejar archivos

4.4.1. Abrir, guardar y cerrar libros

Para abrir un libro anteriormente guardado:

1. Haga clic en Botón de Office y, a continuación, en Abrir, o bien, haga clic en el botón **Abrir** en la barra de herramientas de acceso rápido.
2. En el cuadro de diálogo Buscar en seleccione la unidad, carpeta o ubicación de Internet que contiene el archivo que desea abrir.
3. Haga clic en la carpeta que contiene el archivo. Seleccione el documento haciendo clic sobre él.
4. A continuación, ábralo haciendo clic en **Abrir** .

Para guardar un documento nuevo:

1. Haga clic en Botón de Office y, a continuación, en Guardar, o bien, haga clic en el botón **Guardar** .
2. Si es la primera vez que guarda el libro, aparecerá el cuadro de diálogo Guardar como. En él se le solicitará un nombre, así como la ubicación en la que desea guardarlo y el formato con el que desea conservarlo.

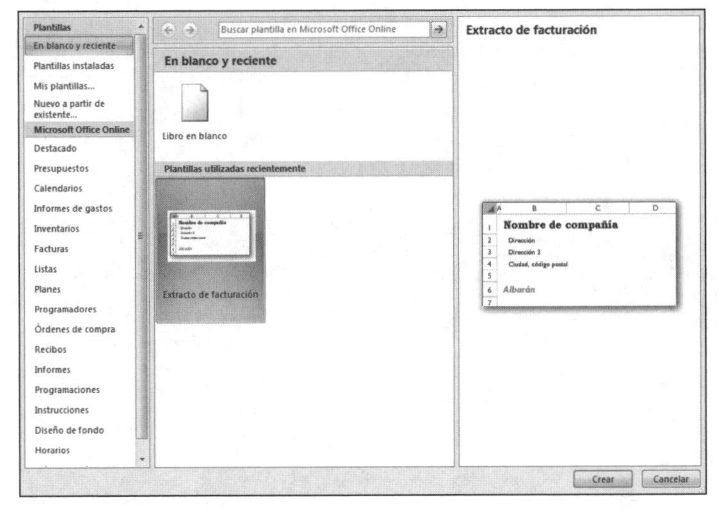

Figura 4.4. Abrir Plantilla para crear un libro nuevo.

3. Escriba el nombre del libro y seleccione la carpeta o unidad en la que desea guardarlo.
4. Posteriormente, haga clic en **Guardar**.

Cuando vuelva a abrir y modificar el libro, al guardarlo no volverá a aparecer el cuadro de diálogo Guardar como, por lo que si desea cambiar el nombre del libro o el formato con el que lo guardó deberá hacer clic en el menú Botón de Office y en Guardar como. Por último, para cerrar un libro, no tiene más que hacer clic en el botón **Cerrar** de la esquina superior derecha de la pantalla.

4.4.2. Buscar archivos

En caso de que no encuentre el archivo, podrá buscarlo por el título, los contenidos o las propiedades. Para ello, siga los siguientes pasos:

1. Haga clic en el **Botón de Windows Vista (Iniciar)** y escriba un nombre en Iniciar búsqueda, o haga clic en el botón **Abrir** .
   En el cuadro de diálogo Buscar en escriba una palabra y haga clic para buscar los resultados.
2. Para limitar las ubicaciones en las que se buscará, en el cuadro Buscar en seleccione una o varias unidades,

carpetas o sitios Web. Para buscar en todas partes, seleccione En cualquier sitio, o bien seleccione una única ubicación escribiéndola en el cuadro Buscar en.

3. Para acotar más el resultado de la búsqueda, seleccione los tipos de elementos a buscar en el cuadro.
4. Haga clic en **Buscar**.

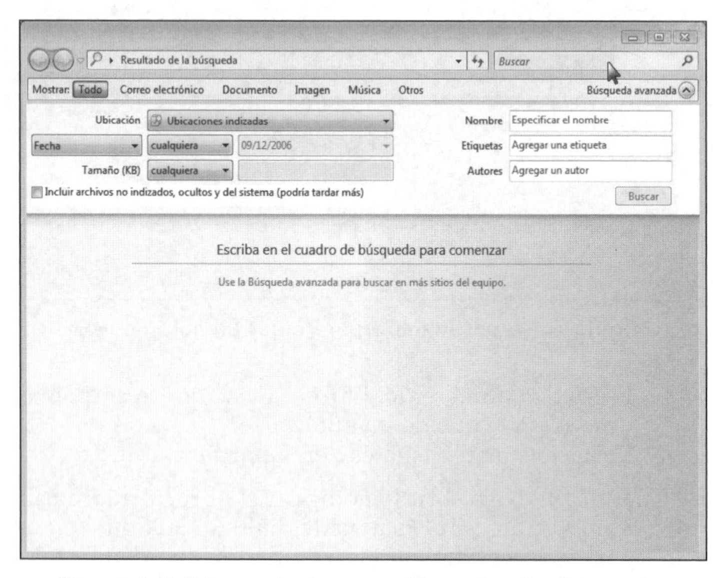

Figura 4.5. Búsqueda de un archivo a través del cuadro de diálogo Abrir.

Nota: *También puede buscar los archivos de una manera avanzada a través de sus propiedades, siga los pasos anteriormente señalados, exceptuando el tercero. En su lugar, haga clic en el* ***Botón de Windows Vista*** *(o* ***Inicio*** *en resto de sistemas de Windows) y seleccione* ***Buscar*** *y en el cuadro de diálogo,* Búsqueda Avanzada *e introduzca uno o varios criterios de búsqueda, como aparece en la figura 4.6.*

4.4.3. Propiedades de archivos

Las propiedades de los archivos son información valiosa, tales como el tamaño del archivo o la fecha de la última modificación.

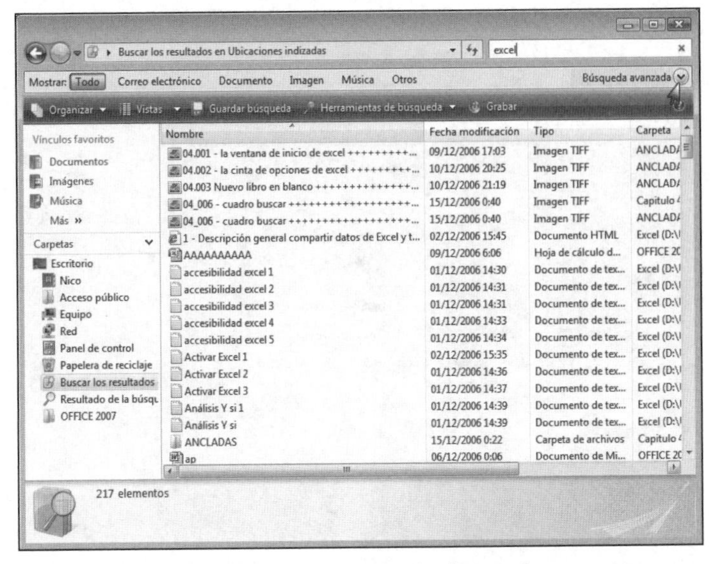

Figura 4.6. Búsqueda avanzada de un documento.

Este tipo de información podrá serle de utilidad a la hora de buscar e identificar archivos. Para conocer las propiedades de un libro de Excel que tenga abierto, haga clic en Botón de Office y, a continuación, en Preparar, seleccione a su derecha Propiedades. Le aparecerá una nueva barra que se ubicará debajo de la Cinta de opciones en la información de autor, título, asunto, palabra clave, categoría, etc.

Figura 4.7. Cuadro de propiedades de archivo.

- Para conocer todas las propiedades del archivo, siga el procedimiento de la nota anterior.
- Si desea conocer sólo el tamaño del archivo y la fecha de la última modificación, haga clic en **Detalles**.
- Si desea ver o crear atributos, como permitir acceso al documento, comprimir o cifrar, pulse en avanzadas (figura 4.8).

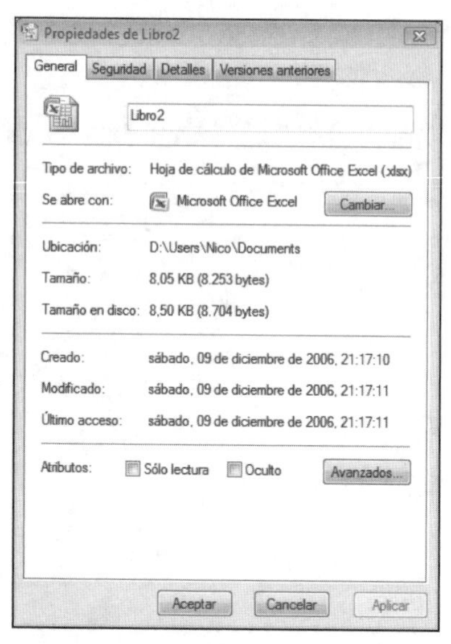

Figura 4.8. Ver las propiedades avanzadas y atributos de un archivo.

> ***Nota:*** *también puede consultar las propiedades de un archivo mediante el cuadro* ***Abrir****. Sólo tiene que buscar la carpeta de ubicación del archivo y una vez localizado, hacer clic con el botón secundario del ratón, y le aparecerá el clásico cuadro de propiedades.*

4.5. Hojas de cálculo

Una hoja de cálculo es el documento principal que se utiliza en Excel, y en la que introducirá sus datos. Consta de celdas, que se organizan en filas y columnas, y que se pueden utilizar para organizar y relacionar entre sí distintos tipos de información. Podrá moverse por las diferentes hojas de cálculo de un libro haciendo clic en las fichas de las hojas Hoja1 Hoja2 Hoja3 que aparecerán en la parte inferior de la Ventana del libro, junto a la barra de desplazamiento horizontal.

Para seleccionar rápidamente una hoja distinta o si desea escribir o modificar los datos en varias hojas de cálculo al mismo tiempo, puede agrupar las hojas de cálculo seleccionando varias hojas Hoja1 Hoja2 Hoja3 . Asimismo, puede dar formato o imprimir una selección de hojas al mismo tiempo.

Si desea moverse por páginas diseminadas a lo largo de todo el libro, haga clic en los botones de desplazamiento de etiquetas ⏮ ◀ ▶ ⏭ para que se muestre la etiqueta y, a continuación, haga clic en ella.

4.5.1. Celdas

La celda es la unidad básica de funcionamiento de Excel. En las celdas introducirá los datos necesarios para sus operaciones.

Aunque puede utilizar celdas para operaciones aisladas, lo más normal es que las utilice en conjunción con otras celdas. Está dotada de una serie de atributos que le otorgan una función concreta en relación al resto de la hoja de cálculo fundamental para las múltiples tareas y operaciones que puedan realizarse (organizativas, matemáticas, etc.).

4.5.2. Filas y columnas

Se denomina fila a la serie de celdas consecutivas en sentido horizontal, y columna a las colocadas en sentido vertical.

Al referirse a determinada celda, se hace por su ubicación, utilizando para ello la letra que corresponda a su columna y el número de su fila, a no ser que se haya dado un nombre específico a esa celda.

4.5.3. Cuadro de nombres y Barra de fórmulas

El cuadro de nombres es el lugar de la barra de herramientas en Excel en el que figura el nombre de la celda seleccionada. Por defecto, las celdas se denominarán por su ubicación dentro de la hoja, recibiendo el nombre de su columna y fila, aunque podrá dar un nombre determinado a cada celda haciendo clic en el cuadro de nombres e introduciendo el nuevo nombre para ésta. Para terminar, pulse la tecla **Intro**.

La barra de fórmulas permite escribir o editar valores o fórmulas en celdas o gráficos. Muestra el valor constante almacenado en la celda activa. La Barra de fórmulas se encuentra en la barra de herramientas, junto al Cuadro de nombres.

4.5.4. Eliminar celdas, filas o columnas

1. Seleccione las celdas, filas o columnas que desea eliminar.
2. Haga clic en la ficha Inicio y pulse Eliminar celdas en el grupo Celdas (véase la figura 4.9).

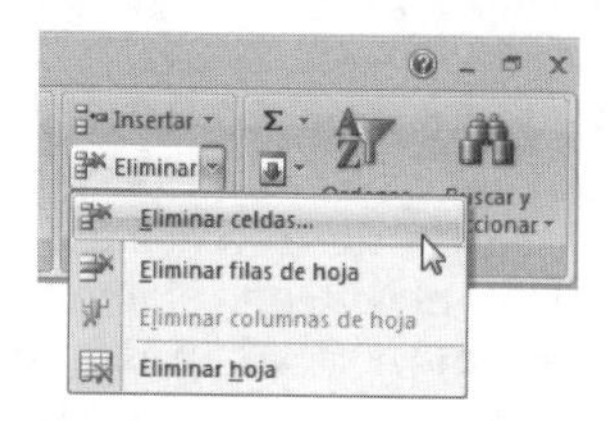

Figura 4.9. Panel Celdas, para insertar, eliminar o dar formato.

Para eliminar un rango de celdas, filas o columnas:

1. Haga clic en el encabezado de fila o de columna, Si la fila o columna contiene datos, al presionar **Control-Mayús-Tecla de cursor** se selecciona la fila o la columna hasta la última celda usada.
2. Vuelva a presionar otra vez esta misma combinación de teclas, se selecciona toda la fila o columna.
3. En Inicio, haga clic en Eliminar.

Filas o columnas no adyacentes:

1. Haga clic en el encabezado de columna o de fila de la primera fila o columna de la selección.
2. Mantenga presionada la tecla **Mayús** mientras hace clic en los encabezados de columna o de fila de las otras filas o columnas que desea agregar a la selección.
3. En Inicio, haga clic en Eliminar.

4.5.5. Ver y desplazarse por los libros

Para desplazarse por las diferentes hojas de cálculo de un libro, haga clic en las etiquetas o fichas de la parte inferior de la pantalla. (Hoja 1, Hoja 2, Hoja 3...)

Para desplazarse por las celdas de una hoja de cálculo, haga clic en cualquier celda o utilice las **teclas de cursor** (flechas). La celda en la que haga clic o a la que mueva el cursor con las teclas de dirección se convertirá en la celda activa.

Si lo que pretende es desplazarse a un área diferente de la hoja, utilice las barras de desplazamiento:

- Haciendo clic en las flechas de los extremos de la barra de desplazamiento vertical se moverá una fila arriba y abajo.
- Haciendo clic en los extremos de la barra de desplazamiento horizontal se moverá una columna a derecha o izquierda.
- Para desplazarse una ventana entera, haga clic en la zona vacía de las barras de desplazamiento.
- Si pretende desplazarse una gran distancia, arrastre el cuadro de desplazamiento.
- Si la hoja de cálculo es de gran tamaño, mantenga pulsada la tecla **Mayús** mientras hace esto.

> ***Advertencia:*** *El tamaño del cuadro de desplazamiento es proporcional al área utilizada de la hoja de cálculo visible en la ventana. La posición del cuadro indica la ubicación relativa del área visible dentro de la hoja de cálculo.*

Para ampliar o reducir rápidamente el área de la hoja de cálculo mostrada en la ventana haga clic en la barra deslizante de Zoom en la barra de estado . Para visualizar con exactitud, acuda a Zoom en la ficha Vista en la Cinta de opciones e introduzca un número con un valor comprendido entre 10 y 400, como muestra la figura 4.10.

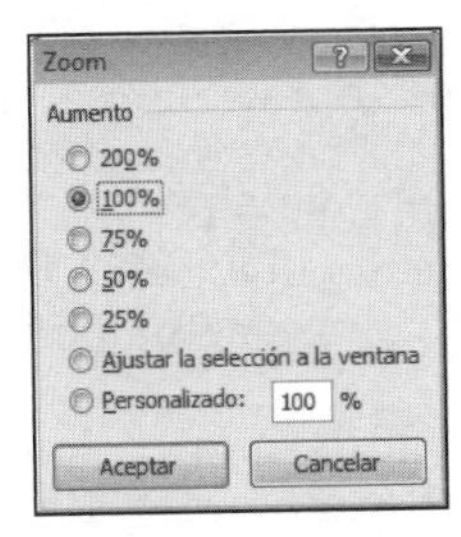

Figura 4.10. El cuadro de Zoom, en la ficha Vista.

Mover o copiar celdas, filas o columnas

Al mover o copiar una celda, fila o columna, Excel mueve o copia toda la selección, incluidas las fórmulas y sus valores resultantes, así como los formatos y los comentarios.

1. Seleccione el área que desea mover o copiar.
2. En la ficha Inicio en el grupo Portapapeles seleccione cortar, si quiere sustituir el área , o copiar si quiere duplicar el área seleccionado . Los métodos abreviados de teclado son para Cortar **Control-X** y para Copiar **Control-C**.
3. En la ficha Inicio, en el grupo Portapapeles, haga clic en **Pegar** .

4.6. Introducir y modificar datos

Para introducir datos en una celda:

1. Haga clic en la celda en la que desee introducir los datos.
2. Escriba los datos y pulse **Intro**, si desea crear una columna, o **Tab** si es una fila.

Si desea escribir números y texto en una lista:

1. Escriba los datos en una celda de la primera columna y pulse la tecla **Tab** para moverse a la siguiente celda.
2. Al final de la fila, pulse **Intro** para moverse hasta el comienzo de la fila siguiente.

Para introducir fechas utilice una barra o un guión para separar las partes de la fecha. Escriba, por ejemplo **02-10-2006** o bien **2-oct-2006**.

Para introducir la fecha del día, pulse **Control-;** (punto y coma).

Para introducir una hora según el horario de 12 horas, escriba un espacio y, a continuación, **a** o **p** detrás de la hora, como por ejemplo, **9:00 p**.

De lo contrario, Microsoft Excel introducirá la hora como a.m. Para introducir la hora actual, pulse **Control-Mayús-:** (dos puntos).

Si desea corregir algún dato de una celda, haga doble clic en ella. El cursor cambiará y le permitirá escribir de nuevo en la celda.

Para modificar directamente en una celda o restringir las modificaciones a la barra de fórmulas

El contenido de las celdas se puede modificar directamente en ellas. También se puede modificar el contenido de las celdas en la barra de fórmulas.

En modo de edición, muchos comandos de la cinta de opciones permanecen inactivos, por lo que no podrá utilizarlos.

Para comenzar una línea de texto nueva en un punto específico de una celda, haga clic en el punto en el que desea interrumpir la línea y, a continuación, presione **Alt-Intro**. Para confirmar los cambios, presione **Intro**.

Para escribir números con una cantidad fija de espacios decimales o ceros a la derecha:

1. Haga clic en la ficha Inicio, y en el cuadro Número seleccione cualquiera de los botones situados bajo Configuración, que se muestran en la figura 4.11.
2. Seleccione la celda, fila o columna al que desee aplicar el valor decimal.

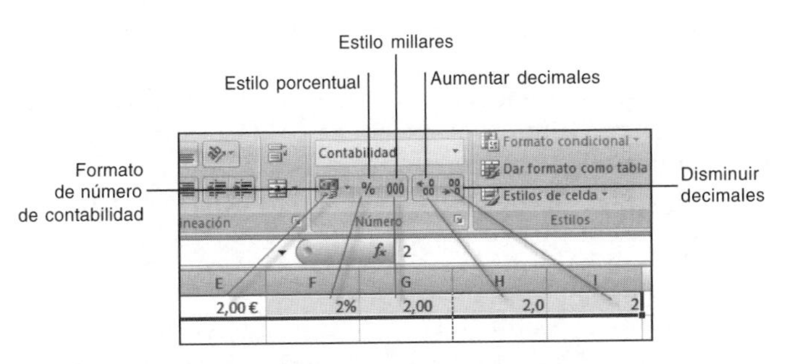

Figura 4.11. Cuadro de Número para posiciones decimales.

Sobre un mismo valor (2), esta tarea le muestra las opciones para casos distintos de uso de una cifra para cálculos, fórmulas o visualizaciones específicas.

4.6.1. Seleccionar celdas, filas, columnas y hojas de cálculo

Cuando se seleccionan varias celdas al mismo tiempo se denomina rango.

Puede seleccionar rangos de diferentes maneras:

- Para seleccionar todas las celdas de una hoja de cálculo, haga clic en el botón **Seleccionar todo**, situado en el vértice superior izquierdo.
- Para seleccionar todas las celdas de una fila, haga clic en el **encabezado de fila** (a la izquierda de la fila) 7.
- Para seleccionar todas las celdas de una columna, haga clic en el **encabezado de la columna** (la parte superior de la columna) H.
- Para seleccionar un rango de celdas adyacentes, haga clic en la primera celda del rango y arrastre el ratón hasta la última.
  Si se trata de un rango muy amplio, es decir, debe cubrir una gran distancia, mantenga pulsada la tecla **Mayús** mientras arrastra.
- Para seleccionar varias filas o columnas adyacentes, haga clic en el encabezado de la primera fila o columna del rango y arrastre hasta la última.
- Para seleccionar varias celdas o rangos de celdas no adyacentes, haga clic en la primera celda y manteniendo pulsada la tecla **Control**, a continuación, haga clic en las demás celdas o rangos.
- Para seleccionar varias filas o columnas no adyacentes, haga clic en el encabezado de la primera fila o columna y, manteniendo pulsada la tecla **Control**, haga clic en los encabezados de las filas o columnas que quiera incluir en el rango. Observe que de esta manera podrá seleccionar al mismo tiempo filas y columnas.
- También puede seleccionar un rango de celdas adyacentes seleccionando la primera celda del rango y, manteniendo pulsada la tecla **Mayús**, haga clic en la última celda del rango. Esto seleccionará todas las celdas de la zona rectangular comprendida entre las dos seleccionadas.
- Puede seleccionar una hoja de cálculo, haciendo clic en la etiqueta de la hoja correspondiente que quiere seleccionar.
- Para seleccionar dos o más hojas adyacentes, haga clic en la etiqueta de la primera hoja que quiere seleccionar y, a continuación, mantenga presionada la tecla **Mayús** y haga clic en la etiqueta de la última hoja.

- Si las hojas no son adyacentes, haga clic en la etiqueta de la primera hoja y, a continuación, mantenga presionada la tecla **Control** y haga clic en las etiquetas de las demás páginas.

4.6.2. Copiar y pegar datos de una celda

Microsoft Excel le permitirá copiar los datos de una celda a otras.

Para hacer esto, siga los siguientes pasos.

1. Para copiar los datos de una celda a otra, seleccione la celda que desea copiar y haga clic en el botón **Copiar**.
2. Seleccione la celda en la que desea situar los datos copiados y haga clic en **Pegar**.

También puede utilizar el Portapapeles de Office (figura 4.12) para copiar y pegar varios elementos, dispondrá de él cuando lo necesite en la ficha Inicio de la Cinta de opciones.

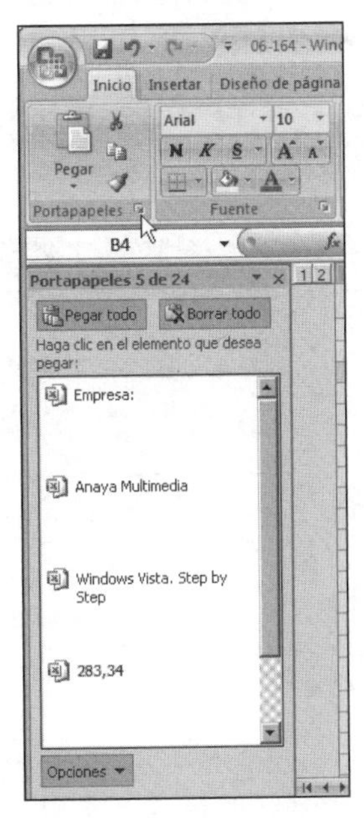

Figura 4.12. Portapapeles de Office.

1. Seleccione en el documento el primer elemento que desee.
2. En el panel Portapapeles haga clic en **Copiar**. Siga copiando elementos de los documentos que desee, hasta un máximo de 24. Los elementos se irán registrando en el Portapapeles.
3. Haga clic en el lugar del documento donde desee pegar los elementos.
4. Para pegar los elementos de uno en uno, haga clic en cada uno de ellos en el Portapapeles de Office. Si desea pegar todos los elementos copiados, haga clic en el botón **Pegar todo** del panel de tareas Portapapeles de Office.

> ***Nota:*** *Si desea copiar un rango de celdas, seleccione el rango y haga clic en* ***Copiar****. Posteriormente, seleccione la primera celda del área de pegado, es decir, la situada hacia arriba y a la izquierda, y haga clic en* ***Pegar****.*

Al mover o insertar las celdas movidas o copiadas entre otras ya existentes, después de **Cortar** o **Copiar** las celdas, aparecerá automáticamente un botón (figura 4.13) en una de las celdas adyacentes, y a continuación, aparecerá un cuadro de diálogo en el que se le pedirá que decide hacer con dicha selección.

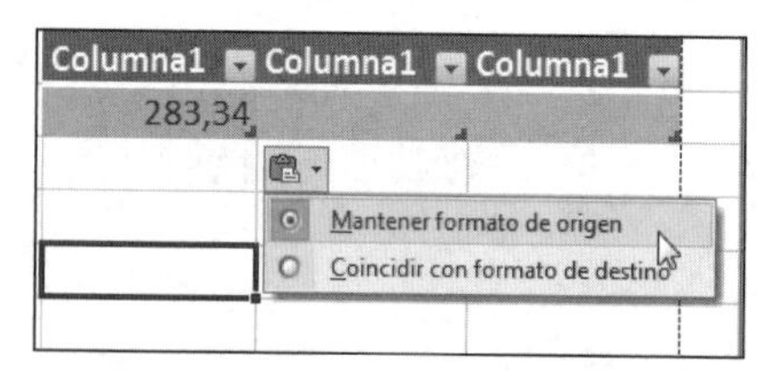

Figura 4.13. Botón de opciones de pegado.

También podrá cortar, copiar y pegar sólo algunos de los caracteres de los datos de las celdas. Para ello, haga clic en la celda en la que se encuentren los datos a copiar o mover.

El cursor cambiará al modo de escritura. Seleccione los caracteres que pretenda copiar o mover, y proceda del mismo modo que con las celdas.

4.6.3. Buscar y reemplazar

Esta función le permitirá buscar cadenas de caracteres en una zona seleccionada de la hoja de cálculo y si lo precisa, reemplazarla por otros.

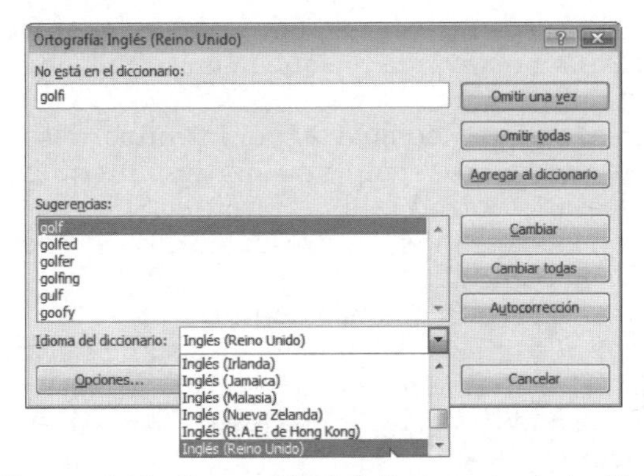

Figura 4.14. Ortografía del diccionario de inglés.

Para ello, siga los siguientes pasos:

1. Seleccione el rango en el que desea realizar el cambio. Si desea hacerlo en toda la hoja, haga clic en cualquier celda.
2. En la ficha Inicio, haga clic en la opción Buscar y Seleccionar (figura 4.15), en el menú desplegable, seleccione Buscar, si solamente desea localizar la cadena de caracteres o Reemplazar, si desea cambiarlo por otra.

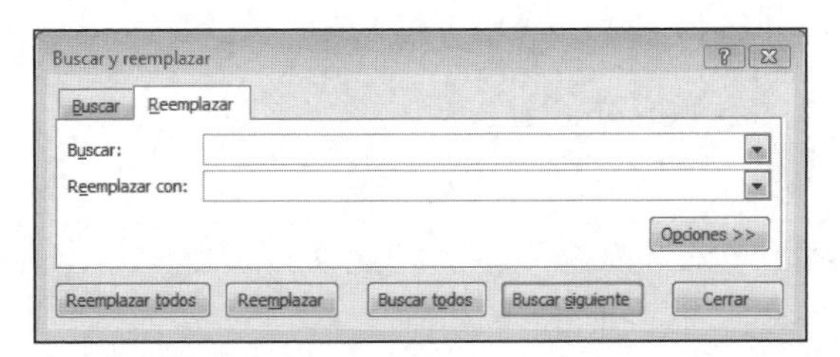

Figura 4.15. Cuadro de diálogo Buscar y reemplazar.

3. En el cuadro Buscar escriba el texto o los números que desea buscar, o bien seleccione una búsqueda reciente desplegando el cuadro.

En los criterios de búsqueda puede utilizar caracteres comodines.

4. Si desea definir más valores para la búsqueda, haga clic en el botón **Opciones**.
5. Desde aquí, podrá especificar el formato a buscar. Para ello haga clic en Formato.
6. En el cuadro Dentro de podrá seleccionar Hoja o Libro para realizar la búsqueda en la hoja de cálculo o en todo el libro.
7. En el cuadro Reemplazar por introduzca los caracteres que quiere reemplazar por los anteriores, y si es necesario, introduzca un formato. Si desea eliminar los caracteres del cuadro buscar, deje Reemplazar por en blanco.
8. Haga clic en Buscar siguiente.
9. Para reemplazar solamente la instancia resaltada o, por el contrario, todas las instancias coincidentes con la búsqueda, haga clic en Reemplazar o Reemplazar todos.

4.7. Ordenar ventanas y ver hojas de cálculo

4.7.1. Vistas

Hay cinco tipos de vistas para visualizar la hoja de cálculo, para acceder a ellas haga clic en la ficha Vista, grupo Vistas de libro.

1. Normal.
2. Pantalla Completa.
3. Vista previa de salto de página.
4. Vistas personalizadas.
5. Pantalla completa.

Nota: *Normal, Diseño de página y Vista previa de salto de página las puede encontrar en la barra de estado* .

Para crear una vista personalizada:

1. Cambie la configuración que desee guardar en la vista.
2. En el menú Vista, haga clic en Vistas personalizadas.

3. Haga clic en Agregar.
4. En el cuadro Nombre, escriba el nombre que desee asignar a la vista.
5. Asegúrese de incluir el nombre de la hoja activa en el nombre de una vista para facilitar su identificación.
6. Cuando se muestra una vista, Microsoft Excel pasa a la hoja que estaba activa cuando se creó la vista. Excel enumera todas las vistas del libro en el cuadro de diálogo Vistas personalizadas.
7. Bajo Incluir en la vista, seleccione las opciones que desee.

> ***Advertencia:*** *Antes de crear una vista configure el libro para que aparezca de la manera en que desee verlo e imprimirlo. Si en una vista incluye la configuración de impresión, la vista incluirá el área de impresión definida, o bien toda la hoja de cálculo si no se ha definido un área de impresión.*

Para eliminar una vista personalizada:

1. En el menú Vista, haga clic en Vistas personalizadas.
2. En el cuadro de diálogo Vistas, haga clic en el nombre de la vista que desee y luego en Eliminar.

Para mostrar una vista personalizada:

1. En el menú Vista, haga clic en Vistas personalizadas.
2. En el cuadro Vistas, haga clic en el nombre de la vista que desee.
3. Haga clic en Mostrar.

4.7.2. Cambiar el número de hojas de cálculo en un libro nuevo

1. En las **Fichas de hojas** Hoja1 Hoja2 Hoja3 haga clic con el botón secundario del ratón en la ficha de hoja cuyo número o nombre desea cambiar y, luego, haga clic en Cambiar nombre Cambiar nombre.

> ***Nota:*** *También existe otra opción; En la ficha* Inicio *en el* Panel de celdas, *si hace clic en **Formato**, le aparecerá un menú desplegable en el que figura* Cambiar el nombre de la hoja *en el grupo* Organizar hojas.

Si desea añadir nuevas hojas a su libro:

1. Haga clic en la ficha Inicio, en el grupo Celdas, haga clic en la flecha del menú desplegable correspondiente a Insertar.
2. Seleccione Insertar hoja.
3. Repita el proceso tantas veces como hojas necesite.

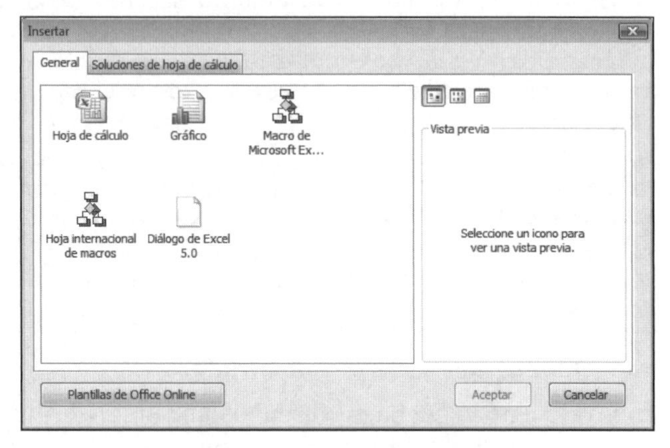

Figura 4.16. Insertar hoja y complementos.

4.7.3. Ver múltiples hojas o libros al mismo tiempo

1. Deberá abrir los libros que desee ver. Para ver múltiples hojas dentro del mismo libro, haga clic en Nuevo en el menú desplegable del botón de Office, y a continuación, haga clic en la hoja que desea ver. Repita este procedimiento para cada hoja que desee ver.
2. En la ficha Vista, haga clic en Organizar todo.
3. Aparecerá el cuadro Organizar, haga clic en la opción que desee. Para ver las hojas sólo en el libro activo, active la casilla de verificación Ventanas del libro activo.

Truco: *Para restaurar el tamaño completo de la ventana de un libro, haga clic en* ***Maximizar*** *en la esquina superior derecha de la ventana del libro.*

4.8. Aplicar estilo y formato

4.8.1. Celda

Para distinguir entre los diferentes tipos de información, puede modificar las celdas aplicando bordes, sombreándolas con un color o una trama, así como cambiar el tipo de letra o asignar a las cifras de la celda valores monetarios. Para ello, haga clic en el la ficha Inicio en el grupo Celdas y haga clic de nuevo en Formato.

Se desplegará un menú, véase la figura 4.17, con las opciones de cambio de alto de fila y ancho de columna, funciones de visibilidad para mostrar y ocultar, cambios de nombre de la hoja, etc.

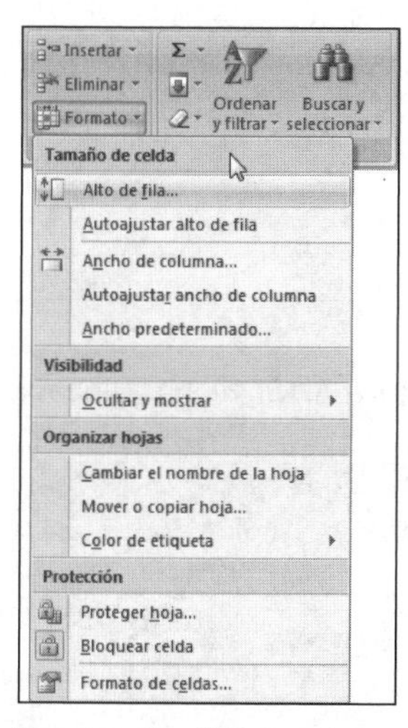

Figura 4.17. Cuadro de diálogo Formato de celdas.

Si ha establecido un formato a una celda o un rango de celdas, podrá aplicar ese formato a otras celdas utilizando el botón **Copiar formato** .

Desde las diferentes fichas, podrá modificar a su gusto el aspecto de la celda. Una de las opciones más interesante es Girar texto y bordes. Los datos de una columna suelen ocupar bastante menos espacio que el rótulo de la columna. Para evitar crear columnas innecesariamente anchas o abreviar el texto del rótulo, puede girar en ángulo el rótulo y asignarle bordes tal y como muestra la figura 4.18, utilizando para ello el cuadro de Orientación de la ficha Alineación.En este cuadro de diálogo, tendrá de manera clara y concisa todas las funciones de formato de celda, tales como Número, Alineación, Fuente, Bordes, Color de relleno, y Proteger, véase la figura 4.19.

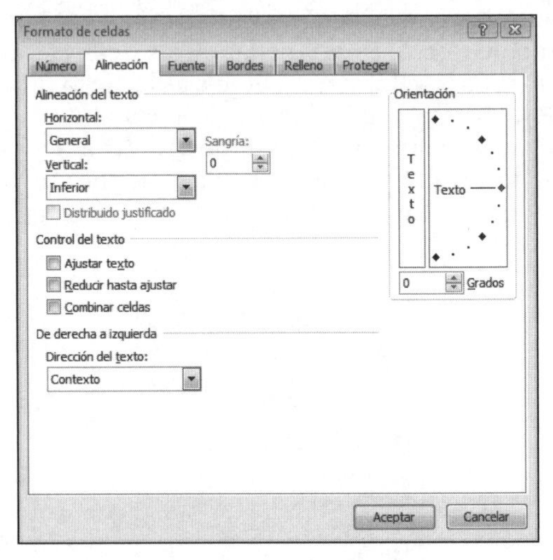

Figura 4.18. Ficha Alineación.

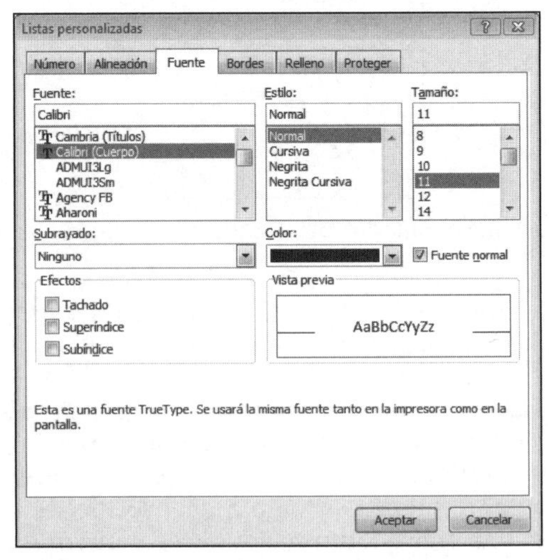

Figura 4.19. Cuadro de diálogo Estilo.

Para aplicar varios formatos en un solo paso y asegurarse de que las celdas tienen un formato coherente, puede aplicar un estilo. Para ello, haga clic en Formato, y posteriormente, en la opción Estilo. Existen varios estilos predefinidos, pero puede crear estilos nuevos según sus propias preferencias.

También puede acceder a este cuadro de diálogo en la ficha Inicio haciendo clic en el iniciador de cuadro de diálogo de Fuente.

4.8.2. Fila y columna

En una hoja de cálculo, puede especificar un ancho de columna comprendido entre 0 (cero) y 255. Este valor representa el número de caracteres que se pueden mostrar en una celda con formato de fuente estándar. El ancho de columna predeterminado es de 8,43 caracteres. Si el ancho de columna se establece como 0, la columna se oculta.

Puede especificar un alto de fila comprendido entre 0 (cero) y 409. Este valor representa la medida en puntos del alto.

El alto de fila predeterminado es de 12,75 puntos. Si el alto de fila se establece como 0, la fila se oculta.

Puede definir las medidas de filas o columnas haciendo clic en la ficha Inicio en el grupo celdas, haciendo clic en Formato, y posteriormente, en alto de Fila o Ancho de Columna.

Dependiendo de si ha seleccionado una fila o columna, le aparecerá la opción de cambiar el Alto (de las filas) o el Ancho (de las columnas).

También existe la opción de Autoajustar el tamaño de la fila o columna de tal manera que ocupe el espacio necesario para hacer visibles los datos contenidos en la mayor de sus celdas.

Para ello, seleccione la fila o columna, haga clic en Formato, luego en Fila o Columna, según corresponda, y finalmente, haga clic en Autoajustar a la selección. Puede realizar esta acción para ajustar el tamaño de la fila o columna para que muestre los datos de cualquier celda, seleccionando la celda. Al hacer clic en Autoajustar a la selección, Excel ajustará el tamaño al de esa celda.

Para volver a dar el tamaño inicial a la fila o columna, seleccione una celda en blanco y siga los pasos anteriormente señalados.

Cambiar el ancho predeterminado de todas las columnas de una hoja de cálculo o un libro:

1. Haga clic en su ficha de hoja (o del libro).
2. En la ficha Inicio, en el grupo Celdas, haga clic en Formato.
3. En Tamaño de celda, haga clic en Ancho predeterminado.
4. En el cuadro Ancho de columna predeterminado, escriba una medida nueva.

Establecer un alto específico para una fila:

1. Seleccione la fila o filas que desea cambiar.
2. En la ficha Inicio, en el grupo Celdas, haga clic en Formato.
3. En Tamaño de celda, haga clic en Alto de fila.
4. En el cuadro Alto de fila, escriba el valor que desee.

4.8.3. Autoformato

El Autoformato o formato automático es una colección predeterminada de formatos de celda, como tamaño de fuente, tramas y alineación. Esto le permitirá dar formato rápidamente a un rango de celdas.

Para ello, seleccione un rango de celdas y haga clic en el menú Formato, y posteriormente, en Autoformato. Seleccione el modelo que mejor se ajuste a sus necesidades. Si sólo desea activar algunas de las opciones de ese Autoformato, haga clic en Opciones de Excel, en el menú desplegable del **Botón de Office** y desactive las casillas de verificación de las opciones que no desee aplicar. Para desactivar el Autoformato, acceda a la lista y seleccione la opción Ninguno en la parte inferior de la lista de formatos.

4.8.4. Formato de página

Para configurar los márgenes de la página haga clic en el menú **Botón de Office**, y luego, en la ficha Diseño de página. Haga clic en el comando Márgenes. Seleccione el tamaño de los márgenes haciendo clic en las flechas junto a los cuadros, o escriba el tamaño exacto que desee directamente en los cuadros. Para aplicar los márgenes a nuevas hojas de cálculo, puede crear una plantilla de hoja de libro.

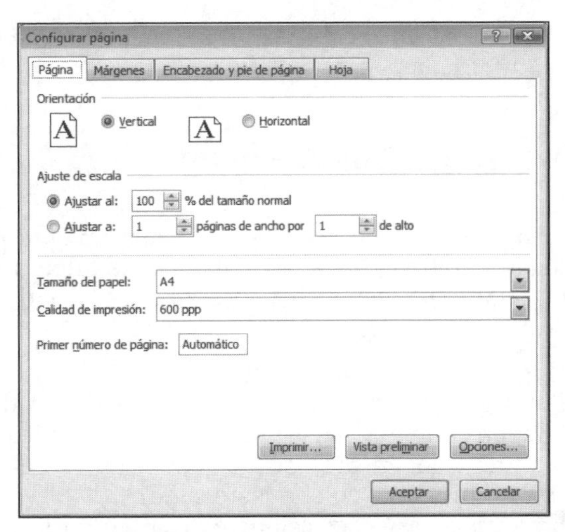

Figura 4.20. Cuadro de diálogo Configurar página para crear Márgenes.

Configurar página

1. Ajuste el tamaño y la orientación de página.
2. Haga clip en la solapa Márgenes. Determine los márgenes. (También abriendo iniciador del cuadro de dialogo.)
3. Si lo desea, introduzca un nombre para Encabezado y pié de página (en la solapa correspondiente).
4. Determine los elementos que prefiera imprimir en área de impresión, en la solapa Hoja.
5. Haga clic en **Aceptar**.

Si desea numerar las páginas:

1. Haga clic en **Botón de Office** y luego en Configurar página.

> ***Nota:*** *Si desea cambiar el número de la página de inicio seleccione la ficha* Insertar *y en el cuadro* Texto *haga clic en encabezado y pie de página. Se abrirá la ficha* Diseño, *pulse en* Opciones *y marque la casilla de verificación* Primera página *diferente, escriba el número o número que desee y haga clic en* ***Aceptar****.*

2. A continuación, seleccione la ficha Encabezado y pie de página.

3. Introduzca un encabezado o pie de página en el que se numere la página.

4.9. Insertar dibujos e imágenes

Para insertar en una hoja de Excel una imagen procedente de otro archivo, haga clic en la hoja de cálculo donde desee insertar la imagen y elija la celda o área donde desea ubicarla.

1. Haga clic en la ficha Insertar.
2. En el grupo Ilustraciones escoja si se trata de una imagen concreta, haga clic en Imagen, si desea insertar una imagen prediseñada, pulse sobre el botón correspondiente en el mismo cuadro.
3. En ambos casos seleccione el archivo en la carpeta del cuadro que se presenta y pulse Insertar.

Para modificar una imagen, deberá seleccionarla. Una vez seleccionada, aparecerá la ficha Formato de Imagen. En el grupo Ajustar podrá realizar modificaciones en la imagen. Si desea convertir una imagen en color en una en blanco y negro, haga clic en el botón Volver a Colorear y seleccione la opción que prefiera. (Véase la figura 4.21.)

También podrá aumentar o reducir el brillo y el contraste de la imagen. Para eliminar ciertas zonas de la imagen haga clic en el botón Recortar. A continuación, haga clic en sobre los márgenes resaltados de alguno de los cuatro lados y arrastre. En caso de que no esté conforme con los cambios realizados a la imagen, haga clic en el botón Restablecer imagen.

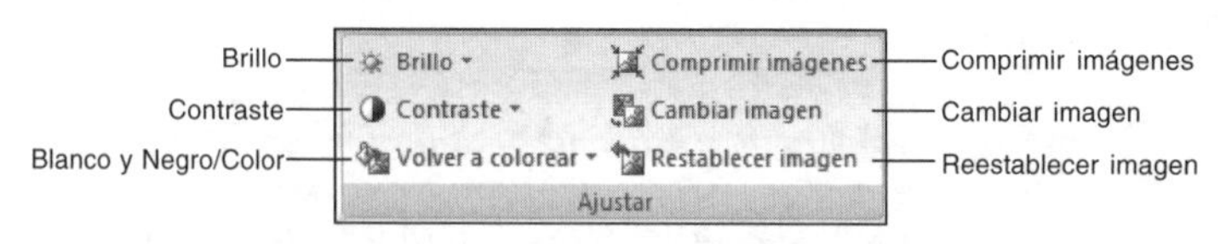

Figura 4.21. Cuadro Ajustar imagen.

Si desea dibujar en Microsoft Excel, seleccione una celda en la hoja de cálculo.

Active la ficha Formato, haciendo clic en Insertar y en el grupo Ilustraciones pulsar sobre Formas. En el menú desplegable aparecerán una variedad de formas agrupadas en Líneas, Rectángulos, Formas básicas, Flechas, etc.

Escoja la que prefiera, y a continuación sitúe el cursor en la zona específica donde desea colocarla. (Ver la figura 4.22.)

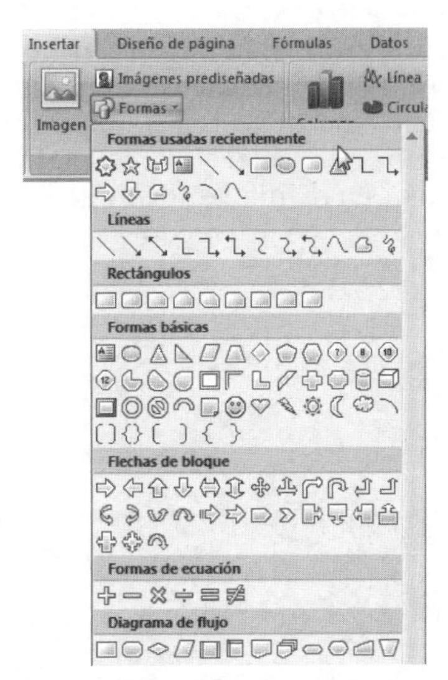

Figura 4.22. Galería de Formas.

- Para crear líneas rectas, haga clic en el botón Línea. A continuación, haga clic en el lugar de la hoja de cálculo donde desee que comience la línea, y arrastre hasta el lugar donde desea que finalice.
- Para crear formas rectangulares, utilice el botón Rectángulo.
- Para crear formas circulares o elípticas, utilice el botón Elipse.
- Si pretende introducir alguna imagen más compleja, utilice la galería **Autoformas**. Para acceder a ella, haga clic sobre **Autoformas** y seleccione el tipo de dibujo que prefiera.
- Para dar color de fondo a las formas, seleccione la forma que quiera colorear y haga clic en el botón. Para cambiar el color, haga clic en la flecha a la derecha del botón para que se despliegue la lista de colores.

4.10. Elaborar gráficos

Los gráficos ofrecen una representación visual de los datos. En lugar de tener que analizar columnas de valores de hoja de cálculo, puede interpretar el significado de los datos de un solo vistazo.

Podrá crear un gráfico en su propia hoja o incrustarlo como objeto en una hoja de cálculo. Para crear un gráfico, deberá especificar sus números primero en una hoja de cálculo. A continuación, seleccione los datos y haga clic en Insertar y haga clic en el iniciador de cuadro de dialogo del panel de Gráficos . Le aparecerá un cuadro de diálogo como muestra la figura 4.23.

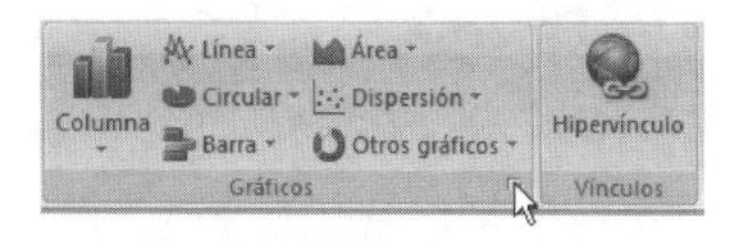

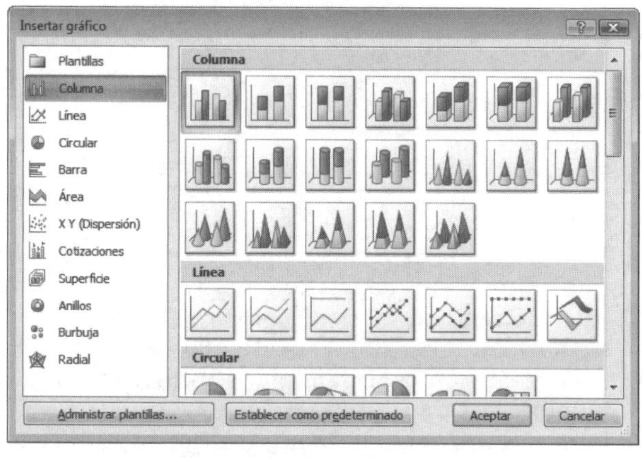

Figura 4.23. Cuadro Insertar gráficos.

Las Herramientas de gráficos

Una vez que ha insertado el gráfico en la hoja de cálculo, aparecen las Herramientas de gráficos, con tres fichas: Diseño, Presentación y Formato. En éstas encontrará los comandos necesarios para trabajar con los gráficos.

Cuando termine el gráfico, haga clic fuera del mismo. Las Herramientas de gráficos desaparecerán.

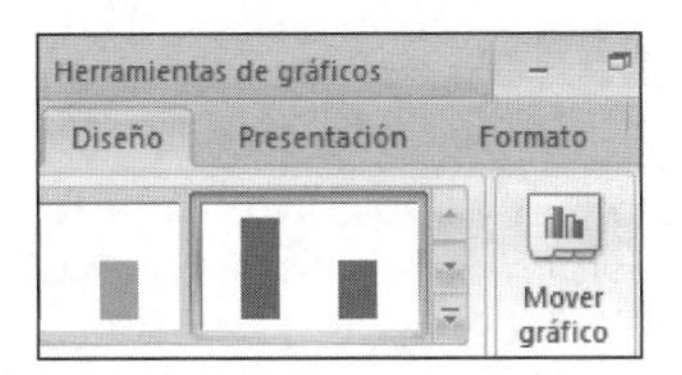

Figura 4.24. Las Herramientas de gráficos.

Haga clic dentro del gráfico para que vuelvan a aparecer. En Excel 2007 no se visualizan todos los comandos todo el tiempo, solamente cuando se activa el objeto, en este caso un gráfico. Primero inserte un gráfico (mediante el grupo Gráficos de la ficha Insertar) o haga clic dentro de un gráfico existente para tener a su alcance todos los comandos que necesita.

1. En la hoja de cálculo, organice los datos que desea trazar en un gráfico.
2. Seleccione las celdas que contienen los datos que desea utilizar en el gráfico.
3. En la ficha Insertar, en el grupo Gráficos, siga uno de los procedimientos siguientes:
   - Haga clic en el tipo de gráfico y, a continuación, haga clic en el subtipo de gráfico que desea utilizar.
   - Para ver todos los tipos de gráficos disponibles, haga clic en un tipo de gráfico y, a continuación, haga clic en Todos los tipos de gráfico para mostrar el cuadro de diálogo Insertar gráfico; por último, haga clic en las flechas para desplazarse por todos los tipos y subtipos de gráficos disponibles y haga clic en los que desea utilizar.

Nota: *En la mayoría de los gráficos, como los gráficos de columnas y los gráficos de barras, puede representar gráficamente datos que están organizados en filas o columnas en una hoja de cálculo (hoja de cálculo: documento principal que se utiliza en Excel para almacenar y trabajar con datos. Consta de celdas que se organizan en filas y columnas. Una hoja de cálculo se almacena siempre en un libro.) Sin embargo, algunos tipos de gráfico, como el gráfico circular o el gráfico de burbujas, requieren una disposición de datos específica.*

4.11. Formularios

Excel funciona con varios tipos de informes. Puede utilizar los formularios que se proporcionan con Excel para escribir datos en rangos, listas o en otras bases de datos. Se pueden diseñar formularios para imprimirlos o utilizarlos en pantalla, así como para abrirlos en Excel o incluirlos en páginas Web.

Para capturar y organizar los datos en los formularios en pantalla, se puede utilizar un libro de Excel u otro programa o base de datos.

- **Formularios de usuario o módulos de clase.** Los libros u hojas de cálculo compartidos entre diferentes usuarios, suelen contener macros u otros objetos de función editados en Visual Basic, lo que puede suponer un riesgo de seguridad, puesto que los formularios de usuario y los módulos de clase pueden contener macros inseguras. Si el nivel de seguridad está establecido, existe la posibilidad de eliminar el proyecto de VBA del libro, sólo conservándolo si confía en la fuente de ese libro. Excel 2007 quita automáticamente el proyecto de VBA del libro. Si confía en la fuente del libro y desea conservar el proyecto de VBA, puede cerrar el libro sin guardar los cambios. A continuación, debe establecer el nivel de seguridad de macros en Deshabilitar todas las macros con notificación, de modo que se le pregunte si desea conservar o quitar el proyecto de VBA al volver a abrir el libro.
- **Formularios integrados para datos de Excel.** Para los rangos o listas en hojas de cálculo de Excel, puede mostrar un formulario de datos que permite escribir nuevos datos, buscar filas basándose en el contenido de las celdas, actualizar los datos y eliminar filas del rango o de la lista.
- **Formularios predefinidos para tareas de oficina comunes.** Excel proporciona soluciones de hoja de cálculo: plantillas predefinidas que le ayudarán a crear informes de gastos, facturas y pedidos. Estas plantillas también permiten almacenar la información que se escribe en los formularios de una base de datos.
- **Diseñar un formulario propio en Excel.** Puede crear formularios de Excel para imprimirlos o utilizarlos

en pantalla. Los formularios en pantalla pueden incluir controles, como botones de opción y listas desplegables. Podrá proteger un formulario en pantalla de modo que sólo estén disponibles ciertas celdas para la entrada de datos, y también puede validar los datos para asegurarse de que los usuarios sólo escriben los tipos de datos que requiere el formulario. Los formularios pueden facilitarse desde Excel, en páginas Web o desde programas de Microsoft Visual Basic para Aplicaciones (VBA).

4.11.1. Controles

Los controles son objetos gráficos que se colocan en un formulario para mostrar o introducir datos, realizar una acción o facilitar la lectura del formulario. Estos objetos incluyen cuadros de texto, cuadros de lista, botones de opciones, botones de comandos y otros elementos. Los controles ofrecen al usuario opciones para seleccionar botones en los que hacer clic para ejecutar macros o secuencias de comandos Web.

Microsoft Excel tiene dos tipos de controles: Los controles ActiveX son apropiados para la mayor parte de las situaciones y funcionan con las macros y secuencias de comandos Web de Microsoft Visual Basic para Aplicaciones (VBA). Los controles de formularios son compatibles con versiones anteriores de Excel, comenzando por Excel 5.0, y pueden utilizarse en hojas de macro XLM.

En la ficha Programador (figura 4.25), encontramos toda una serie de herramientas para la creación de macros, formularios controles agrupados en los siguientes paneles: Código, para la edición de módulos de Visual Basic y Macros; el grupo de Controles, que permite insertar controles de formulario y controles ActiveX, el panel de tareas de XML; y el grupo Modificar.

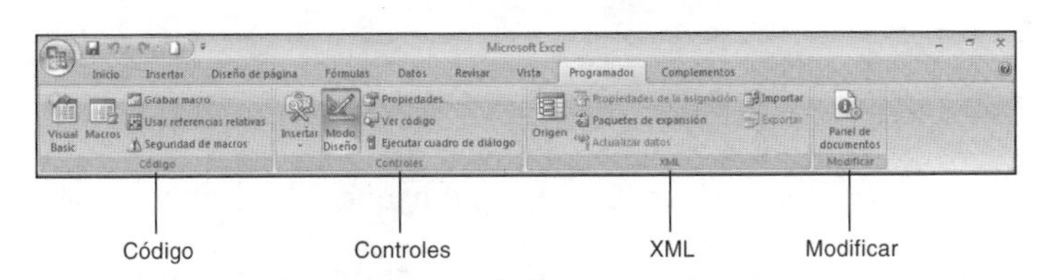

Figura 4.25. La ficha Programador.

Utilice un Control ActiveX para la mayor parte de los formularios en línea, especialmente cuando desee controlar los distintos eventos que ocurren cuando se utiliza el control. Por ejemplo, se puede agregar un control de cuadro de lista a una hoja de cálculo y, a continuación, escribir una macro para realizar distintas acciones dependiendo de la opción que el usuario seleccione en la lista.

Los controles ActiveX son similares a los controles de los lenguajes de programación como Microsoft Visual Basic y son los mismos que pueden agregarse a los formularios personalizados creados mediante el Editor de Visual Basic. Cuando se agrega un control ActiveX a una hoja de cálculo, se escribe un código de macro que hace referencia al número de identificación del control, a diferencia de una macro asignada para que se ejecute cuando se haga clic en el control. Cuando un usuario del formulario utilice el control, el código se ejecutará para procesar los eventos que sucedan.

4.11.2. Controles de la ficha Programador Formularios

Los Controles de formulario están situados a modo de galería en la ficha Programador, como muestra la figura 4.26. Utilice un control de la ficha Programador Formularios cuando desee grabar todas las macros de un formulario pero no desee escribir o modificar ningún código de macro en VBA.

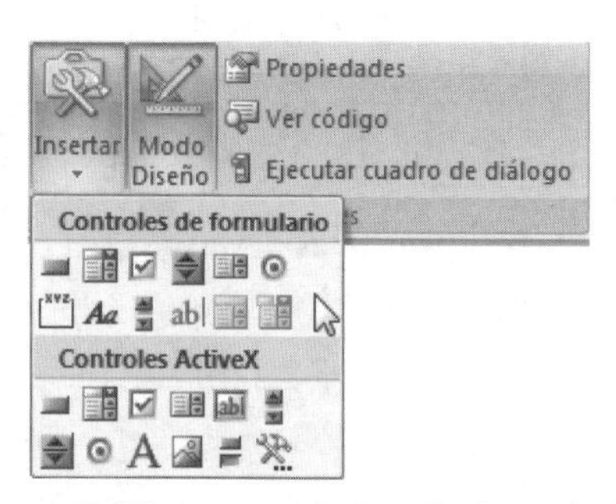

Figura 4.26. Los controles de formularios de la ficha Programador.

Los controles de la galería de Controles de formulario también pueden utilizarse en hojas de gráfico. Estos controles están diseñados para utilizarlos en formularios de hojas de cálculo que otros usuarios cumplimentarán desde Microsoft Excel. Se podrá vincular una macro existente a un control o escribir o grabar una macro nueva. Cuando un usuario del formulario hace clic en el control, éste ejecuta la macro.

Los controles de formularios no se pueden utilizar para controlar eventos como lo hacen los controles ActiveX. Tampoco se pueden utilizar para ejecutar secuencias de comandos Web en páginas Web.

4.11.3. Ejecutar una macro

Una macro es una acción o conjunto de acciones utilizados para automatizar tareas. Las macros se graban en el lenguaje de programación de Visual Basic para Aplicaciones (VBA). Siempre puede ejecutar una macro utilizando el comando de menú. Dependiendo de cómo esté asignada la ejecución a la macro, puede que también pueda ejecutarla presionando una combinación de teclas de método abreviado o haciendo clic en un botón de barra de herramientas o en un área de un objeto, un gráfico o un control. Asimismo, puede ejecutar una macro automáticamente cuando se abre el libro.

> ***Nota:*** *Cuando el nivel de seguridad de macros de Microsoft Office Excel está establecido en* Deshabilitar todas las macros sin notificación, *Excel sólo ejecutará las macros firmadas digitalmente o almacenadas en una ubicación de confianza, como por ejemplo la carpeta de inicio de Excel. Si la macro que desea ejecutar no está firmada digitalmente o no está almacenada en una ubicación de confianza, puede cambiar temporalmente el nivel de seguridad para que se habiliten todas las macros.*

Para ejecutar una macro:

1. Si la ficha Programador no está disponible, haga lo siguiente para mostrarla:
    1. Haga clic en el **Botón de Office** y, a continuación, haga clic en Opciones de Excel.
    2. En la categoría Más frecuentes, bajo Opciones principales para trabajar con Excel, active la casi-

lla de verificación Mostrar ficha Programador en la Cinta de opciones y, a continuación, haga clic en **Aceptar**.

2. Para establecer el nivel de seguridad de manera que estén habilitadas temporalmente todas las macros, haga lo siguiente:

   1. En la ficha Programador, en el grupo Código, haga clic en **Seguridad de macros**.

Figura 4.27. El Panel Código de la ficha Programador.

   2. En la categoría Configuración de macros, bajo Configuración de macros, haga clic en Habilitar todas las macros (no recomendado; puede ejecutarse código posiblemente peligroso) y, a continuación, haga clic en **Aceptar**.

3. Abra el libro que contiene la macro.
4. En la ficha Programador, en el grupo Código, haga clic en Macros.

Nota: *Para ayudar a evitar que se ejecute código potencialmente peligroso, recomendamos que vuelva a cualquiera de las configuraciones que deshabilitan todas las macros cuando termine de trabajar con las macros.*

Truco: *Puede ejecutar otra macro mientras trabaja en el* Editor de Visual Basic. *En la ficha* Programador, *en el grupo* Código, *haga clic en* Macros. *En el cuadro* Nombre de la macro, *haga clic en la macro que desea ejecutar y, a continuación, en* Ejecutar.

5. En el cuadro Nombre de la macro, haga clic en la macro que desea ejecutar.
6. Siga uno de los procedimientos siguientes:

   - Para ejecutar una macro en un libro de Excel, haga clic en Ejecutar.

- Para ejecutar una macro desde un módulo de Microsoft Visual Basic, haga clic en Edición y, a continuación, en el menú Ejecutar, haga clic en Ejecutar Sub/UserForm o presione **F5**.

4.11.4. Crear un formulario en pantalla, impreso o de Web

1. En el **botón de Office** Haga clic en Nuevo.
2. Elimine las hojas que no vaya a utilizar: haga clic en la etiqueta de la hoja y, a continuación, en Eliminar hoja en el menú Edición.
3. Agregue las preguntas, los rótulos, las instrucciones y el texto que desee que aparezca en el formulario.
4. Agregue fórmulas para los cálculos que desee efectuar en el formulario.
5. Aplique formato al formulario para que tenga el aspecto que desee. Los siguientes tipos de formato de Microsoft Excel son especialmente útiles para formularios:

   a. Cambiar las fuentes, el color, la alineación y el ajuste del texto.
   b. Cambiar el tamaño, el color y los bordes de las celdas.
   c. Ocultar las líneas de división.
   d. Combinar celdas.
   e. Agregar líneas, gráficos y fondos de hoja.

6. Agregue las funciones necesarias para terminar el tipo de formulario creado.

Para crear un formulario impreso:

1. Obtenga una vista preliminar del aspecto del formulario impreso.
2. Defina las opciones de impresión.
3. Imprima el formulario.

Si desea crear un formulario en pantalla para utilizarlo como página Web:

1. Agregue controles como casillas de verificación y botones de opción.
2. Cree secuencias de comandos Web para automatizar los controles.
3. Guarde el formulario como página Web.

Para crear un formulario en pantalla para su uso en Excel:

1. Agregue controles como casillas de verificación y botones de opción.
2. Agregue las reglas de validación de datos.
3. Agregue listas desplegables de validación de datos.
4. Proteja las áreas que no deban modificarse.
5. Guarde el formulario como una plantilla.
6. Guarde la plantilla en una carpeta de red compartida para que esté disponible en la red.

Si prefiere un formulario en pantalla para su uso en un programa Microsoft Visual Basic para Aplicaciones:

1. Agregue controles como casillas de verificación y botones de opción.
2. Cree macros para automatizar los controles.

4.12. Fórmulas

Las fórmulas son ecuaciones que efectúan cálculos con los valores de la hoja de cálculo. Una fórmula comienza por el signo igual (=). Por ejemplo, la siguiente fórmula multiplica 2 por 3 y a continuación suma 5 al resultado:

```
=5+2*3
```

Una fórmula también puede contener las siguientes funciones (figura 4.28):

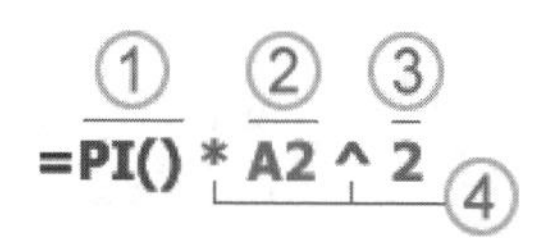

Figura 4.28. Partes de una fórmula.

1. Funciones: La función PI() devuelve el valor de pi: 3,142...
2. Referencias: A2 devuelve el valor de la celda A2.
3. Constantes: Números o valores de texto escritos directamente en una fórmula, por ejemplo, 2.
4. Operadores: el operador ^ (acento circunflejo) eleva un número a una potencia, y el operador * (asterisco) multiplica. (Ver Cuadro).

- Funciones: Fórmula ya escrita que toma un valor o valores, realiza una operación y devuelve un valor o valores. Utilice funciones para simplificar y acortar fórmulas en una hoja de cálculo, especialmente aquellas que llevan a cabo cálculos prolongados o complejos.
- Referencias: Una referencia es una fórmula básica predefinida o modelo a seguir en todas las interacciones de cálculo. En las referencias de celda se pueden utilizar datos de distintas partes de una hoja de cálculo en una fórmula, o bien utilizar el valor de una celda en varias fórmulas. También puede hacerse referencia a las celdas de otras hojas de cálculo en el mismo libro.
- Operadores: Signos o símbolos que especifican el tipo de cálculo que se debe llevar a cabo en una expresión. Hay operadores matemáticos, comparativos, lógicos y referenciales.
- Constantes: Valores que no han sido calculados y que, por tanto, no varían. Por ejemplo, el número 210 y el texto "Ingresos trimestrales" son constantes. Las expresiones, o los valores resultantes de ellas, no son constantes.

4.12.1. Crear una fórmula sencilla con constantes y operadores de cálculo

Para crear una fórmula sencilla (la tabla 4.1 muestra algunos ejemplos) haga clic en una celda, escriba el signo igual (=) y, a continuación, introduzca la fórmula. Excel realizará la operación y escribirá el resultado.

Tabla 4.1. Ejemplos de fórmulas.

Fórmula de ejemplo	*Acción*
`=SUMA(A:A)`	Suma todos los números de la columna A.
`=PROMEDIO(A1:B4)`	Halla el promedio de todos los números del rango.

1. Haga clic en la celda en la que desee escribir la fórmula.
2. Para iniciar la fórmula con la función, haga clic en Insertar función en la barra de fórmulas .

3. Seleccione la función que desee utilizar. Puede escribir una pregunta que describa lo que desee hacer en el cuadro Buscar una función (por ejemplo, "sumar números" devuelve la función `SUMA`), o elegir entre las categorías del cuadro O seleccionar una categoría. Y haga clic en Ir.
4. Escriba los argumentos en el cuadro de diálogo Argumentos de función.
5. Una vez completa la fórmula, haga clic en **Aceptar**.

4.12.2. Fórmulas y funciones

Las funciones son fórmulas predefinidas que ejecutan fórmulas utilizando valores específicos, denominados argumentos, en un orden determinado o estructura. Las funciones pueden utilizarse para ejecutar operaciones simples o complejas.

Cuando cree una fórmula que contenga una función, el cuadro de diálogo Insertar función le ayudará a introducir las funciones de la hoja de cálculo.

A medida que introduzca una función en la fórmula, el cuadro de diálogo Insertar función irá mostrando el nombre de la función, cada uno de sus argumentos, una descripción de la función y de cada argumento, el resultado actual de la función y el resultado actual de toda la fórmula. Véase la figura 4.29.

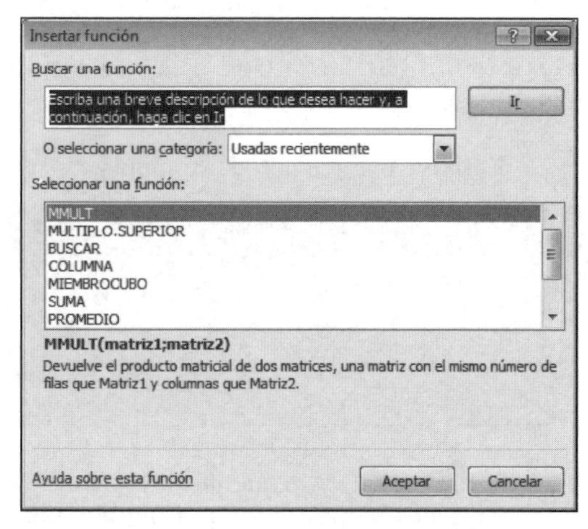

Figura 4.29. Cuadro de diálogo Insertar función.

La estructura de una función comienza con el signo igual (=), seguido por el nombre de la función, un paréntesis de apertura, los argumentos de la función separados por comas y un paréntesis de cierre. El método abreviado para insertar funciones es **F3**.

> ***Nota:*** *Para obtener la lista de funciones disponibles en una celda, selecciónela y pulse las teclas* ***Mayús-F3****.*

4.12.3. Referencias

Una referencia identifica el rango en una hoja de cálculo e indica a Excel en qué celdas debe buscar los valores o datos que desea utilizar en las fórmulas. De forma predeterminada, el programa identifica las referencias por el sistema A1, que otorga una letra (desde A hasta IV) a cada columna y un número (de 1 a 65536) a cada fila. Para hacer referencia a una celda, escriba la letra de la columna seguida del número de fila, de tal manera que C3 hace referencia a la celda situada en la confluencia de la columna C y la fila 3.

También puede hacer referencia a un rango de celdas. Para ello, se utilizan dos valores separados por dos puntos (:).

Las referencias pueden ser relativas o absolutas. De forma predeterminada, el programa convierte a las nuevas referencias en relativas. Esto significa que la referencia indica una celda en una ubicación específica. Si copia esa fórmula en otras filas o columnas, la referencia se ajustará automáticamente.

Por el contrario, las referencias absolutas permanecen inmutables, de manera que si copia la celda en otra posición, la referencia permanece invariable, de tal manera que no se ajustará.

Las referencias absolutas van encabezadas por el símbolo $ (por ejemplo, `$A$1`).

Existe un tercer tipo de referencias, las referencias mixtas. En estas, uno de las dos coordenadas es fija y la otra relativa, por ejemplo `$A1` (columna absoluta, fila relativa) o A$1 (columna relativa, fila absoluta).

Si se copia en filas y columnas la referencia, se ajustará la relativa, mientras que la absoluta permanecerá invariable.

4.12.4. Mover o copiar fórmulas

Para mover una fórmula, siga los siguientes pasos:

Es importante que sea consciente de lo que puede ocurrir a las referencias de celda (referencia de celda: conjunto de coordenadas que ocupa una celda en una hoja de cálculo. Por ejemplo, la referencia de la celda que aparece en la intersección de la columna B y la fila 3 es B3.) independientemente de si son absolutas (referencia de celda absoluta: en una fórmula, dirección exacta de una celda, independientemente de la posición de la celda que contiene la fórmula.

Una referencia de celda absoluta tiene la forma A1.) o relativas (referencia relativa: en una fórmula, dirección de una celda basada en la posición relativa de la celda que contiene la fórmula y la celda a la que se hace referencia. Si se copia la fórmula, la referencia se ajusta automáticamente. Una referencia relativa toma la forma A1.), cuando se mueve una fórmula mediante el método de cortar y pegar, o cuando se copia una fórmula mediante el método de copiar y pegar.

- Cuando se mueve una fórmula, las referencias de celda existentes en ella no cambian, independientemente del tipo de referencia que se utilice.
- Cuando se copia una fórmula, las referencias de celda pueden cambiar en función del tipo de referencia de celda que se utilice.

1. Seleccione la celda que contenga la fórmula.
2. En la ficha Inicio, en el grupo Portapapeles, haga clic en **Cortar**.
3. Siga uno de los procedimientos siguientes:
   - Para pegar la fórmula y el formato, en la ficha Inicio, en el grupo Portapapeles, haga clic en **Pegar**.
   - Para pegar la fórmula solamente, en la ficha Inicio, en el grupo Portapapeles, haga clic en **Pegar**, en Pegado especial y luego en Fórmulas.

Para copiar una fórmula, siga los siguientes pasos:

1. Seleccione la celda que contiene la fórmula que desea copiar.
2. En la ficha Inicio, en el grupo Portapapeles, haga clic en **Copiar**.

3. Siga uno de los procedimientos siguientes:
   - Para pegar la fórmula y el formato, en la ficha Inicio, en el grupo Portapapeles, haga clic en **Pegar**.
   - Para pegar la fórmula solamente, en la ficha Inicio, en el grupo Portapapeles haga clic en **Pegar**, en Pegado especial y luego en Fórmulas.

> ***Nota:*** *Puede pegar solamente los resultados de la fórmula. En la ficha* Inicio, *en el grupo* Portapapeles, *haga clic en* ***Pegar****, en* Pegado especial *y luego en* Valores.

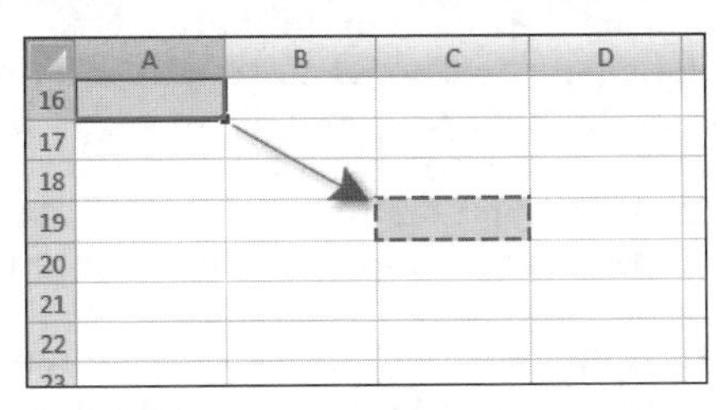

Figura 4.30. Copiar una formula.

4. Compruebe que las referencias de celda de la fórmula producen el resultado deseado.
   Si es necesario, cambie el tipo de referencia haciendo lo siguiente:
   1. Seleccione la celda que contenga la fórmula.
   2. En la barra de fórmulas, seleccione la referencia que desea cambiar.
   3. Presione **F4** para alternar las combinaciones.

En la tabla siguiente se indica cómo se actualiza un tipo de referencia si la fórmula que la contiene se copia dos celdas hacia abajo y dos hacia la derecha.

Tabla 4.2. Actualización de una referencia tras una copia.

Si la Referencia es:	*Cambia a:*
A1 (columna absoluta y fila absoluta)	A1
A$1 (columna relativa y fila absoluta)	C$1
$A1 (columna absoluta y fila relativa)	$A3
A1 (columna relativa y fila relativa)	C3

4.12.5. Fórmulas y funciones comunes

Existen tantas fórmulas como el ingenio lógico y matemático humano sea capaz de concebir y de esta manera crear a partir de premisas o referencias para elaborar complicados cálculos.

A continuación citaremos las más comunes:

- **Matemático:** Sumar, restar, multiplicar o dividir números, calcular porcentajes, redondear un número, elevar un número a una potencia, calcular el número mayor o menor de un rango, calcular el factorial o las permutaciones de un número, etc.
- **Estadísticas:** Calcular el promedio de un grupo de números, calcular la media de un grupo de números, calcular la moda de un grupo de números.
- **Financieras:** Calcular un saldo acumulativo, calcular una tasa anual compuesta de crecimiento (CAGR), etc.
- **Contabilidad:** Contar celdas que contengan números, contar celdas que no están en blanco, contar la frecuencia de un valor, contar valores únicos entre duplicados, contar números mayores o menores que un número, calcular un total acumulado, entre otras.
- **Conversión:** Convertir horas, convertir medidas, convertir números de un sistema numérico en otro, convertir números arábigos a romanos, convertir hexadecimales...
- **Fecha y Hora:** Agregar fechas, agregar horas, calcular la diferencia entre dos fechas, calcular la diferencia entre dos horas, contar los días antes de una fecha, mostrar la fecha como día de la semana, insertar la fecha y la hora actuales en una celda, insertar fechas julianas, etc.
- **De texto:** Cambiar mayúsculas/minúsculas, combinar texto y número, combinar texto con fechas u horas, combinar nombres y apellidos, combinar dos o más columnas utilizando una función, repetir un carácter en una celda, mostrar sólo los últimos cuatro dígitos de números de identificación, etc.
- **Búsqueda:** Buscar valores en una lista de datos, por ejemplo.
- **Condicionales:** Crear fórmulas condicionales, comprobar si un número es mayor o menor que otro, mostrar u ocultar los valores cero, ocultar valores e indicadores de error en las celdas, etc.

Matemáticas y estadísticas

Puede sumar números al escribirlos en una celda. Por ejemplo, escriba =2+2 en una celda. Inmediatamente, en esa celda aparecerá el resultado de la operación, en este caso, 4. Para sumar todos los números de una fila o columna utilice el botón **Autosuma** Σ. Haga clic en una celda bajo la columna o a la derecha de la fila cuyos números desea sumar, haga clic en **Autosuma** y pulse **Intro**.

Para sumar números que no están en una fila o columna, utilice la función SUMA e introduzca las referencias a las celdas. Puede realizar restas sencillas escribiendo en una celda la función que quiera realizar encabezada por el símbolo igual, como por ejemplo =6-4.

Para realizar una resta utilizando referencias a determinadas celdas, escriba la fórmula, por ejemplo, =A2-A3.

***Nota:** El sumar números negativos tendrá el mismo efecto que restarlos.*

De texto

Para cambiar entre mayúsculas y minúsculas, utilice las funciones MAYUSC, MINUSC y NOMPROPIO para realizar estas tareas. Escriba la función precedida del signo igual (=) y seguida de referencia a la celda. Por ejemplo, =MAYUSC (A2).

La función MAYU/SC cambia todo el texto de la celda a mayúsculas, la función MINUSC lo cambia a minúsculas y la función NOMPROPIO cambia a mayúsculas la primera letra del texto y cualquier otra que se encuentre después de un carácter que no sea otra letra, mientras convierte el resto a minúsculas.

Si desea combinar nombres y apellidos, esta función le permitirá juntar palabras que se encuentren en diferentes celdas. Esto le resultará muy útil si, por ejemplo, desea juntar los nombres y apellidos que figuran en entradas diferentes de una hoja.

Para ello, utilice la función CONCATENAR o el signo &. En la fórmula se debe incluir entrecomillado en texto o los espacios que desee introducir.

Si introduce la fórmula =CONCATENAR(A2," ",B2) el resultado será "Luis Martín", separado por un espacio. Si prefiere separar los nombres por una coma, la fórmula sería =CONCATENAR(B2, ", ",A2). En este segundo caso, el resultado sería "Martín, Luis". En este caso, recuerde introducir un espacio después de la coma.

Condicionales

Las fórmulas condicionales analizan una premisa y devuelven un valor lógico (Verdadero o Falso). Para estas tareas utilice las funciones Y, O y No, además de los operadores.

La función Y devuelve VERDADERO si todos los argumentos son VERDADERO y FALSO si al menos un argumento es FALSO.

La función O devolverá VERDADERO si alguno de los argumentos es VERDADERO y FALSO si todos los argumentos son FALSO.

La función NO invierte el valor lógico del argumento. Utilícela para asegurarse de que un valor no sea igual a otro valor específico.

De búsqueda y referencia

La función BUSCAR devuelve un valor procedente de un rango de una fila o columna o de una matriz. Esta función tiene dos formas de sintaxis: vectorial y matricial. La forma vectorial de Buscar localiza en un rango de una fila o columna un valor (vector) y devuelve un valor desde la misma posición en un segundo rango de una fila o de una columna.

En la forma matricial de Buscar, lo que realiza la función es una búsqueda del valor especificado en la primera fila o primera columna de la matriz y devuelve un valor desde la misma posición en la última fila o columna de la matriz.

Existen muchas otras funciones. Para saber las que puede utilizar en cada momento, además de ver una somera descripción, haga clic en el cuadro Insertar función y selecciónela, a continuación, de la lista que aparece.

4.13. Trabajar con el Euro

Para la común tarea de conversión al euro, Excel 2007 dispone de una herramienta de fórmula eficaz como EUROCONVERT: el conversor de euros interpreta un número a euros, convierte un número de euros a la moneda de un estado que ha adoptado el euro, o bien convierte un número de una moneda de un estado que ha adoptado el euro a otro utilizando el euro como moneda intermedia (triangulación). Las monedas disponibles para conversión son las de los estados miembro de la Unión Europea (UE) que han adoptado el euro. La función utiliza los tipos de conversión fijos establecidos por la UE. Es posible que al instalar Excel 2007, esta función no esté disponible y devuelva el error `#¿NOMBRE?`, instale y cargue el complemento Herramientas para el euro. Para ello:

1. Haga clic en el **Botón de Office**, haga clic en Opciones de Excel y, a continuación, seleccione la categoría **Complementos**.
2. Seleccione Complementos de Excel en el cuadro de lista Administrar y, a continuación, haga clic en Ir.
3. En la lista Complementos disponibles, active la casilla Herramientas para el euro y, a continuación, haga clic en **Aceptar**.

Sintaxis:

```
EUROCONVERT(número;origen;destino;
máxima_precisión;precisión_de_triangulación)
```

`Número` es el valor de la moneda que se desea convertir o una referencia a una celda que contiene el valor.

`Origen` es una cadena de tres letras, o una referencia a una celda que contiene la cadena, que corresponde al código ISO para la moneda de origen. Los siguientes códigos de moneda están disponibles en la función EURO CONVERT (véase la tabla 4.3).

Tabla 4.3. Códigos de moneda disponibles en EUROCONVERT.

País o región	Unidad básica de moneda	Código ISO
Bélgica	franco	BEF
Luxemburgo	franco	LUF
Alemania	marco alemán	DEM
España	peseta	ESP
Francia	franco	FRF
Irlanda	libra	IEP
Italia	lira	ITL
Países Bajos	florín	NLG

País o región	Unidad básica de moneda	Código ISO
Austria	chelín	ATS
Portugal	escudo	PTE
Finlandia	marco finlandés	FIM
Grecia	dracma	GRD
Eslovenia	tolar	SIT

`Destino` es una cadena de tres letras, o una referencia de celda, que corresponde al código ISO de la moneda a la que se desea convertir el número. (Vea la tabla anterior 4.4 para conocer los códigos ISO.)

`Máxima_precisión` es un valor lógico (VERDADERO o FALSO), o una expresión que calcula un valor de VERDADERO o FALSO, que especifica la forma en la que se debe presentar el resultado.

Tabla 4.4. Valores de Máxima_precisión.

Utilice	Si desea que Excel
FALSO (valor predeterminado)	Muestre el resultado con las reglas de redondeo específicas de la moneda, vea la siguiente tabla (4.6). Excel utiliza el valor de precisión de cálculo para calcular el resultado y el valor de precisión de presentación para ver el resultado. FALSO es el valor predeterminado si se omite el argumento máxima_precisión.
VERDADERO	Muestre el resultado con todos los dígitos significativos resultantes del cálculo.

La tabla siguiente muestra las reglas de redondeo específicas de la moneda, es decir, el número de posiciones decimales que utiliza Excel para calcular la conversión de una moneda y mostrar el resultado.

Tabla 4.5. Reglas de redondeo específicas de cada moneda.

Código ISO	Precisión de cálculo	Precisión de presentación
BEF	0	0

Código ISO	Precisión de cálculo	Precisión de presentación
LUF	0	0
DEM	2	2
ESP	0	0
FRF	2	2
IEP	2	2
ITL	0	0
NLG	2	2
ATS	2	2
PTE	0	2
FIM	2	2
GRD	0	2
SIT	2	2
EUR	2	2

Ejemplos

El ejemplo será más fácil de entender si lo copia a una hoja de cálculo en blanco.

1. Cree un libro o una hoja de cálculo en blanco.
2. Seleccione el ejemplo en el tema de Ayuda. No seleccione los encabezados de fila ni de columna.
3. Presione **Control-C**.
4. En la hoja de cálculo, seleccione la celda A1 y presione **Control-V**.
5. Para cambiar entre ver los resultados y ver las fórmulas que devuelven los resultados, presione **Control-`** (acento grave), o en la ficha Fórmulas, en el grupo Auditoria de fórmulas, haga clic en el botón **Mostrar fórmulas**.

4.14. Imprimir documentos

4.14.1. Configurar la impresora

Para que pueda imprimir documentos es necesario configurar la impresora.

1. Haga clic en el **botón de Windows Vista** (menú Inicio en resto de sistemas de Windows), elija Panel de Control.
2. Haga clic en Impresoras (figura 4.31).
3. Haga doble clic en el icono **Agregar impresora**.
4. Siga las instrucciones del asistente.

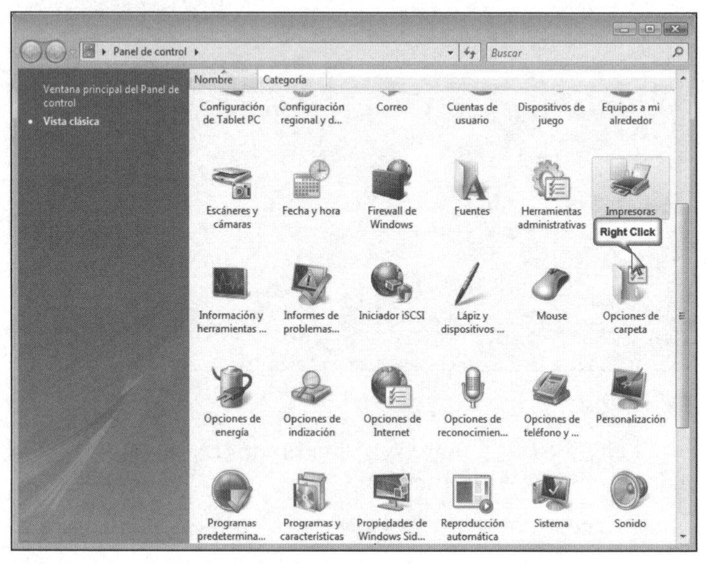

Figura 4.31. Configurar la impresora.

4.14.2. Establecer una impresora como predeterminada

Para establecer una impresora como predeterminada:

1. Haga clic en el **botón de Windows Vista** y a continuación en Panel de Control (menú Inicio en resto de sistemas de Windows), elija Configuración.
2. Haga clic en Impresoras.
3. Con el botón derecho del ratón, haga clic en el icono de la impresora que desee utilizar como predeterminada.
4. Aparecerá un menú, haga clic en Establecer como impresora predeterminada (véase figura 4.32).
5. Si hay una marca de verificación junto al icono **Impresora** , ya está configurada como predeterminada.

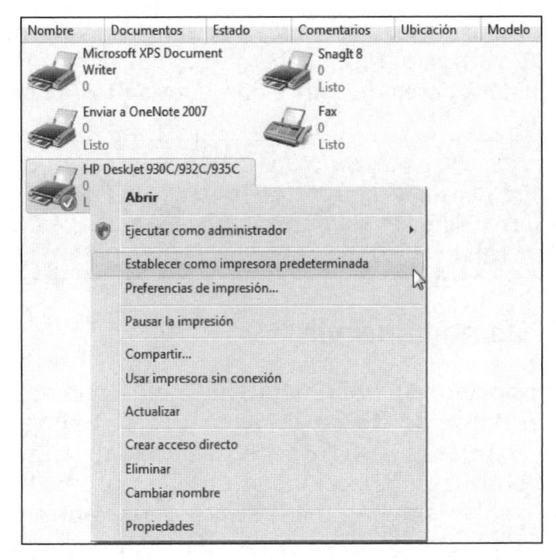

Figura 4.32. Configurar la impresora como predeterminada.

4.14.3. Ver la hoja de cálculo para la impresión

Microsoft Excel 2007 proporciona las siguientes posibilidades para ver la hoja de cálculo y ajustar el aspecto que tendrá una vez impresa:

- **Vista normal:** La vista predeterminada es la más indicada para ver y trabajar en pantalla. En el menú Vista, haga clic en Vista normal.
- **Vista preliminar:** Muestra la página impresa para que pueda ajustar las columnas y los márgenes. El aspecto de las páginas en la ventana Vista preliminar dependerá de las fuentes disponibles, de la resolución de la impresora y de los colores de que disponga. En el **Botón de Office**, opción Imprimir haga clic en Vista preliminar. A continuación, en la parte superior de la ventana, en la Cinta de opciones solamente se activará la ficha contextual Vista preliminar dividida en tres sectores Imprimir, Zoom, y Vista Previa. Haga clic en configurar página del sector Imprimir, revise la página y haga los ajustes que considere necesarios. Para volver a la ventana inicial de Excel haga clic en el botón **Cerrar**. Si desea pasar al cuadro de diálogo de impresión, haga clic en **Imprimir**.

- **Vista previa de salto de página:** Muestra los datos que van a aparecer en cada página para que pueda ajustar el área de impresión y los saltos de página.

> ***Nota:*** *A medida que realice los ajustes que van a afectar a la impresión de la hoja de cálculo, podrá pasar de una vista a otra para ver los efectos antes de enviar los datos a la impresora.*

4.14.4. Cómo imprimir

Para imprimir un documento haga clic en la opción Imprimir del **Botón de Office**. En el cuadro de diálogo Imprimir, que aparece en la figura 4.33, seleccione la impresora que desee utilizar. Seleccione si desea imprimir todas las páginas o solamente algunas seleccionadas por medio del Intervalo de páginas. Haga clic en **Aceptar** para comenzar la impresión.

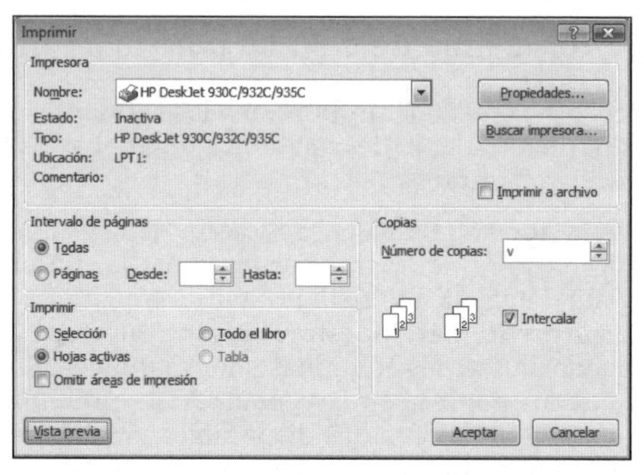

Figura 4.33. Cuadro de diálogo Imprimir.

Para imprimir la selección, las hojas de cálculo activas o un libro.

Si la hoja de cálculo tiene definida un área de impresión, Microsoft Excel sólo imprimirá dicha área a menos que se realice una selección específica. Por ejemplo, si selecciona un rango de celdas para su impresión y hace clic en Selección, Excel imprime la selección y omite las áreas de impresión definidas en la hoja.

> ***Truco:*** *La tarea* Área de impresión *es otra de las primicias y novedades de gran utilidad en Excel 2007,* Área de impresión *ofrece la posibilidad de imprimir partes de una hoja de cálculo, desde una sola celda, hasta lo que permita el tamaño del papel. La opción* Área de impresión *está disponible en la ficha* Diseño de página, *en el grupo* Configurar página. *Y es tan sencillo como seleccionar en la hoja la parte que se desea imprimir y **Aceptar**.*

1. En el menú Archivo, haga clic en Imprimir.
2. En el cuadro de diálogo Imprimir, seleccione una opción para imprimir la selección, un área determinada, las hojas activas o todo el libro.

Si desea imprimir varias hojas de cálculo a la vez:

1. Seleccione las hojas de cálculo que desee imprimir. En el apartado 4.6.1 tiene todos los detalles sobre selección de hojas.
2. En el menú Archivo, haga clic en Imprimir.

Para imprimir varios libros de forma simultánea, tenga en cuenta que todos los archivos de libro que desee imprimir deben estar situados en la misma carpeta.

1. En el menú Archivo, haga clic en Abrir.
2. Pulse y mantenga presionada la tecla **Control** y haga clic en el nombre de los libros que desea imprimir.
3. En el cuadro de diálogo Abrir, haga clic en **Herramientas** y, a continuación, en **Imprimir**.

4.14.5. Cancelar la impresión

1. Haga clic en el icono **Impresora** en el área de estado de la barra de tareas.
2. Seleccione el documento que desee cancelar.
3. En el menú Documento, haga clic en **Cancelar impresión**.

5

Outlook

Outlook es el programa de comunicación y administración de información personal del sistema Microsoft Office. Ofrece un lugar unificado para administrar el correo electrónico, calendarios, contactos y el resto de información personal y de equipo. De esta forma, podrá actuar en el campo de la información y la comunicación utilizando su tiempo de forma más eficaz y administrando, más fácilmente, el flujo de mensajes que recibe en su correo electrónico. Los avances fundamentales de Outlook 2007, como el nuevo caché, la agrupación automática de los mensajes, el control del correo publicitario masivo y la vista de las lecturas mejoradas; optimizan la forma de organizar y administrar la información, el rendimiento y la conectividad de los usuarios. En este capítulo, nos encontraremos ante una aplicación que ha cambiado sustancialmente su forma de presentarse en pantalla, su capacidad para organizar de forma flexible la información y su orientación a usuarios corporativos.

Office Outlook 2007 proporciona a los usuarios un completo administrador del tiempo y la información. Gracias a la barra Tareas pendientes y la Búsqueda instantánea, es posible organizar y encontrar rápidamente la información que necesita. Las nuevas funciones para publicar y compartir calendarios, tarjetas electrónicas de presentación y acceso mejorado a la información de la tecnología Microsoft Windows SharePoint Services, permiten compartir de forma segura cualquier dato almacenado en Office Outlook 2007 con compañeros, amigos y familiares sin importar donde estén. Office Outlook 2007 facilita la prioridad y control del tiempo para que pueda centrarse en las cosas que realmente importan.

Office Outlook 2007 se puede utilizar como programa diario para enviar y recibir mensajes de correo electrónico, pero también se puede aplicar a situaciones más avanzadas que requieren la integración de muchos tipos de información. Con Office Outlook 2007:

- Los usuarios pueden trabajar con datos almacenados en Windows SharePoint Services en cualquier momento y lugar.
- Pueden compartir y publicar calendarios a través de una variedad de mecanismos como Microsoft Office Online, instantáneas de calendario y publicación de calendarios en Internet.
- Los trabajadores pueden compartir información fácilmente con sus compañeros a través de las solicitudes para compartir de Exchange.

5.1. La ventana Principal de Outlook

La ventana inicial de Outlook aparecerá cuando se ejecute el programa. Para ello, haga clic en el **Botón de Windows Vista (Iniciar)**, (Inicio en el resto de sistemas operativos de Windows) seleccione Programas y haga clic en Microsoft Outlook.

> ***Advertencia:*** *La primera vez que abra Outlook, se activará un Asistente que le guiará durante todo el proceso de configuración del programa. El Asistente le solicitará información necesaria para configurar su cuenta de correo electrónico, que le explicamos a continuación.*

Una vez ejecutado el programa, en la ventana inicial de Outlook aparecerán los elementos indicados en la figura 5.1:

- **Barra de título.** Aparece el nombre de la carpeta de Outlook que está activada en la ventana. En la parte derecha de la barra de título, hay tres botones para **Minimizar**, **Restaurar** o **Cerrar** el programa.
- **Barra de Menús.** Está formada por los menús Archivo, Edición, Ver, Ir, Acciones y ? (Ayuda). Cada uno de ellos, dispone de submenús desplegables con diversas opciones.

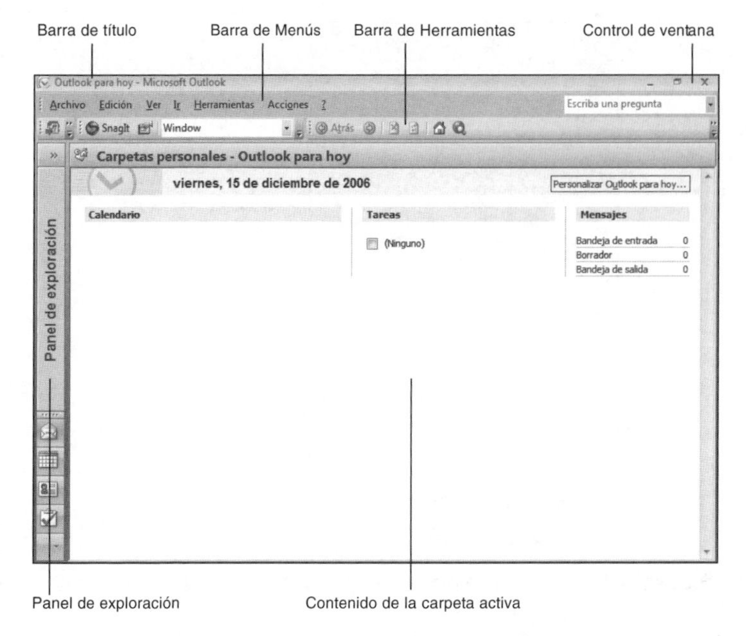

Figura 5.1. Ventana de inicio de Outlook.

- **Barra de Herramientas.** Muestra una serie de botones que permiten efectuar las tareas más usuales de Outlook. Para saber la utilidad de cada botón, coloque el puntero del ratón sobre él y aparecerá un pequeño cuadrado con la descripción de su cometido. Si desea activarlos, haga clic sobre el icono . Si quiere personalizar esta barra, en el menú Ver, haga clic en Barras de herramientas y, a continuación, haga clic en Personalizar. Seleccione las tareas que quiere activar. En la figura 5.1 se puede visualizar la barra de herramientas Estándar y la Web.
- **Panel de exploración.** Aparece replegado en el lateral izquierdo de la pantalla. Está formado por iconos de acceso directo que permiten abrir las carpetas y visualizar su contenido.
  A través de esta barra (véase la figura 5.1 y la figura 5.2) puede acceder fácilmente al correo, calendario, contactos, tareas, notas, listas de carpetas y otros accesos directos. El número de carpetas que hay dependerá de las que haya seleccionado en la configuración de Outlook.

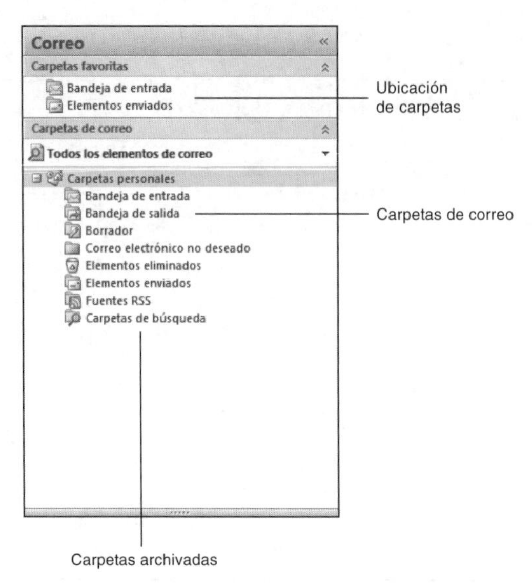

Figura 5.2. Panel de exploración de Outlook abierta en Correo.

- **Carpeta activa.** Muestra el nombre de la carpeta que está abierta y su contenido. En el caso de la figura 5.1, está abierta la carpeta Outlook para hoy, que proporciona una vista previa del día, es decir, las citas, tareas y cuantos mensajes de correo electrónico nuevos tiene.
  Cuando realice la configuración puede determinar qué carpeta desea que aparezca activa cuando arranque el programa.

5.2. La Cinta de opciones de Outlook

Al igual que en otros programas de Office 2007, Access, Excel, PowerPoint o Word, la Cinta de opciones es una de las novedades de su interfaz, a diferencia que Outlook, se inicia desde una ventana de aplicación a partir de la cual gestiona las tareas generales de correo, citas, contactos, tareas, calendarios, notas o diario.

La Cinta de opciones en Outlook, sólo está disponible en los elementos abiertos de Correo, Contactos y Citas. (Vease figura 5.3.)

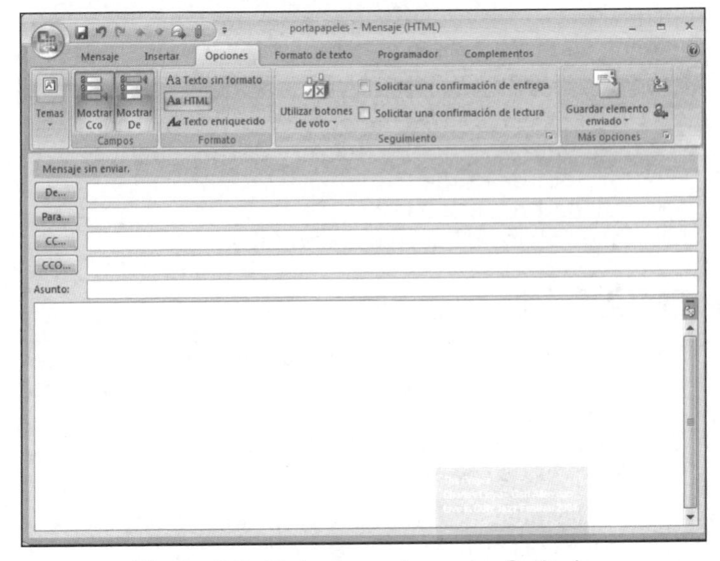

Figura 5.3. Cinta de opciones en Outlook.

5.3. Configurar cuentas de correo electrónico

La primera vez que ejecuta Outlook, se activa automáticamente un Asistente que le guiará durante todo el proceso de configuración del programa. El Asistente le pedirá la información necesaria para configurar su servicio de correo electrónico en Microsoft Outlook como es el nombre de cuenta, que le tendrá que proporcionar su administrador o proveedor de servicios de Internet (ISP). Outlook admite los siguientes tipos de servidores de correo electrónico:

- Correo electrónico de Internet: POP3. Protocolo común que se utiliza para recuperar mensajes de correo electrónico de un servidor de Internet.
- IMAP. Protocolo de acceso a mensajes de Internet que crea carpetas en un servidor para almacenar u organizar mensajes para su recuperación desde otros equipos.
- HTTP. Protocolo de transferencia de hipertexto que permite que los mensajes sean similares a páginas Web privadas.

Tipos de servidores adicionales: para empezar a utilizar una cuenta de correo electrónico debe proporcionar a Outlook la información que le ofrecerá el ISP:

- Tipo de cuenta (Exchange Server, POP3, etc.).
- El nombre o número del servidor de entrada y del servidor de salida.
- Su nombre de usuario.
- Su dirección de correo electrónico.
- Su contraseña.

Puede conectarse al servidor de dos formas diferentes:

- A través de la línea telefónica, mediante un módem o router. Puede establecer la conexión manualmente o utilizar el acceso telefónico a redes para conectar automáticamente cuando inicie Outlook.
- A través de una red de área local (LAN).

Para determinar cuándo y cómo enviar y recibir un mensaje de correo electrónico del servidor:

- Si utiliza el Servidor de Microsoft Exchange, puede especificar si desea trabajar con conexión (los mensajes que envía o reciba se realizan inmediatamente) o sin conexión (puede especificar la frecuencia con la que Outlook debe conectarse al servidor para enviar y recibir mensajes).
- Si opta por una cuenta de correo electrónico de Internet, puede especificar la frecuencia con la que Outlook debe comunicarse con el servidor de correo electrónico de Internet para enviar y recibir mensajes.
- Puede crear un grupo de envío o recepción que contenga una o varias cuentas de correo electrónico que haya configurado en Outlook.

Cuando crea una cuenta de correo electrónico, Outlook genera de forma automática un archivo de datos predeterminado para guardar los mensajes y otros elementos. El archivo de datos es un archivo de carpetas personales.

5.3.1. Agregar cuentas de correo electrónico

Si desea agregar una cuenta de correo electrónico:

1. En el menú Herramientas, haga clic en Configuración de la cuenta.

2. Seleccione Agregar una nueva cuenta de correo electrónico y, luego, haga clic en **Siguiente**.
3. Seleccione el servidor de correo electrónico de la cuenta y, a continuación, haga clic en **Siguiente**. Si está configurando una cuenta de correo electrónico de MSN, haga clic en POP3 para la versión 5.3 o anterior de MSN Internet Access o en HTTP para MSN Explorer.
4. En los cuadros correspondientes, escriba la información que le ha proporcionado su proveedor de servicios de Internet (ISP) o su administrador. No active la casilla de verificación Iniciar sesión utilizando Autenticación de contraseña de seguridad (SPA), a menos que su ISP le haya indicado que su servicio sí lo utiliza. De lo contrario, todas las entradas de dirección y del servidor normalmente se escriben en minúsculas. Puede hacer que Outlook recuerde la contraseña escribiéndola en el cuadro Contraseña y activando la casilla de verificación Recordar contraseña.
5. Si va agregar una cuenta del Servidor de Microsoft Exchange, haga clic en **Comprobar nombres**, para asegurarse de que el servidor reconoce su nombre. El nombre y el servidor que escriba deben aparecer subrayados y el equipo debe estar conectado a Internet. Si va a agregar una cuenta del servidor POP3, haga clic en Probar configuración de la cuenta, para cerciorarse de que la cuenta está en funcionamiento. Asegúrese de que el equipo está conectado a la red.
6. Si desea configurar otras opciones, como el modo en que el equipo se conecta al servidor de correo electrónico, haga clic en **Más configuraciones**. De lo contrario, haga clic en **Siguiente**.
7. Haga clic en **Finalizar**.

Para quitar cuentas de correo electrónico

Para quitar una cuenta de correo electrónico:

1. En el menú Herramientas, haga clic en Cuentas de correo electrónico.
2. Seleccione Ver o cambiar cuentas de correo electrónico existentes y, a continuación, haga clic en **Siguiente**.

3. Haga clic en la cuenta de correo electrónico que desea eliminar y, luego, en **Quitar**.
4. Haga clic en **Finalizar**.

> ***Nota:*** *Para ver o cambiar la configuración de la cuenta de correo electrónico, en el menú* Herramientas, *haga clic en* Cuentas de correo electrónico. *Seleccione* Ver o cambiar cuentas de correo electrónico existentes *y, luego, haga clic en* ***Siguiente****. Haga clic en la cuenta de correo electrónico que desee, y, a continuación, en* ***Cambiar****, o bien, puede hacer clic en* ***Establecer como predeterminada****, si así lo desea.*

5.3.2. Iniciar Outlook 2007 automáticamente al encender el equipo

Puede ahorrar tiempo configurando el equipo para que abra automáticamente un programa específico de Microsoft Office al iniciar Windows. Esta modalidad es especialmente útil en el caso de Microsoft Outlook. De esta manera puede estar al corriente en el mismo instante en que encienda su ordenador de la planificación de las tareas y los mensajes y notificaciones que reciba. Siga uno de estos procedimientos:

En Microsoft Windows Vista.

1. Haga clic en el **Botón de Windows Vista** (Inicio en el resto de sistemas de Windows) y, a continuación en Todos los programas, y seleccione Microsoft Office.
2. En la lista disponible de programas de Office, haga clic con el botón secundario del ratón en el icono del programa Microsoft Outlook y después haga clic en **Copiar** en el menú contextual.
3. En la lista Todos los programas, haga clic con el botón secundario del ratón en la carpeta **Inicio** y después haga clic en Explorar en el menú contextual.
4. En la ventana que se abre, haga clic en Organizar y, a continuación, en **Pegar** o **Control-V**.

En Microsoft Windows XP.

1. En el **Botón de Windows Vista** (menú Inicio para el resto de sistemas de Windows), seleccione Todos los programas y, a continuación, haga clic en Microsoft Office.

2. En la lista disponible de programas de Office, haga clic con el botón secundario del ratón en el icono del programa o programas que desee iniciar automáticamente y después haga clic en **Copiar** en el menú contextual.
3. En la lista Todos los programas, haga clic con el botón secundario del ratón en la carpeta **Inicio** y después haga clic en Explorar en el menú contextual.
4. En el menú Edición, haga clic en **Pegar**.

La próxima vez que se inicie el equipo, Windows ejecuta automáticamente el programa (o programas) que ha copiado en la carpeta de inicio.

5.4. Tareas básicas para manejar archivos

5.4.1. Abrir un archivo

En el menú Archivo, haga clic en Abrir. A continuación, tiene tres opciones:

- Abrir calendario.
- Abrir carpetas de otros usuarios.
- Abrir archivos de datos de Outlook. Si elige esta opción, le aparecerá un cuadro de diálogo. Seleccione el archivo que desea abrir y, a continuación, haga clic en **Abrir**.

Abrir un archivo .pst:

1. En el menú Archivo, elija Abrir y, a continuación, haga clic en Archivo de datos de Outlook.
2. Haga clic en el archivo .pst que desea abrir y, a continuación, haga clic en **Aceptar**.
3. El nombre de la carpeta asociada al archivo de datos aparece en la Lista de carpetas. Para ver la Lista de carpetas, en el menú Ir haga clic en Lista de carpetas. De forma predeterminada, la carpeta se denominará Carpetas personales.

5.4.2. Guardar un archivo

Para guardar un archivo, en el menú Archivo, haga clic en Archivar.

Le aparecerá el cuadro de diálogo Archivar, mostrado en la figura 5.4, que le solicitará elegir entre Archivar todas las carpetas según la configuración autoarchivar, lo que permite personalizar su propio sistema de organización de archivos, y Archivar esta carpeta y sus subcarpetas, como Bandeja de Entrada, Bandeja de Salida, Borrador, Elementos eliminados, Enviados, etc.

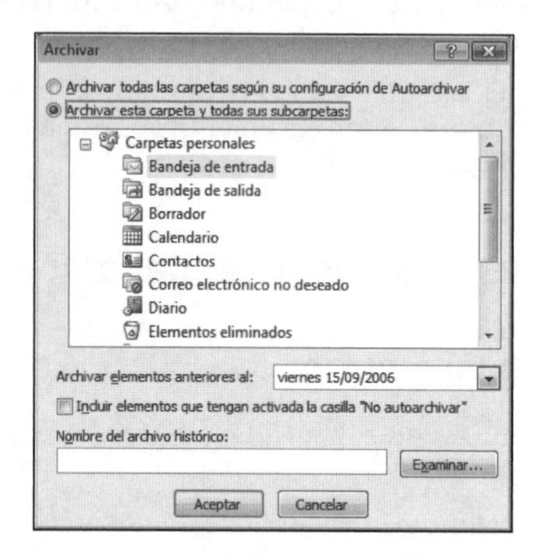

Figura 5.4. Cuadro de dialogo Archivar.

Escoja la ubicación y seleccione la carpeta en el cuadro Nombre de archivo, escriba un nombre nuevo para el archivo y a continuación haga clic en **Aceptar**.

5.5. Usar el correo electrónico

Lo primero que nos llamará la atención al abrir correo para un nuevo mensaje, es su interfaz con una serie de elementos nuevos, como la Cinta de opciones. A continuación describimos su contenido en fichas y comandos de tareas:

- Ficha Mensaje: Portapapeles, Texto básico, Nombres, Incluir, Opciones, Revisión.
- Ficha Insertar: Incluir (archivos adjuntos), Tablas, Ilustraciones, Vínculos, Texto y Símbolos.
- Ficha Opciones: Temas, Campos, Formato, Seguimiento, Más opciones.
- Ficha Formato de texto: Portapapeles, Fuente, Párrafo, Estilos, Zoom, Edición.

- Ficha Programador: Código, Visual Basic, Macros, Formulario (Diseñar y publicar).
- Fichas de comandos contextuales:
  - Herramientas de imagen.
  - Herramientas de tabla.
  - Complementos.

Se pueden usar métodos abreviados de teclado con la cinta de opciones. Todos los métodos abreviados de las versiones anteriores de Outlook siguen vigentes. El sistema de acceso de teclado reemplaza los aceleradores de menú de las versiones anteriores de Access. Este sistema usa indicadores pequeños de una sola letra o una combinación de letras que aparecen en la cinta de opciones e indican el método abreviado de teclado que activa el control situado debajo. Pulsando en la tecla **Alt** observará cómo se muestran unas marcas de letra en cada una de las fichas, si hacemos clic en cualquiera de las fichas, igualmente pulsando **Alt**, mostrará otros indicadores de las funciones propias de esa ficha. Sólo tiene que pulsar la tecla o combinación de teclas de la tarea que desea realizar y acceder de forma mas rápida.

5.5.1. Trabajar con mensajes

Crear un mensaje de texto nuevo

Para crear y enviar un mensaje de correo electrónico, siga estos pasos:

1. En el menú Archivo, haga clic en **Nuevo** y, a continuación, haga clic en Mensaje de texto. Le aparecerá una ventana como muestra la figura 5.5.
2. Escriba la dirección de correo electrónico o el número de teléfono móvil del destinatario en el cuadro Para. Para buscar un destinatario en una libreta de direcciones, haga clic en el botón **Libreta de direcciones** y seleccione el nombre del destinatario.
3. Escriba el mensaje en el cuerpo del mensaje.
4. Si lo desea, puede incluir iconos gestuales en el mensaje. En la ficha Mensaje de texto, en el grupo Insertar, haga clic en Cadena de icono gestual y, a continuación, haga clic en un icono gestual que desee insertar.
5. Si desea enviar a un destinatario una copia del mensaje y que su nombre esté visible para los demás

destinatarios del mensaje, escriba su nombre en CC, que significa "Con Copia". El cuadro CCO es para enviar la copia del mensaje y que su nombre no esté visible para los demás destinatarios. Puede activar CCO, haciendo clic en Opciones.

6. En el cuadro Asunto, escriba un titulo para el mensaje.
7. En la zona de texto, escriba el mensaje.
8. Haga clic en **Enviar** y asegúrese de que está conectado a la red.

   Una vez enviado correctamente el mensaje de texto, aparecerá en la carpeta Elementos enviados con junto al asunto, para indicar que se trata de un mensaje de texto.

O bien:

1. En la barra de herramientas Estándar, haga clic en **Nuevo**. Le aparecerá una ventana como muestra la figura 5.5.

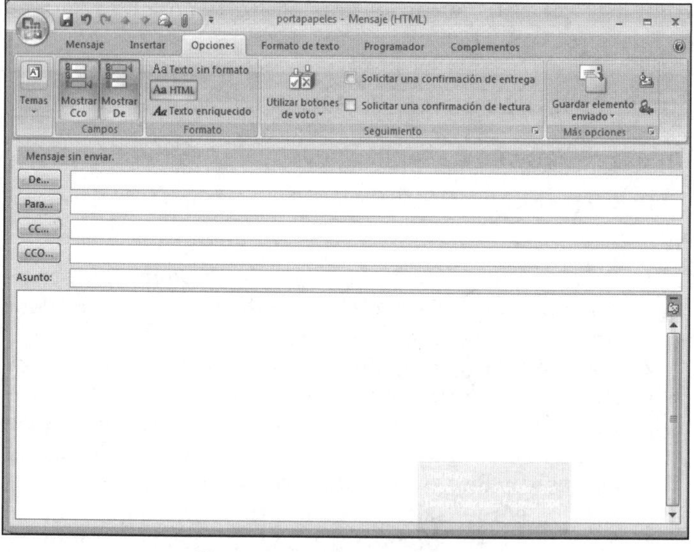

Figura 5.5. Nuevo mensaje.

2. Escriba la dirección de correo electrónico del destinatario o destinatarios en el cuadro Para, que aparece en la figura 5.5. Si tiene guardada la dirección del

destinatario en la Libreta de direcciones, haga clic en el botón y seleccione el nombre del destinatario.

3. Si desea enviar a un destinatario una copia del mensaje y que su nombre esté visible para los demás destinatarios del mensaje, escriba su nombre en CC, que significa "Con Copia". El cuadro CCO es para enviar la copia del mensaje y que su nombre no esté visible para los demás destinatarios. Puede activar CCO, haciendo clic en Opciones.
4. En el cuadro Asunto, escriba de qué trata el mensaje.
5. En la zona de texto, escriba el mensaje.
6. Haga clic en **Enviar** y asegúrese de que está conectado a la red.

Opciones de mensaje

Hasta aquí la forma más sencilla para crear y enviar un mensaje. Pero atención, antes de enviar el mensaje puede establecer varias opciones:

- Para cambiar el nivel de importancia del mensaje. Haga clic en el botón si la importancia es alta o en el botón , si no es importante.
  Establecer la fecha de caducidad.

Cuando caduca un mensaje, el encabezado del mensaje aparece tachado en las carpetas de Outlook pero todavía se puede abrir el mensaje.

- En la ficha Opciones, en el grupo Más opciones, haga clic en la flecha del iniciador de cuadros de diálogo Opciones de mensaje en Opciones de entrega, active la casilla de verificación Caduca después del y, a continuación, seleccione una fecha y hora (figura 5.6).

Si quiere retrasar la entrega de un mensaje:

1. En la ventana principal de Outlook, en el menú Herramientas, haga clic en Reglas y alertas.
2. En el cuadro de diálogo Reglas y alertas, en la ficha Reglas de correo electrónico, haga clic en Nueva regla.
3. En Paso 1: seleccione una plantilla, haga clic en Comprobar mensajes después de enviar y, a continuación, haga clic en **Siguiente**.
4. Haga otra vez clic en **Siguiente** y cuando aparezca el mensaje Esta regla se aplicará en todos los mensajes que envíe, haga clic en **Sí**.

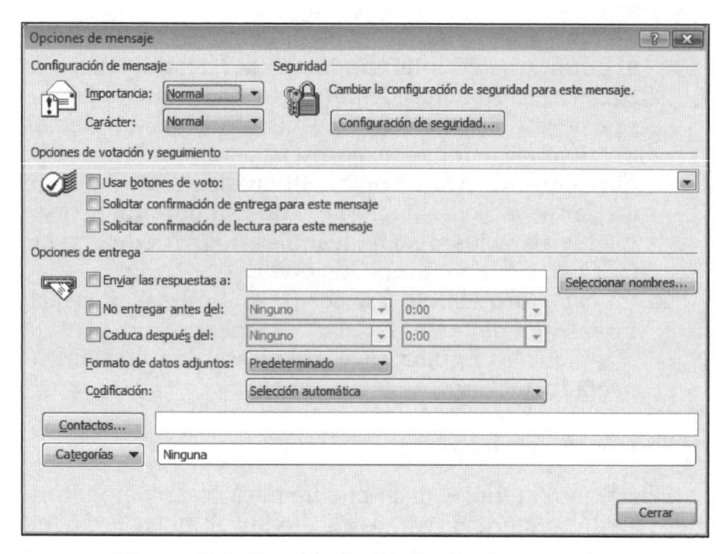

Figura 5.6. Cuadro de Opciones de mensaje.

5. En Paso 1: seleccione una o varias acciones, active la casilla de verificación para diferir la entrega (número) minutos.
6. En Paso 2: edite la descripción de la regla (haga clic en un valor subrayado), haga clic en un "número de".
7. Escriba un número del 1 al 120 y después haga clic en **Aceptar**.
8. Haga clic en **Finalizar** y cuando aparezca el mensaje Esta regla es una regla de cliente y sólo se iniciará cuando se ejecute Outlook, haga clic en **Aceptar**.

> ***Nota:*** *Si desea abrir un nuevo mensaje desde la ventana de un mensaje sin guardar ni cerrar, haga clic en el* ***Botón de Office*** *y haga clic en* Nuevo mensaje. *No olvide guardar y cerrar en el que estaba trabajando anteriormente.*

Adjuntar un archivo a un mensaje

Si está en la página del mensaje y además de enviar su texto, desea enviar otro tipo de archivo, como una imagen, un archivo de audio, etc. siga los siguientes pasos:

1. En la ficha Mensaje, en el grupo Incluir, haga clic en **Adjuntar archivo** .

2. En el cuadro Insertar archivo, examine y seleccione el archivo que desee adjuntar y, a continuación, haga clic en **Insertar**.
3. Si no ve el archivo que desea en la carpeta adecuada, asegúrese de que esté seleccionado Todos los archivos (*.*) en el cuadro de diálogo Tipo de archivo y de que el Explorador de Windows Explorer esté configurado para mostrar las extensiones de nombre de archivo.

> ***Nota:*** *Si va a adjuntar un archivo muy grande, debe comprimir primero el archivo con un programa de compresión. Los archivos de Outlook que se guardan en los formatos Open XML predeterminados con las siguientes extensiones de archivo se comprimen automáticamente: .docx, .dotx, .xlsx, .xltx, .pptx, .potx y .ppsx.*

Si desea adjuntar un elemento u otro mensaje de Outlook a un nuevo mensaje:

1. En el menú Archivo, haga clic en Nuevo y, a continuación, haga clic en Mensaje de correo.
2. En la ficha Mensaje, en el grupo Incluir, haga clic en Adjuntar elemento .
3. En la lista Buscar en, haga clic en la carpeta que contiene el elemento que desea.
   Haga clic en el elemento a adjuntar y, a continuación, haga clic en **Aceptar**. Véase un ejemplo en la figura 5.7.

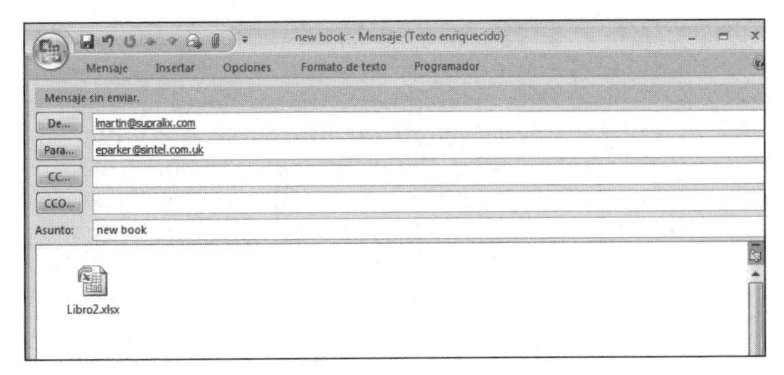

Figura 5.7. Documento de Excel adjunto a un mensaje para ser enviado.

Para recibir una notificación cuando se entrega o lea un mensaje el destinatario:

1. Haga clic en Opciones.
2. En Opciones de seguimiento, seleccione la casilla de verificación Solicitar confirmación de entrega para este mensaje o Solicitar confirmación de lectura para este mensaje. Véase la figura 5.8.

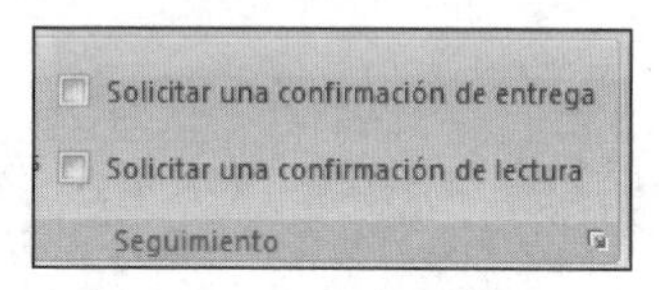

Figura 5.8. Cuadro de Opciones de un mensaje.

Outlook utiliza siete carpetas diferentes para administrar el correo electrónico: Bandeja de entrada, Bandeja de salida, Borrador, Correo electrónico no deseado, Elementos eliminados, Elementos enviados y Carpetas de búsqueda.

- **Bandeja de entrada.** En esta bandeja están todos los mensajes recibidos. Aparecerá la dirección del remitente, el asunto del mensaje y, a continuación, el día y la hora en la que se ha recibido. Puede hacer clic sobre el botón **Recibido**, para ordenar los mensajes por su fecha de entrada. Si el mensaje recibido lleva un archivo u otro elemento adjunto, aparecerá el icono de adjuntar . Para leer el mensaje haga doble clic sobre él. Puede responder, haciendo clic en el botón **Responder** .
- **Bandeja de salida.** Una vez que ha hecho clic en **Enviar el mensaje** y está conectado a la red, el mensaje queda almacenado en esta bandeja hasta que es enviado. Puede seguir el transcurso del envío del mensaje, haciendo clic en Enviar y recibir. Esta opción es válida también para recibir los mensajes.
- **Borrador.** Cada tres minutos, Outlook guarda automáticamente todos los mensajes sin terminar en la carpeta Borrador. Puede cambiar el intervalo de tiempo o la ubicación.
- **Correo electrónico no deseado.** El nuevo filtro de correo electrónico no deseado ayuda a evitar gran parte del correo electrónico no deseado que recibe a diario.

Utiliza tecnología de última generación desarrollada por Microsoft Research a fin de evaluar si un mensaje se debería tratar como correo electrónico no deseado, para lo que se basa en diversos factores, como la hora a la que se envió y el contenido del mensaje. El filtro no individualiza ningún remitente o tipo de correo electrónico determinados; se basa en el contenido del mensaje en general y utiliza un análisis avanzado de la estructura del mensaje para determinar la probabilidad de que se trate de correo electrónico no deseado. Todos los mensajes detectados por el filtro se mueven a la carpeta Correo electrónico no deseado, donde se pueden recuperar o revisar posteriormente.

- **Elementos eliminados.** Es la papelera de Outlook. Aquí puede arrastrar los mensajes que quiere eliminar y, luego, vaciarla.
- **Carpetas de búsqueda.** Las carpetas de búsqueda contienen resultados de búsqueda actualizados, constantemente, de todos los elementos de correo electrónico que coincidan con determinados criterios de búsqueda. Puede ver todos los mensajes de correo electrónico no leídos de cada carpeta en el buzón, en una carpeta de búsqueda denominada Correo sin leer. Para ayudarle a reducir el tamaño del buzón, la carpeta de búsqueda Correo grande le muestra los correos de mayor tamaño en su buzón, independientemente de la carpeta en la que estén almacenados.

  También puede crear sus propias carpetas de búsqueda. Para ello, realice su selección en una lista de plantillas predefinidas o cree una búsqueda con criterios personalizados y guárdela como carpeta de búsqueda para uso posterior.
- **Elementos enviados.** Almacena los mensajes que ha enviado. Puede hacer doble clic sobre cualquiera de ellos para leerlo o volverlo a enviar al mismo o a otros destinatarios. Outlook guarda todos los mensajes enviados en esta carpeta. Si quiere guardar una copia del mensaje en una carpeta distinta:

  - Haga clic en Opciones.
  - En Opciones de entrega, seleccione la casilla de verificación Guardar el mensaje enviado en.
  - Haga clic en **Examinar** y, a continuación, elija la carpeta donde desee guardar el mensaje.

También puede guardar un mensaje como un archivo:

1. Haga clic con el botón derecho del ratón en el mensaje que desee guardar.
2. En el menú desplegable seleccione Mover a una carpeta.
3. En el cuadro Mover elementos, haga clic en la ubicación en la que desea guardar el archivo.

> ***Truco:*** *También puede crear un mensaje nuevo de correo electrónico directamente sin tener que abrir el programa. Haga clic en el* ***Botón de Windows Vista****, y haga clic en* Nuevo documento de Office. *Cuando aparezca el cuadro de diálogo* Nuevo documento de Office, *active la ficha* General *y haga doble clic sobre el icono* ***Mensaje de correo electrónico****.*

5.6. Aplicar estilo y formato al texto

Cuando crea un mensaje en Outlook, el formato predeterminado es HTML. Este formato admite formato de texto, numeración, viñetas, alineación, líneas horizontales, imágenes (incluidos fondos), estilos HTML, diseños de fondo, firmas y vínculos a páginas Web. Dado que los programas de correo electrónico más populares utilizan HTML, éste es el formato más conveniente para el correo de Internet. También se recomienda este formato si envía la mayoría de los mensajes a una organización que utiliza el Servidor de Microsoft Exchange.

En la zona de texto de un mensaje puede aplicar el estilo y formato que desee. En la Cinta de opciones de la ventana del mensaje de Outlook, encontrará la ficha Formato de texto, mostrada en la figura 5.9, que a su vez se divide en seis grupos claramente definidos.

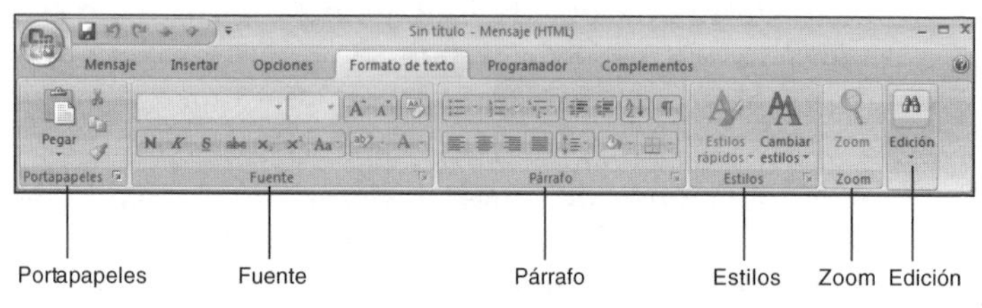

Figura 5.9. La ficha Formato de texto.

Para aplicar rápidamente el estilo, la fuente y el tamaño de la fuente, seleccione el texto que desea cambiar. A continuación, en la ficha Formato de texto, haga clic en el cuadro Estilos rápidos. Comprobará al sobreponer el puntero sobre los diferentes modelos de la galería (véase la figura 5.10), gracias a la Vista previa activa, el texto seleccionado y el cuerpo del mensaje, irá adquiriendo el formato predeterminado.

Para ello tendrá que recurrir al cuadro Fuente que le brindará diversas opciones de estilo, tipo, cuerpo, tamaño, color, etc. dependiendo del formato que desee cambiar. A continuación, seleccione la opción que desea aplicar al texto.

Para **Agrandar** o **Encoger** el texto puede hacer clic en A A, si desea aplicar al texto **Negrita**, una vez seleccionado, haga clic en este botón N. Si desea **Cursiva**, haga clic en K y **Subrayado**, haga clic en S.

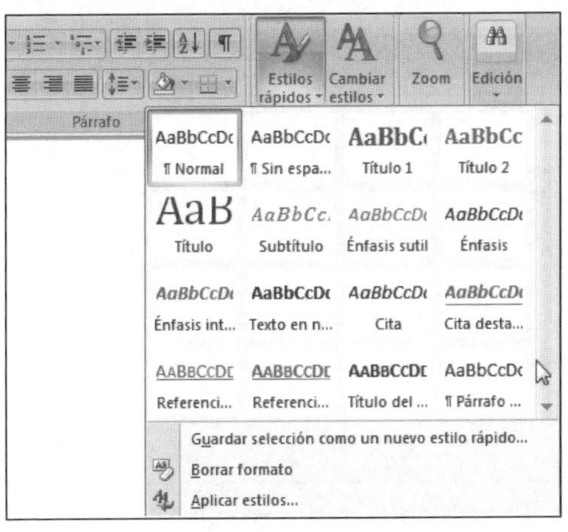

Figura 5.10. Galería de Formato de estilos rápidos.

También puede alinear texto. Primero seleccione el texto y en la ficha Formato de texto, en el grupo Párrafo, haga clic en el botón apropiado: si desea **Alinear a la izquierda**, en para **Alinear a la derecha**, para **Centrar** el texto o en si desea **Justificar** el texto.

Para aplicar la sangría, una vez seleccionado el texto, en el grupo Párrafo, haga clic en **Aumentar sangría** o en **Reducir sangría**.

Si desea crear una lista con viñetas o numerada, seleccione las líneas de texto a las que desee agregar viñetas o números. En la barra de herramientas Formato, haga clic en **Viñetas** o **Numeración** o también Lista multinivel .

Por supuesto, también puede acceder al cuadro de diálogo Fuente, que muestra la figura 5.11, haciendo clic en la flecha iniciadora de diálogo situada en la parte inferior izquierda del cuadro, el cuadro de vista previa ubicado en la parte inferior irá mostrando a medida que comprueba los distintos formatos de fuente el resultado del texto.

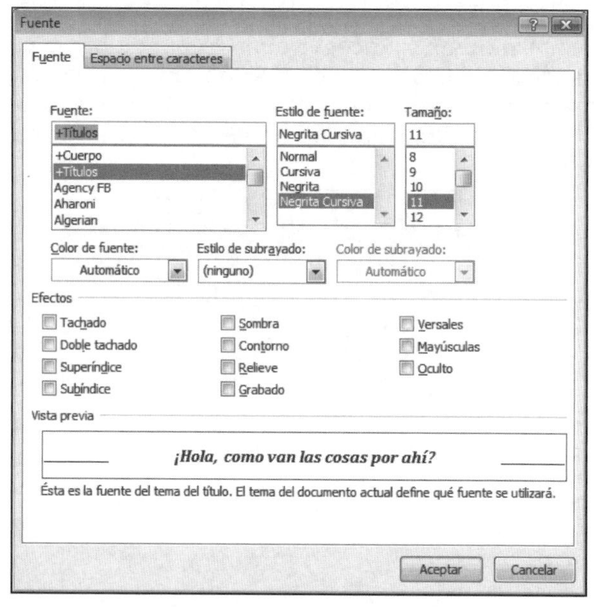

Figura 5.11. Cuadro de diálogo de Fuente y espaciado entre caracteres.

5.6.1. Revisar ortografía

Con Outlook 2007 puede revisar la ortografía del texto de mensaje que va a enviar por correo electrónico y en la cinta de opciones del mensaje, en el cuadro Revisión, además si hace clic con el botón secundario del ratón en Revisión ortográfica, se replegará un menú donde también le dará la opción de hacer otras revisiones o comprobaciones, como un Revisor gramatical, Diccionario de referencia, Diccionario de sinónimos, Traductor (previa configuración) y Contador de palabras.

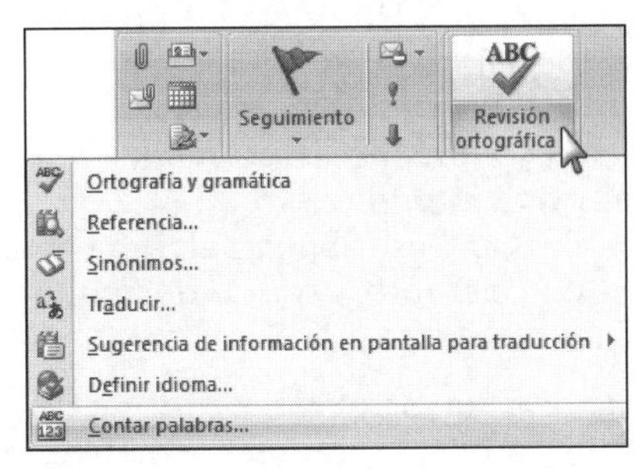

Figura 5.12. Cuadro de Revisión ortográfica y gramatical.

1. En el menú Herramientas, haga clic en **Ortografía**.
2. Le aparecerá un cuadro. Cuando haya una palabra seleccionada, elija las opciones que desee.

También puede configurar Outlook para corregir el texto automáticamente mientras se escribe, en la tarea Autocorrección, para ello siga el siguiente procedimiento:

1. En la ventana principal de Outlook, en el menú Herramientas, haga clic en Opciones y, a continuación, en la ficha Formato de correo.
2. Seguidamente haga clic en Revisión y a continuación en Opciones de Autocorrección.
3. Para seleccionar las opciones, siga uno o varios de estos procedimientos:
   - Para definir las opciones de mayúsculas, active o desactive las casillas de verificación correspondientes del cuadro de diálogo.
   - Para activar o desactivar las entradas de Autocorrección, active o desactive la casilla de verificación Reemplazar texto mientras escribe.
   - Escriba el texto que desea corregir seguido de un espacio o de un signo de puntuación. Por ejemplo, escriba "ablo" seguido de un espacio, y observe cómo la función Autocorrección reemplaza el texto por "hablo".

Si una vez cambiadas las opciones de Autocorrección , existen vocablos escritos correctamente pero que el programa los identifica como incorrectos, siga los mismos pasos expuestos más arriba y continue:

1. En la ficha Autocorrección, asegúrese de que la casilla de verificación Reemplazar texto mientras escribe está seleccionada.
2. En la casilla Reemplazar, escriba la palabra o frase que suele escribir incorrectamente por ejemplo, escriba **normalemente**.
3. En la casilla Con, escriba la palabra con la ortografía correcta por ejemplo, escriba **normalmente**.
4. Haga clic en **Agregar**.

Si habilita la revisión ortográfica automática, en Outlook y también en algunos programas de Office, puede hacer clic con el botón secundario del ratón sobre una palabra que suela escribir incorrectamente y agregarla a la lista de Autocorrección.

5.7. Personalizar los mensajes de correo electrónico

5.7.1. Cambiar el nivel de confidencialidad para un mensaje

1. En la ventana de mensaje de correo electrónico, en la ficha Mensaje, haga clic en Opciones del iniciador de cuadros de diálogo.
2. En el cuadro de diálogo Opciones de mensaje, en Configuración de mensaje, en la lista Carácter, seleccione Normal, Personal, Privado o Confidencial.

Los destinatarios verán el texto siguiente en la barra de información del mensaje para cada una de las configuraciones de confidencialidad:

- Para Normal, no se asigna ningún nivel de confidencialidad al mensaje de modo que ningún texto aparece en la barra de información.
- Para Privado, el destinatario verá "Trate este elemento como Privado" en la barra de información.
- Para Personal, el destinatario verá "Trate este elemento como Personal" en la barra de información.
- Para Confidencial, el destinatario verá "Trate este elemento como Confidencial" en la barra de información.

> ***Nota:*** *Cada uno de estos valores de confidencialidad sólo es una advertencia. Los destinatarios pueden realizar cualquier acción que deseen en el mensaje, como reenviar un mensaje confidencial a otra persona. Si desea impedir que el destinatario realice determinadas acciones con el mensaje, puede crear un mensaje de correo electrónico con permiso restringido o debe utilizar el servicio* Information Rights Management *(IRM).*

5.7.2. Agregar un aviso a un mensaje o contacto

1. En el mensaje o contacto, haga clic en **Seguimiento**.
2. En el menú despegable lista, seleccione o escriba el texto que desee.
3. En la lista Tipo de marca, seleccione la marca que desee: las hay temporales (un día, al día siguiente, una semana...), personalizadas, o marcas para los destinatarios.
4. Aparecerá un cuadro de diálogo en el cual deberá fijar el plazo fijado para la marca, habilite la casilla de verificación Para mí.
5. En los cuadros Fecha de inicio, seleccione una fecha y una hora.
6. En los cuadros Vencimiento, seleccione una fecha y una hora.

> ***Truco:*** *Para mostrar rápidamente el cuadro de diálogo* Marcar mensaje para seguimiento *sin abrir el mensaje, seleccione éste y, a continuación, pulse* ***Control-Mayús-G****.*

5.7.3. Firmar los mensajes

Una firma de correo electrónico está formada por texto e imágenes que se agregan automáticamente al final de un mensaje de correo electrónico saliente. Puede crear firmas personalizadas para diferentes categorías. Por ejemplo, puede utilizar su nombre de pila para amigos y familiares o su nombre completo y su dirección de correo electrónico para los mensajes dirigidos a los contactos de trabajo. También puede utilizar una firma para agregar un texto de "respuesta estándar", por ejemplo, para explicar cómo desea que otros usuarios respondan a sus mensajes. Puede tener una firma diferente para cada cuenta de correo electrónico. Para crear una firma:

1. En la ventana principal de Microsoft Outlook, en el menú Herramientas, haga clic en Opciones y, a continuación, en la ficha Formato de correo.
2. En la lista Redactar en este formato (véase figura 5.13), haga clic en el formato de mensaje con el que desee utilizar la firma.

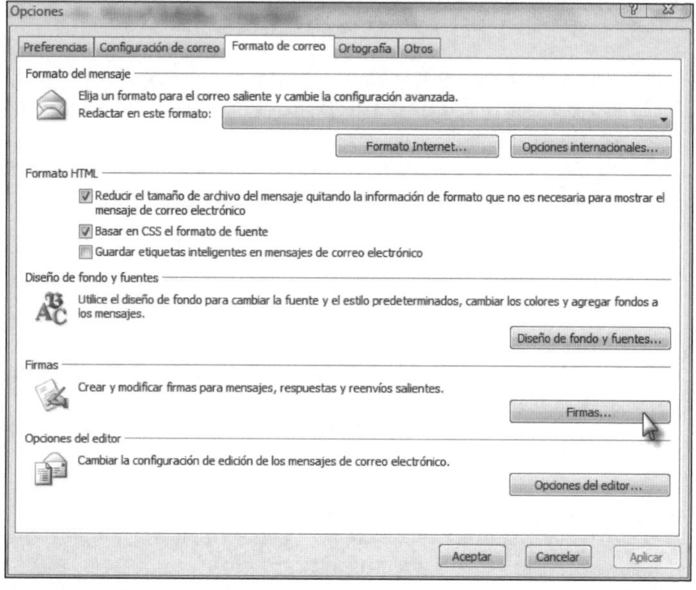

Figura 5.13. Cuadro formato de correo para crear una firma.

3. En **Firma**, haga clic en **Firmas** y, a continuación, en **Nueva**. Véase figura 5.14.
4. En el cuadro Especifique un nombre para la nueva firma, escriba un nombre.
5. En Elija la forma de crear la firma, seleccione la opción que desee.
6. Haga clic en **Aceptar**.
7. En el cuadro Texto de la firma, escriba el texto que desee incluir en la firma. También puede pegar texto en este cuadro de otro documento.
8. Para cambiar el formato del párrafo o de la fuente, seleccione el texto, haga clic en Fuente o en Párrafo

y, a continuación, seleccione las opciones que desee. Estas opciones no están disponibles si utiliza texto sin formato como formato del mensaje.

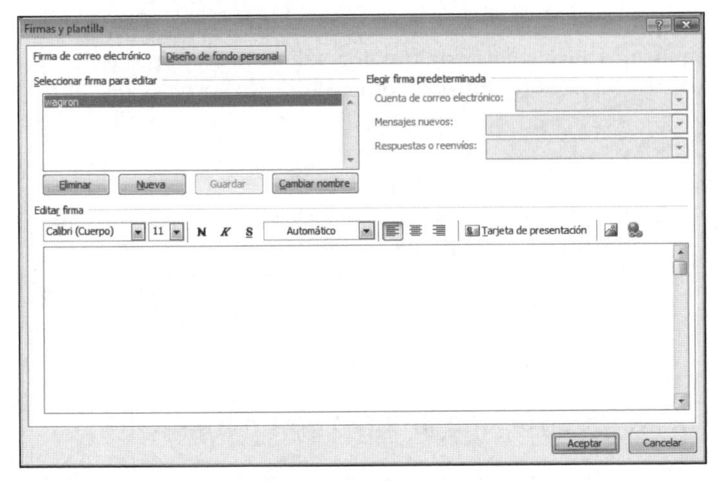

Figura 5.14. Crear una firma nueva.

9. Para agregar una tarjeta de presentación electrónica (vCard) a la firma, en Opciones de vCard, seleccione una tarjeta de presentación electrónica de la lista o haga clic en Nueva vCard del contacto.
10. Haga clic en **Finalizar** cuando haya terminado de modificar la nueva firma.

Una vez que haya creado una firma, puede insertarla en todos los mensajes nuevos, en todos los mensajes que responda o que reenvíe o, únicamente, en un mensaje determinado.

También puede tener firmas diferentes para cada cuenta de correo electrónico.

Si desea insertar una firma automáticamente en todos los mensajes nuevos que responde o que reenvía:

1. En la ventana principal de Microsoft Outlook, en el menú Herramientas, haga clic en Opciones y, a continuación, en la ficha Formato de correo. Véase figura 5.13.
2. En la lista Componer en este formato de mensaje, haga clic en el formato de mensaje con el que desee utilizar la firma.

3. En Firma, seleccione una cuenta de correo electrónico y, a continuación, elija las firmas que desea utilizar para los mensajes nuevos y para los mensajes de respuesta o reenviados.

También puede insertar manualmente una firma en un mensaje individual. Esta función sólo está disponible cuando utiliza Microsoft Outlook como editor de correo electrónico.

1. Cree o abra el mensaje.
2. En el cuerpo del mensaje, haga clic en el lugar en que desee insertar la firma.
3. En el menú Insertar, elija Firma y, a continuación, haga clic en la firma que desee.
4. Si la firma que desea insertar no está incluida en la lista, haga clic en Más y, en el cuadro Firma, seleccione la firma que desee utilizar.

5.7.4. Insertar una imagen en un mensaje

Puede insertar una imagen o una tarjeta de presentación en la zona de texto o bien agregar una imagen al mensaje.

Para insertar la imagen en la zona de texto, con el mensaje abierto, en la ficha Insertar, haga clic en Imagen. Le aparecerá el cuadro de diálogo de la figura 5.15. A continuación, elija la opción que desee.

Si desea agregar una imagen al mensaje:

1. Con el mensaje abierto, en el menú Insertar, haga clic en Imagen.
2. En el cuadro Origen de la imagen, escriba la ruta de acceso a una imagen del disco duro, escriba el URL de una imagen en Internet o haga clic en **Examinar** para localizar una imagen.
3. Seleccione las opciones que desee.

5.7.5. Diseños de fondo y temas para los mensajes

Los diseños de fondo y los temas son un conjunto de elementos de diseño unificados y esquemas de color que desea aplicar a los mensajes. Especifican fuentes, viñetas, color de fondo, líneas horizontales, imágenes y otros elementos de diseño que desea incluir en los mensajes de correo electrónico salientes.

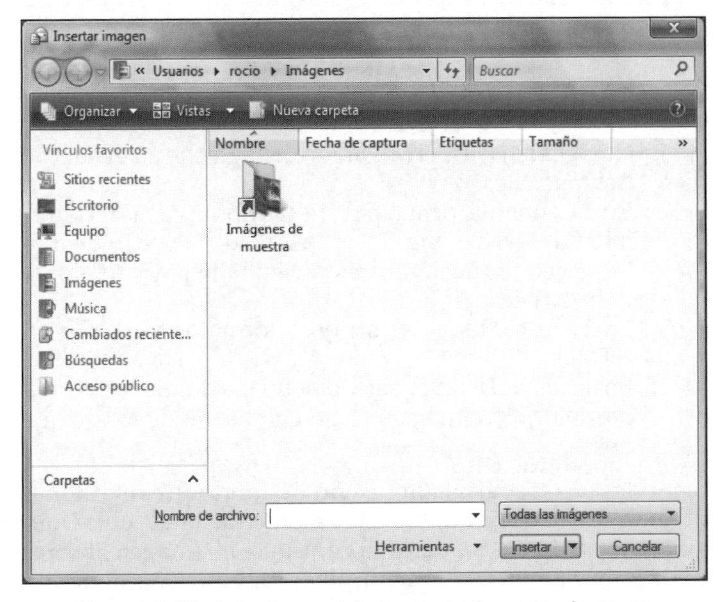

Figura 5.15. Insertar una imagen en la zona de texto.

En Microsoft Outlook, puede elegir de una lista de diseños de fondo predefinidos o modificar uno de los patrones de la lista para adaptarlo a sus necesidades. También puede crear diseños de fondo nuevos o descargarlos de Internet. Los diseños de fondo de Outlook sólo están disponibles si utiliza HTML como formato del mensaje.

En un mensaje que utilice Microsoft Word como editor, puede elegir entre una lista de diseños de fondo o temas. Los diseños de fondo de Word incluyen los mismos patrones que los de Outlook. Los temas ofrecen otros patrones que no están disponibles como diseños de fondo. Los temas y los diseños de fondo de Word están disponibles para los mensajes con formato HTML. Existe Ayuda disponible para los temas en Word cuando se crea o se abre un mensaje que utiliza el editor de correo electrónico de Word.

Si define un diseño de fondo predeterminado en Word, también se establece como predeterminado en Outlook, y viceversa. Los cambios realizados en los diseños de fondo de Outlook aparecerán en los diseños de fondo de Word.

Si desea agregar automáticamente texto a los mensajes de correo electrónico que envíe, como por ejemplo una respuesta estándar a los mensajes, utilice una firma además del diseño de fondo o el tema.

5.7.6. Agregar fondo a un mensaje

1. Con el mensaje HTML abierto, haga clic en el cuerpo del mensaje.
2. En la ventana proncipal de Outlook vaya a Herramientas, seleccione Opciones, y en el cuadro de diálogo a continuación haga clic en la ficha Formato de correo. Véase figura 5.14.
3. En la lista Redactar en este formato, haga clic en HTML.
4. En la lista Utilizar este diseño de fondo de forma predeterminada, haga clic en el diseño de fondo que desee.

Si desea especificar un diseño de fondo predeterminado para un mensaje nuevo, en el menú Acciones, elija Nuevo mensaje de correo con y, a continuación, haga clic en el diseño de fondo que desee utilizar. Si el diseño de fondo que desea utilizar no está incluido en la lista, haga clic en **Más diseños de fondo** y, en la lista Diseño de fondo, haga clic en el que desee utilizar.

Para obtener otros diseños de fondo disponibles en Internet, haga clic en **Obtener más diseños de fondo del Web**.

> ***Advertencia:*** *Estos procedimientos sólo están disponibles si utiliza HTML como formato de sus mensajes. Elija* Temas *y haga clic en* Diseño de fondo y fuentes. *De forma predeterminada, la lista* Archivo *incluye varios diseños de fondo disponible en Microsoft Outlook.*

> ***Advertencia:*** *Este procedimiento sólo funciona para mensajes en formato HTML.*

En el cuadro Archivo, escriba la ruta de acceso a una imagen del disco duro, escriba el URL de una imagen en Internet o haga clic en **Examinar** para localizar una imagen. Si la imagen no es lo suficientemente grande para llenar el cuerpo del mensaje, la imagen se repetirá tantas veces como sea necesario para llenar el mensaje.

Para agregar un color de fondo:

1. Con el mensaje abierto, haga clic en el cuerpo del mensaje.
2. En la ficha Opciones, de la Cinta de opciones elija Temas y haga clic en el botón **Color de página**. De forma predeterminada, se mostrará una galería de colores de tema y colores estándar con los diseños de fondo y efectos de relleno, en los que podrá dar formato de degradado, textura o trama. Puede especificar la trama del diseño de fondo para los nuevos mensajes. Al configurar el diseño de fondo predeterminado en Microsoft Outlook, también se establece el diseño de fondo predeterminado en Microsoft Word. Si desea utilizar un tema de manera predeterminada, establézcalo en Word. Consulte la Ayuda de Word para obtener más información.

5.8. Libreta de direcciones

Si no ha introducido todavía ninguna dirección de correo electrónico en la libreta de direcciones, siga estos pasos:

1. Haga clic en el menú Herramientas de la página principal de Outlook y seleccione Libreta de direcciones.
2. En el cuadro de diálogo de Contactos, haga clic en Archivo y seleccione Nueva Entrada como puede verse en la figura 5.16.
3. En el siguiente cuadro, Nueva entrada, haga clic en **Nuevo contacto** y, luego, en **Aceptar**.
4. Escriba un nombre en el cuadro Contacto.
5. Rellene los campos que sean necesarios, sin olvidarse, por supuesto, de la dirección de correo electrónico. Si el contacto tiene varias direcciones, haga clic en la flecha que aparece junto al campo Correo electrónico.
6. Active las fichas que crea necesario para introducir más datos del contacto.
7. Haga clic en **Guardar y cerrar**.
8. En el cuadro Seleccionar nombres, aparecerá el nombre del contacto que ha creado. A continuación, haga clic en **Aceptar**.

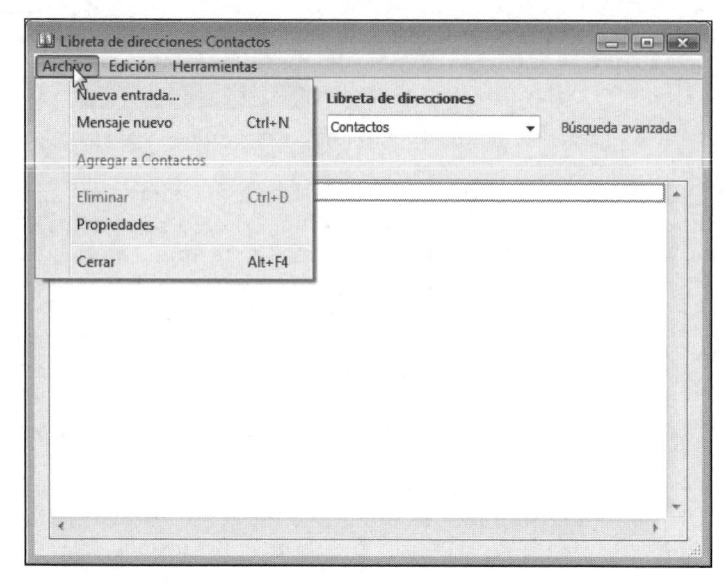

Figura 5.16. Cuadro para introducir una dirección nueva.

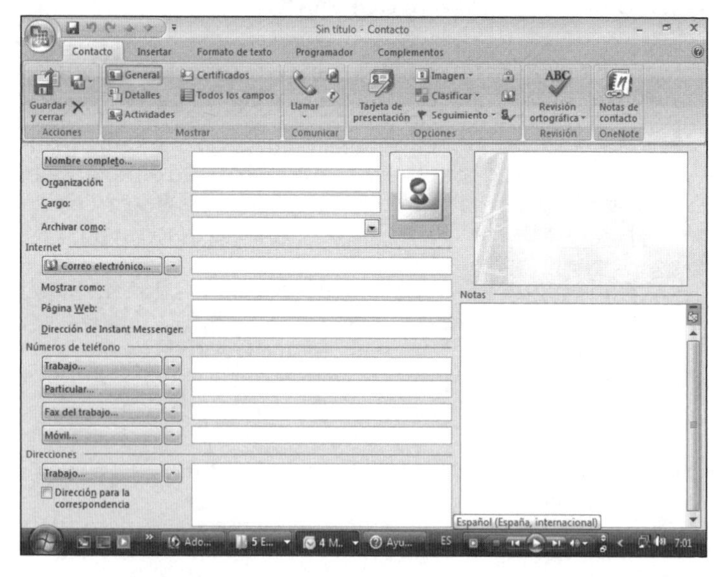

Figura 5.17. Ficha para crear un contacto.

Cuando quiera enviar un mensaje a un destinatario que tiene en la Libreta de direcciones:

1. En primer lugar, haga clic en el botón **Libreta de direcciones**.
2. En el cuadro Seleccionar nombres, escriba el nombre del destinatario o selecciónelo en la lista.
3. Haga clic en **Para**, y aparecerá la dirección de correo electrónica en la casilla Destinatario del mensaje.
4. Haga clic en **Aceptar**.

Si desea buscar un nombre de la libreta de direcciones, en el cuadro Seleccionar nombres, haga clic en el botón **Avanzadas**, y elija **Buscar**. Escriba el nombre y haga clic en **Aceptar**.

> ***Nota:*** *Si desea abrir un nuevo contacto desde la ventana de un contacto sin guardar ni cerrar, haga clic en el* ***Botón de Office*** *y haga clic en* Nuevo contacto. *No olvide guardar y cerrar la entrada anterior.*

5.9 Enviar un mensaje instantáneo

5.9.1. La mensajería instantánea

La mensajería instantánea es una función de Microsoft Windows Messenger, Microsoft MSN Messenger Service y del servicio de mensajería instantánea de Microsoft Exchange. La mensajería instantánea le permite comunicarse con sus contactos en tiempo real, como lo haría en una conversación frente a frente.

Puede comprobar al instante si un contacto está conectado y controlar la forma en que el estado de su conexión aparece ante los demás. Por ejemplo, si está ocupado y no puede hablar, puede cambiar el estado a **Ocupado**.

Al abrir un mensaje en Microsoft Outlook o cuando éste se muestra en la ventana de vista previa, aparece la Etiqueta inteligente de nombres de persona junto al nombre del remitente. Además, en las líneas **Para** y **CC** aparece la Etiqueta inteligente de nombres de persona al colocar el puntero sobre el nombre. En un contacto de Outlook, la Etiqueta inteligente de nombres de persona aparece al colocar el puntero sobre la dirección de correo electrónico de la persona. También En una nueva convocatoria de reunión, aparece al colocar el puntero sobre el nombre del asistente.

En Outlook puede agregar la dirección de mensajería instantánea de cada uno de los contactos de Outlook en el cuadro Dirección de Instant Messenger de la ficha General de cada contacto.

5.9.2. Habilitar mensajería instantánea

Siga estos pasos para habilitar la mensajería instantánea:

1. En el menú Herramientas, haga clic en Opciones y, a continuación, en la ficha Otros.
2. En el grupo Nombres de persona, véase la figura 5.18.

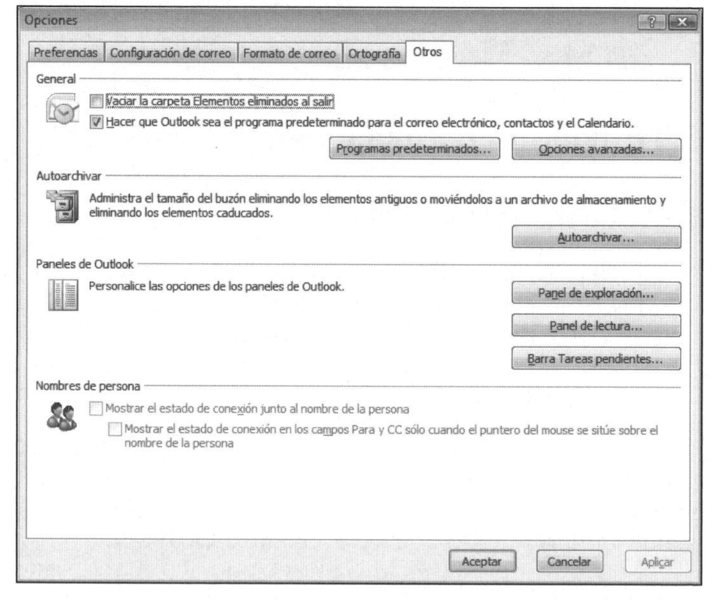

Figura 5.18. Habilitar la mensajería instantánea.

Opcionalmente active la casilla de verificación Mostrar el estado de conexión en los campos Para y CC sólo cuando el puntero del ratón se sitúe sobre el nombre de la persona y, a continuación, active la casilla de verificación Mostrar el estado de conexión junto al nombre de la persona.

Nota: *Esta opción permite seguir viendo la información sobre el estado de conexión, pero sólo cuando se sitúa en puntero del ratón sobre un nombre.*

5.9.3. Enviar un mensaje instantáneo

Puede enviar un mensaje instantáneo a cualquier persona cuando la Etiqueta inteligente de Nombres de persona indique cualquier estado excepto que se encuentra desconectado.

Siga los pasos explicados a continuación:

1. Haga clic en el indicador de estado de conexión que se encuentra junto al nombre de la persona.
2. Haga clic en Enviar mensaje instantáneo.
3. Redacte el mensaje y, a continuación, haga clic en **Enviar**.

Nota: *Se muestra el estado de conexión de todas las personas cuyas direcciones de correo electrónico de mensajería instantánea se hayan agregado a su lista de contactos de mensajería instantánea. También se muestra el estado de conexión de las personas que utilizan el servicio de Mensajería instantánea de Exchange, independientemente de si se encuentran en su lista de contactos.*

5.10. Calendario

El Calendario de Microsoft Outlook es el componente de programación y planificación de agenda de Outlook, y está totalmente integrado con las funciones de correo electrónico, contactos y otras funciones. Permite consultar a la vez un día, una semana o un mes. Con el Calendario puede crear citas y eventos, organizar reuniones, consultar calendarios de grupo, ver calendarios unos al lado de otros, entre otras funciones.

Del mismo modo que escribe en una agenda en papel, puede hacer clic en una sección del Calendario de Outlook, como aparece en la figura 5.19, y empezar a escribir. Los nuevos colores de degradado permiten ver fácilmente la fecha y la hora actuales. La hora actual sólo aparece coloreada en las vistas **Día** y **Semana laboral**. Puede seleccionar un sonido o un mensaje que le recuerde sus citas, reuniones o eventos y colorear los elementos para identificarlos rápidamente.

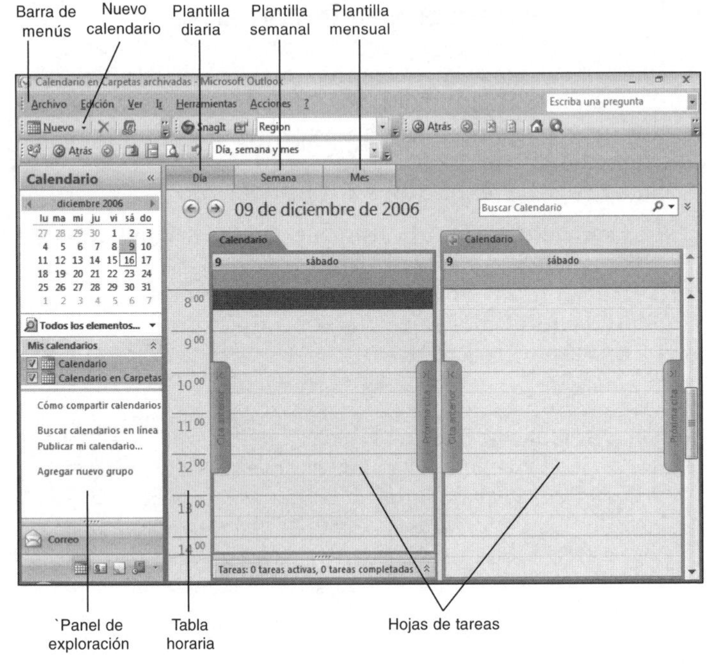

Figura 5.19. Ventana del Calendario.

Seleccione una hora en el Calendario, cree una convocatoria de reunión y seleccione las personas que va a invitar. Outlook le ayudará a encontrar la primera hora en la que todos estén libres. Cuando envíe la convocatoria de reunión por correo electrónico, los invitados la recibirán en la Bandeja de entrada. Cuando abran la convocatoria, pueden aceptarla, aceptarla provisionalmente o rechazarla haciendo clic en un único botón. Si la convocatoria entra en conflicto con algún elemento del calendario de los invitados, Outlook mostrará una notificación. Si usted, como persona que organiza la reunión, lo permite, los invitados pueden proponer una hora de reunión alternativa. Como organizador, puede hacer un seguimiento de quién acepta o rechaza la convocatoria, o quién propone otra hora para la reunión, al abrir la convocatoria.

5.10.1. Citas

Las citas son actividades programadas en el calendario que no implican invitar a otras personas ni reservar recursos.

Puede establecer avisos para las citas. También puede especificar la forma en que otros usuarios ven su calendario, designando el tiempo que ocupa una cita como ocupado, disponible, provisional o fuera de la oficina. Es posible programar citas periódicas. Puede ver las citas por día, semana o mes.

Puede programar una cita en su propio calendario y otros usuarios pueden concederle permiso para programar o realizar cambios en sus calendarios. Las citas también pueden establecerse como privadas.

Para programar una cita:

1. En el menú Archivo de la página inicial, elija Nuevo y, a continuación, haga clic en Cita.
2. En el cuadro Asunto, escriba una descripción como aparece en la figura 5.20.

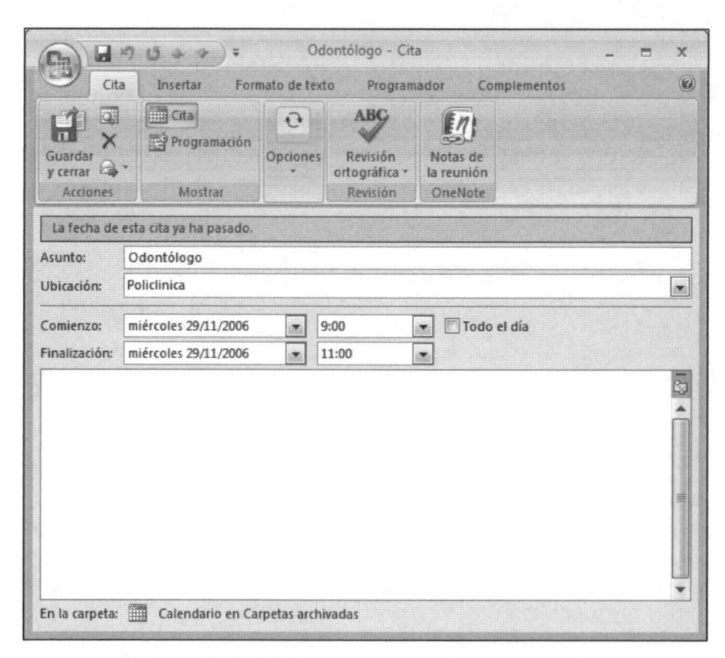

Figura 5.20. Ficha para programar una cita.

3. En el cuadro Ubicación, escriba la ubicación.
4. Escriba las horas de comienzo y finalización.
5. Seleccione las opciones que desee.
6. Para que la cita se repita, haga clic en Periodicidad. Haga clic en la frecuencia (**Diaria**, **Semanal**, **Mensual**, **Anual**) con la que debe repetirse la cita y, a continuación, seleccione las opciones que desee para la frecuencia.
7. Haga clic en **Aceptar**.
8. Haga clic en Guardar y cerrar.
9. Le aparecerá el símbolo de una campana para que Outlook le recuerde sus citas.

> ***Nota:*** *Método abreviado de teclado para crear una cita, presione* ***Control-Mayús-A****.*

> ***Truco:*** *En el* Calendario*, también puede crear una cita; para ello, seleccione una celda o bloque de tiempo, haga clic con el botón secundario del ratón y, a continuación, haga clic en* Nueva cita *o* Nueva cita periódica *en el menú contextual.*

Si desea eliminar una cita desde la ventana inicial, haga un clic sobre el elemento y, luego, haga clic en el comando Eliminar del menú Edición en la Barra de herramientas, y si se encuentra en la ventana de la cita abierta, en el grupo Acciones>Eliminar (Método abreviado de teclado **Control-D**).

> ***Advertencia:*** *Puede hacer una cita privada, haciendo clic en el botón* Privado *situado en la ficha* Cita *en el cuadro* Opciones.

Si desea convertir una cita en una reunión:

1. Abra la cita.
2. Haga clic en Programación y haga clic en botón **Agregar otros**.
3. Seleccione De la Libreta de direcciones (de no estar, vaya a Acciones>Agregar o quitar asistentes).
4. Si no ha programado el uso de un salón, escriba la ubicación en el cuadro Ubicación.
5. Seleccione otras opciones que desee.
6. Haga clic en **Enviar**.

> ***Nota:*** *Si desea abrir una nueva cita desde la ventana de una cita sin guardar ni cerrar, haga clic en el* ***Botón de Office*** *y haga clic en* Nueva cita. *No olvide guardar y cerrar la entrada de cita anterior.*

5.10.2. Reuniones

Para organizar reuniones, seleccione una hora del Calendario, haga doble clic para crear una cita y elija a las personas que va a convocar a la reunión. Como observará en la figura 5.21, se ha activado la ficha Programación y se han escrito los nombres de las personas que van a asistir a la reunión. Outlook le ayudará a encontrar la primera hora en la que todos los invitados estén libres. Cuando el aviso de reunión se envía a los invitados por correo electrónico, todos ellos reciben una convocatoria de reunión en la Bandeja de entrada. Al abrirla, Outlook les notifica si la reunión coincide con un elemento de su Calendario, y pueden aceptar, aceptar provisionalmente o rechazar la reunión haciendo clic en un solo botón. Si, como organizador de la reunión, lo permite, los invitados pueden proponer otra hora para la reunión. Como organizador, puede controlar quién acepta la reunión, quién la rechaza y quién propone otra hora con sólo abrir la reunión.

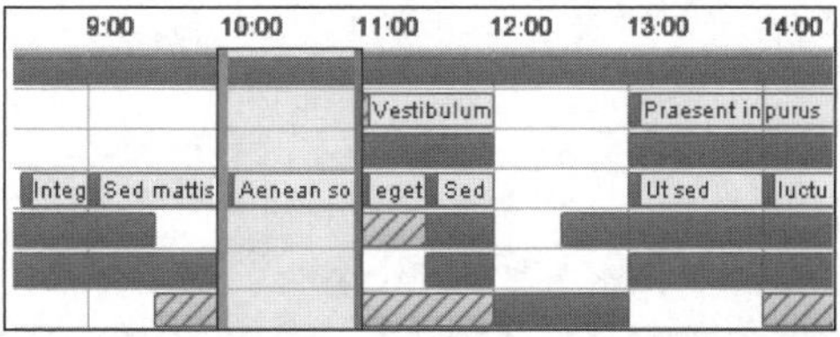

Figura 5.21. Cuadro para organizar una reunión.

Si desea eliminar una reunión, haga un clic sobre el elemento y, luego, haga clic en el botón **Eliminar** de la barra de herramientas.

Para programar una reunión en persona:

1. En el menú Archivo de Calendario, haga clic en Convocar una reunión.
2. haga clic en el modo Programación del grupo Mostrar, y en la lista Todos lo asistentes escriba el nom-

bre o nombres de los asistentes. También puede Agregar otros, si están registrados en la libreta de direcciones, por lo tanto a continuación, haga clic en Agregar de la Libreta de direcciones.

3. Puede establecer el grado de importancia de cada asistente, junto a cada nombre escrito, haga clic en el icono que aparece y le mostará **Necesario**, **Opcional** o **Recursos**.
   Los asistentes **Necesario** y **Opcional** aparecen en el cuadro Para de la ficha Cita, mientras que los **Recursos** aparecen en el cuadro Ubicación. Para obtener detalles acerca de una sala de reuniones, haga clic en la lista **Recursos** y, a continuación, en **Propiedades**. Haga clic en **Aceptar**.
4. Haga clic en una hora en que todos los invitados estén disponibles. Utilice **Autoselecciónar Siguiente** para buscar la siguiente hora libre disponible para todos los invitados.
5. Haga clic en **Crear reunión**.
6. En el cuadro Asunto, escriba una descripción.
7. Si no ha programado el uso de un salón, escriba la ubicación en el cuadro Ubicación.
8. Si desea que la reunión sea periódica, primero haga clic en Periodicidad y, a continuación, seleccione la frecuencia.
9. Seleccione las opciones que desee.
10. Haga clic en **Enviar**.

5.10.3. Eventos

Un evento es una actividad que dura 24 horas o más. Un evento puede ser, por ejemplo, una feria comercial, las olimpiadas, un día no laborable o un seminario. Generalmente, un evento se produce una sola vez y dura uno o varios días, pero un evento anual, como un cumpleaños o un aniversario, tiene lugar todos los años en una fecha específica.

Los eventos y los eventos anuales no ocupan bloques de tiempo en el Calendario, sino que aparecen en títulos como muestra la figura 5.23. Una cita de todo el día muestra la hora como ocupada cuando la ven otros usuarios, mientras que un evento o un evento anual muestra la hora como disponible.

Agregar o eliminar un evento

La forma más rápida para agregar un evento, es haciendo doble clic en la parte superior de la franja horaria, sobre el nombre del día seleccionado.

Le aparecerá un cuadro de diálogo muy similar al de la cita (véase figura 5.22). Para realizar cualquier modificación, haga doble clic sobre el evento y cambie lo que estime oportuno. Una vez rellenadas las opciones que desee, haga clic en Guardar y cerrar.

> ***Nota:*** *Si desea abrir un nuevo evento desde otro evento en la ventana del evento sin guardar ni cerrar, haga clic en el* ***Botón de Office*** *y haga clic en* Nueva entrada de evento. *No olvide guardar y cerrar la entrada anterior.*

Si desea eliminar un evento, haga un clic sobre el elemento y, luego, haga clic en el botón **Eliminar** ✕ de la Barra de herramientas.

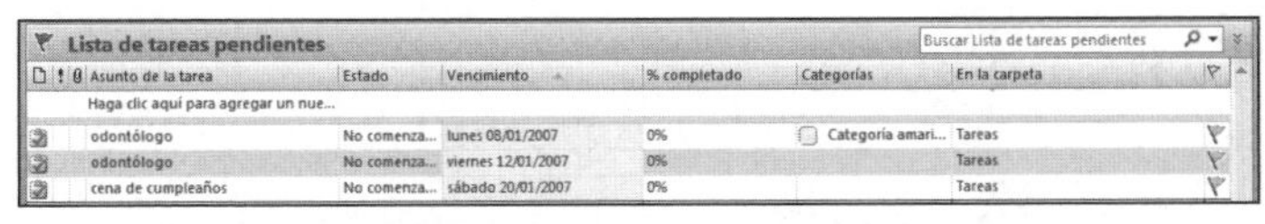

Figura 5.22. Cuadro para crear un evento.

Organizar un evento que dure todo el día

Para organizar un evento que dure todo el día:

1. En el menú Acciones, haga clic en Nuevo Evento Todo el día.
2. En el cuadro Asunto, escriba una descripción.
3. En el cuadro Ubicación, escriba la ubicación.
4. Seleccione las opciones que desee. Para indicar a las personas que vean su calendario que se encuentra fuera de la oficina en lugar de ocupado, en la lista **Mostrar la hora como**, haga clic en Fuera de la oficina. Si el evento dura más de un día, cambie los valores de los cuadros Comienzo y Finalización.
5. Para que el evento se repita, en el menú Acciones, haga clic en Periodicidad, seleccione las opciones que desee y haga clic en **Aceptar**.
6. Haga clic en Guardar y cerrar

5.10.4. Trabajar con varios calendarios

Puede mostrar unos calendarios al lado de otros que haya creado o que comparta con otros usuarios de Outlook. Por ejemplo, si ha creado un calendario diferente para sus citas personales, puede ver el calendario laboral y el calendario personal, uno al lado del otro.

También puede copiar o mover citas entre los calendarios que se muestran. Utilice el Panel de exploración para compartir rápidamente su propio calendario y abrir otros calendarios compartidos. En función de los permisos que conceda el propietario del calendario, puede crear o modificar citas en los calendarios compartidos.

También puede crear calendarios que incluyan las programaciones de un grupo de personas o recursos a la vez. Puede, por ejemplo, consultar las programaciones de todas las personas del departamento o todos los recursos, como las salas de reuniones de su edificio, para poder así programar las reuniones con mayor rapidez.

5.11. Contactos

La carpeta Contactos es la libreta de direcciones de correo electrónico y el lugar donde se archiva la información de las personas y organizaciones con las que desea comunicarse. Utilice la carpeta Contactos para guardar las direcciones de correo electrónico, direcciones de correspondencia, números de teléfono, imágenes y cualquier otra información relacionada con el contacto, por ejemplo, la fecha de cumpleaños o su aniversario.

Al escribir el nombre o la dirección de un contacto, Outlook los separa en partes y coloca cada una en un campo diferente. Puede ordenar, agrupar o filtrar los contactos por cualquier parte del nombre o de la dirección que desee.

Puede archivar la información del contacto por el apellido, el nombre, el nombre de la organización, el sobrenombre o cualquier palabra que le ayude a encontrar el contacto rápidamente, por ejemplo, "proveedor". Outlook ofrece varios nombres con los que archivar el contacto o puede seleccionar uno propio.

Puede escribir tres direcciones por cada contacto. Indique una dirección como dirección de correspondencia y utilícela para etiquetas de correo y sobres, o para crear cartas para combinación de correspondencia.

5.11.1. Crear un contacto

Para crear un contacto nuevo, ubíquese en la ventana principal de Outlook y en el menú Archivo, haga clic en Nuevo y, luego, en Contacto. Le aparecerá el cuadro Contacto, que muestra la figura 5.23. Escriba un nombre para el contacto y toda la información que tenga sobre él, rellenando los cuadros correspondientes. Haga clic en Guardar y cerrar.

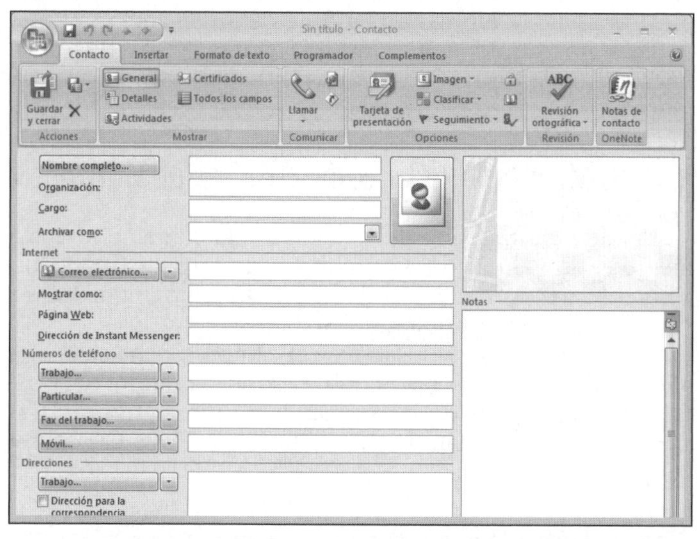

Figura 5.23. Cuadro para crear un contacto.

> ***Truco:*** *Puede crear rápidamente otro contacto con la misma información de organización. En el contacto actual, en el menú* Acciones, *haga clic en* Nuevo contacto de la misma organización. *(Método abreviado de teclado **Control-Mayús-C**.)*

Si desea crear un contacto a partir de un mensaje electrónico que ha recibido: abra el mensaje de correo electrónico que contiene el nombre que desee agregar a la lista de contactos u obtenga una vista previa del mismo.

Haga clic con el botón secundario del ratón en el nombre del remitente que desea convertir en contacto y, a continuación, haga clic en **Agregar a contactos** en el menú contextual.

5.11.2. Buscar un contacto

Haga clic en el botón **Contactos** situado en al parte inferior de la ventana principal de Outlook, escriba el nombre del contacto que desea buscar en el cuadro de búsqueda Contacto para buscar, en el panel central de la ventana.

Puede escribir un nombre parcial, por ejemplo, "Cristina M", el nombre, los apellidos, un alias de correo electrónico, mostrar como nombre o un nombre de organización.

Para abrir rápidamente un contacto que ya ha buscado, haga clic en la flecha Contacto para buscar y seleccione un nombre.

5.11.3. Modificar la información de un contacto

Puede modificar la información de un contacto directamente en la ventana de Outlook con la carpeta Contactos activa, haciendo clic en el campo del contacto que desea corregir y, luego, escribiendo los datos nuevos.

Haga un clic, para desactivar el campo que ha seleccionado. También puede hacer doble clic en el nombre del contacto y le aparecerá el cuadro Contacto (véase figura 5.24) donde podrá rectificar el contenido. Haga clic en Guardar y cerrar.

5.11.4. Establecer un aviso para un contacto

1. Crear o abrir un contacto.
2. En el menú Acciones, haga clic en Seguimiento.
3. Seleccione Agregar Aviso, se mostrará un cuadro de diálogo.
4. Ha de seleccionar los siguientes campos: Seguimiento (relativo al tipo de aviso), Fecha de inicio y fecha de Vencimiento (en ambos campos haga clic en la flecha abajo para mostrar un calendario, haga clic en la fecha deseada), y Hora (escriba la hora a la que desea que se muestre el aviso).
5. Haga clic en **Aceptar**.

5.11.5. Crear una convocatoria de reunión a partir de un contacto

1. En la ventana de Contactos, haga clic en el contacto y, a continuación, en el menú Acciones, haga clic en Nueva convocatoria de reunión para el contacto.
2. En el cuadro Asunto, escriba una descripción.
3. En el cuadro Ubicación, escriba la ubicación.
4. Escriba las horas de comienzo y finalización.
5. Seleccione las opciones que desee.
6. Haga clic en **Enviar**.

5.11.6. Agregar una imagen a un contacto

1. En Contactos, cree o abra un contacto.
2. aparecerá la ficha del contacto, en el cuadro junto a Nombre Completo haga clic en Agregar imagen.
3. Busque la imagen que desee insertar.
4. Haga doble clic en la imagen que desee insertar.

> ***Nota:*** *El tamaño de la imagen se ajusta automáticamente al espacio de la imagen de contacto.*

Si desea quitar o cambiar la imagen de un contacto:

1. En Contactos, abra un contacto.
2. En el menú Acciones, haga clic en **Quitar imagen**.

Si por el contrario, desea cambiar la imagen de un contacto:

1. En Contactos, abra un contacto.
2. En el cuadro donde aparece la imagen, haga clic con el botón derecho del ratón en **Cambiar imagen** o Cambiar la imagen.
3. Si desea cambiar, busque la imagen que desee insertar en el cuadro correspondiente.
4. Haga doble clic en la imagen que desee insertar.

5.12. Tareas

Una tarea es un recado personal o relacionado con el trabajo al cual desea realizar un seguimiento hasta que se realiza. Una tarea puede tener lugar una sola vez o varias (tarea periódica). Una tarea periódica puede repetirse a intervalos regulares o bien puede repetirse según la fecha en la que se marque la tarea como completada. Por ejemplo, es posible que desee enviar un informe de estado a su jefe el último viernes de cada mes o cortarse el pelo transcurrido un mes desde su último corte de pelo.

5.12.1. Crear una tarea

Si desea crear una tarea desde cero, siga estos pasos:

1. En el menú Archivo, elija Nuevo y haga clic en Tarea.
2. En el cuadro Asunto, escriba un nombre de tarea como aparece en la figura 5.24.

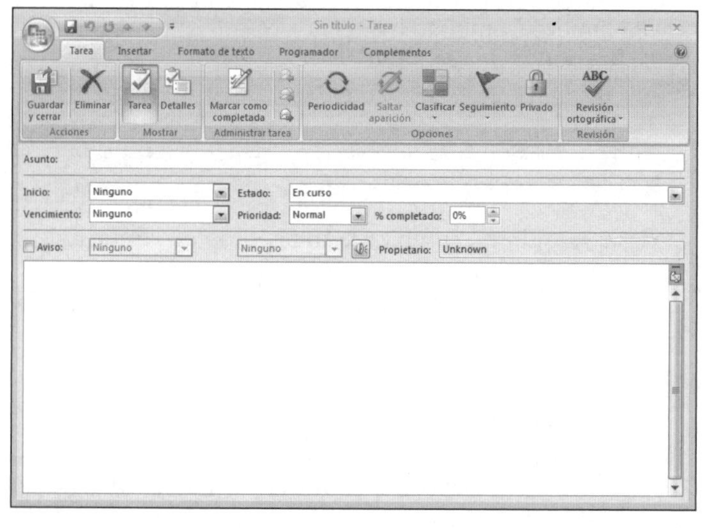

Figura 5.24. Crear una tarea.

3. Rellene otros cuadros de las fichas Tarea y Detalles para obtener la información que desea registrar.

Nota: *Si desea convertir una tarea en privada, abra la tarea que desee que sea visible sólo para usted. Active el botón* ***Privado*** *en la ficha* Tarea *en el cuadro* Opciones *que aparece en la figura 5.25.*

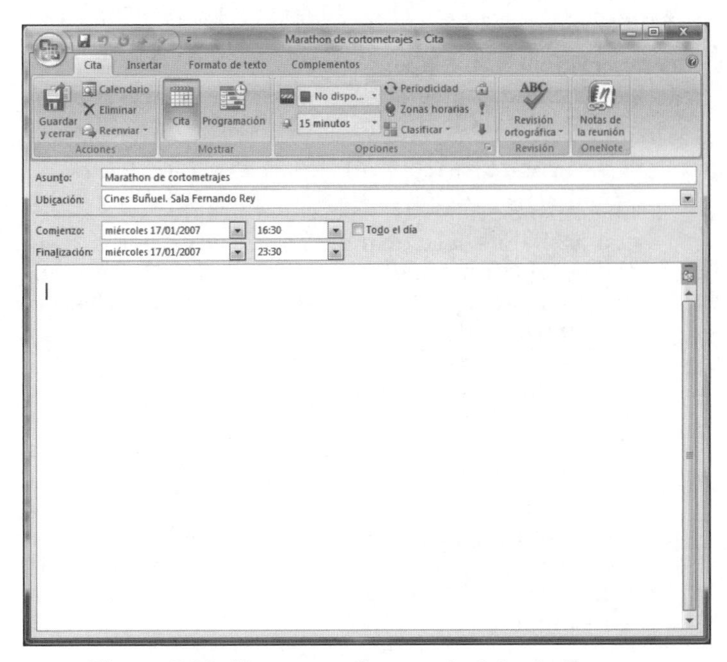

Figura 5.25. Ventana activa con la lista de Tareas.

4. Para hacer que se repita la tarea, haga clic en Periodicidad, haga clic en la frecuencia (Diaria, Semanal, Mensual, Anual) con la que desea que se repita la tarea. Si quiere que la tarea se repita a intervalos regulares, seleccione las opciones para esta frecuencia. No haga clic en Volver a crear una tarea nueva, porque de lo contrario la tarea no se repetirá a intervalos regulares. Si por el contrario, desea que la tarea se repita en función de la fecha en la que se complete, haga clic en Volver a crear una tarea nueva y, a continuación, escriba una frecuencia en el cuadro.

> ***Nota:*** *Si desea crear una nueva tarea desde la ventana de una tarea sin guardar ni cerrar, haga clic en el* ***Botón de Office*** *y haga clic en* Nueva tarea. *No olvide guardar y cerrar la entrada anterior.*

5. Si lo desea, establezca fechas de comienzo y fin para la tarea.

6. Haga clic en **Aceptar** y, a continuación, en **Guardar y cerrar**.
7. A continuación le aparecerá en la lista de Tareas, como muestra la figura 5.25.

Para crear una tarea a partir de una tarea existente:

1. En la lista de tareas, seleccione la tarea que desea copiar. Para seleccionar elementos adyacentes, haga clic en el primer elemento y, a continuación, mantenga presionada la tecla **Mayús** y haga clic en el último elemento.
   Para seleccionar elementos no adyacentes, haga clic en el primer elemento y, a continuación, mantenga presionada la tecla **Control** y haga clic en los demás elementos. Para seleccionar todos los elementos, haga clic en el menú Edición y, a continuación, haga clic en Seleccionar todo .
2. En el menú Edición, haga clic en **Copiar**. Si el comando **Copiar** no está disponible, haga clic en la marca de verificación en la columna Icono de la tarea e inténtelo de nuevo.
3. En el menú Edición, haga clic en **Pegar**.
4. A continuación, si es necesario, abra la tarea y cambie sus opciones.

Nota: *Al cambiar la vista de los elementos, es posible que resulte más fácil seleccionar determinados elementos. Por ejemplo, si desea seleccionar todos los mensajes con el mismo asunto, en la carpeta que contiene los mensajes, elija* Organizar por *en el menú* Ver, *después en* Vista actual *y, a continuación, haga clic en* Asunto. *Seleccione los mensajes que desee en la vista.*

5.12.2. Cambiar una tarea

1. En la lista de tareas, haga clic en el nombre de la tarea que desea cambiar.
2. Escriba un nuevo nombre o lo que desee cambiar y, a continuación, pulse la tecla **Intro**.

Advertencia: *Si se trata de una tarea periódica, las repeticiones ya completadas conservarán el nombre antiguo.*

5.12.3. Establecer o borrar un aviso para una tarea

Para establecer o borrar un aviso para una tarea específica:

1. Abra la tarea para la que desea establecer o borrar un aviso.
2. Active o desactive la casilla de verificación **Aviso** . Si va a establecer un aviso, también puede escribir una fecha y una hora.

> ***Nota:*** *Si establece un aviso pero no indica la hora de aviso, se utilizará la hora de aviso predeterminada. Para establecer la hora de aviso predeterminada, haga clic en* Opciones, *en el menú* Herramientas. *En el cuadro* Hora de aviso, *escriba una hora.*

Si quiere establecer o borrar avisos para todas las tareas nuevas con fecha de vencimiento:

1. En el menú Herramientas, haga clic en Opciones.
2. Haga clic en Opciones de tareas.
3. Active o desactive la casilla de verificación Establecer avisos para las tareas con fecha de vencimiento. En este mismo cuadro de diálogo, también puede marcar mediante una etiqueta de color las tareas vencidas y las tareas completadas.

> ***Advertencia:*** *Si asigna a otra persona una tarea con un aviso, Microsoft Outlook desactiva el aviso de modo que la persona que acepte la tarea pueda establecer un aviso.*

5.12.4. Asignaciones de tareas

Además de crear sus propias tareas, puede crear tareas para asignar a otras personas. Para esto, envíe una solicitud de tarea a alguien. La persona que recibe la solicitud de tarea se convierte en el propietario temporal de la tarea. Puede rechazar o aceptar la tarea, o asignarla a otra persona.

Si rechaza la tarea, ésta volverá a usted. Si la persona acepta la tarea, se convierte en el propietario permanente.

Si asigna la tarea a otra persona, ésta última se convierte en propietaria.

El propietario es el único que puede realizar cambios a la tarea. Cuando un propietario actualiza una tarea, Outlook actualiza todas las copias de ésta, la copia para la persona que envió originalmente la solicitud de la tarea y para los propietarios anteriores de ésta. Cuando el propietario finaliza la tarea, Outlook envía automáticamente un informe de estado a la persona a la cual la asignó, a todos los propietarios anteriores y a cualquier persona que haya solicitado un informe.

Si asigna una tarea a más de una persona simultáneamente, no podrá conservar una copia actualizada de la tarea en su lista de tareas. Para asignar el mismo proyecto a más de una persona y hacer que Outlook le proporcione información actualizada acerca del progreso del trabajo, divida el trabajo en tareas independientes y, a continuación, asigne cada una individualmente. Por ejemplo, para asignar un informe a tres redactores, cree tres tareas denominadas "Escribir informe: Redactor 1", "Escribir informe: Redactor 2" y "Escribir informe: Redactor 3".

Siga estos pasos para asignar una tarea a un usuario:

1. Para crear una tarea nueva, en el menú Archivo elija Nuevo y haga clic en Solicitud de tarea. Para asignar una tarea existente, en la lista de tareas, abra la tarea que desea asignar y haga clic en Asignar tarea.
2. En el cuadro Para, escriba el nombre de la persona a la que desea asignar la tarea. Para seleccionar el nombre en una lista, haga clic en el botón **Para**.
3. Para una tarea nueva, escriba el nombre de la tarea en el cuadro Asunto. En una tarea existente, el cuadro **Asunto** ya tiene contenido.
4. Seleccione la fecha de vencimiento y las opciones de estado que desee.
5. Active o desactive las casillas de verificación Conservar una copia actualizada de esta tarea en la lista de tareas y Deseo recibir un informe de estado al concluir la tarea.
6. Si desea que la tarea se repita, haga clic en el menú Acciones, en Periodicidad, seleccione las opciones que desee y, a continuación, haga clic en **Aceptar**.
7. En el cuerpo de la tarea, escriba las instrucciones o información acerca de la tarea.
8. Haga clic en **Enviar**.

> ***Truco:*** *Si asigna una tarea periódica, en su lista de tareas quedará una copia de la tarea pero no se actualizará. Si activa la casilla de verificación* Enviarme un informe de estado cuando esta tarea esté completada, *recibirá un informe de estado cada vez que se complete una repetición de la tarea.*

5.12.5. Hacer el seguimiento de tareas asignadas

Hay tres formas de hacer el seguimiento de las tareas asignadas a otras personas:

- Conservar automáticamente copias de las tareas asignadas y recibir informes de estado automatizados:
  1. En el menú Herramientas, haga clic en Opciones.
  2. Haga clic en Opciones de Tareas.
  3. Seleccione la casilla de verificación Guardar copias actualizadas de las tareas asignadas en mi lista de tareas.
  4. Seleccione la casilla de verificación Enviar informes de estado cuando se hayan completado las tareas asignadas.
- Ver las tareas que ha asignado a otros usuarios:
  1. Haga clic en Tareas.
  2. En el menú Ver, elija Vista actual y, a continuación, haga clic en Asignación.
- Ver la lista de personas que reciben copias actualizadas de una tarea asignada:
  1. Abra la tarea actualizada cuya lista desea ver.
  2. En la ficha Detalles, vea los nombres del cuadro Lista de actualización.

5.13. Notas

Las notas son el equivalente electrónico de las notas de papel adhesivas. Utilícelas para anotar preguntas, ideas, recordatorios y cualquier cosa que escribiría normalmente en una nota de papel. Puede dejar notas abiertas en la pantalla mientras trabaja. Esto es especialmente útil cuando se utilizan notas para almacenar bits de información que es posible que necesite más adelante, como instrucciones o texto que desee volver a utilizar en otros elementos o documentos.

Para activar la ventana de notas, haga clic en la carpeta Notas situada en el margen inferior izquierda del panel de exploración de Outlook. O bien, en el menú Ir, haga clic en Notas, también con **Control-5**. En ese momento le aparecerá una lista con sus notas como aparece en la figura 5.26. En la figura, las notas están ordenadas por iconos, pero puede elegir varias opciones: lista de notas, últimos siete días, por categorías o por etiquetas de color.

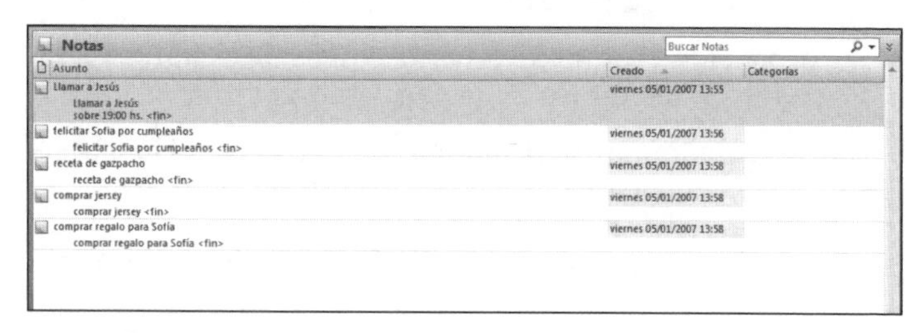

Figura 5.26. Ventana activa con todas las Notas.

5.13.1. Crear una nota

1. En el menú Archivo, elija Nuevo y, a continuación, haga clic en Nota.
2. Escriba el texto de la nota, como muestra la figura 5.27.

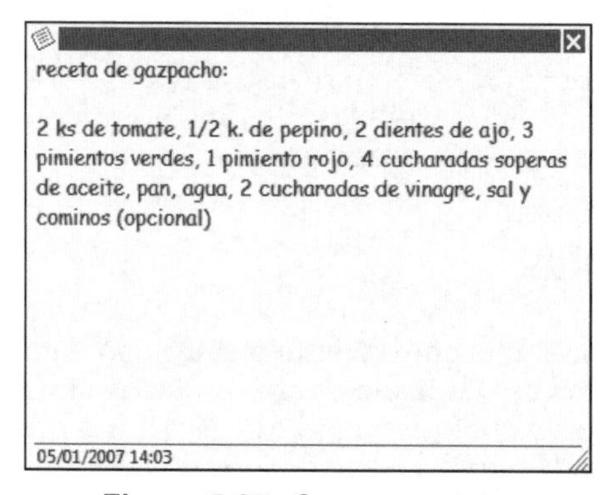

Figura 5.27. Crear una nota.

3. Para cerrar la nota, haga clic en el icono de nota situado en la esquina superior izquierda de la ventana Nota y, a continuación, haga clic en **Cerrar**.

> ***Nota:*** *Puede dejar la nota abierta mientras trabaja. Cuando se cambia una nota, los cambios se guardan automáticamente.*

5.13.2. Cambiar el aspecto de una nota

Si desea cambiar el color, la fuente y el tamaño predeterminados para las notas nuevas que se creen, siga estos pasos:

1. En el menú Herramientas, haga clic en Opciones.
2. Haga clic en la ficha Preferencias y, a continuación, en **Opciones de nota**.
3. Seleccione las opciones que desee.

También puede cambiar el color de la nota actual:

1. En la esquina superior izquierda de la ventana **Nota**, haga clic en el icono **Nota**.
2. Elija **Clasificar** y, a continuación, haga clic en el color que desee.

Si quiere mostrar u ocultar la hora y la fecha en las notas nuevas y existentes:

1. En el menú Herramientas, haga clic en Opciones y, a continuación, haga clic en la ficha Otros.
2. Haga clic en Opciones avanzadas.
3. En Opciones de apariencia, active o desactive la casilla de verificación Al ver Notas, mostrar fecha y hora.

5.14. Diario

El Diario registra automáticamente las acciones que elija relacionadas con los contactos elegidos y coloca las acciones en una vista de escala de tiempo.

Puede utilizar esta vista de tiempo como predeterminada para el Diario. Los elementos incluyen mensajes de correo electrónico, citas, contactos, tareas, entradas del diario, notas, elementos publicados y documentos de Microsoft Office Outlook, como el correo electrónico, u otros documentos de Office, como los archivos de Microsoft Office Word o Microsoft Office Excel, puede mantener un registro de todas las interacciones que desee recordar, incluso de algo que no esté en su PC, como una conversación telefónica o una carta manuscrita que se haya enviado o recibido.

Utilice el Diario para registrar la fecha y la hora de sus interacciones con los contactos o llevar la cuenta de las horas dedicadas a una cuenta particular. Si desea crear una lista de todos los elementos relacionados con un contacto, utilice el seguimiento de actividades para vincular los elementos al contacto.

¿Recuerda el día que trabajó con un archivo, pero no recuerda dónde está? Utilice el Diario para buscar información en función del momento en el que se realizaron las acciones. Por ejemplo, puede buscar rápidamente un documento de Excel con el que trabajó el lunes pasado si establece que los documentos de Microsoft Excel se registren automáticamente en el Diario. Véase figura 5.28.

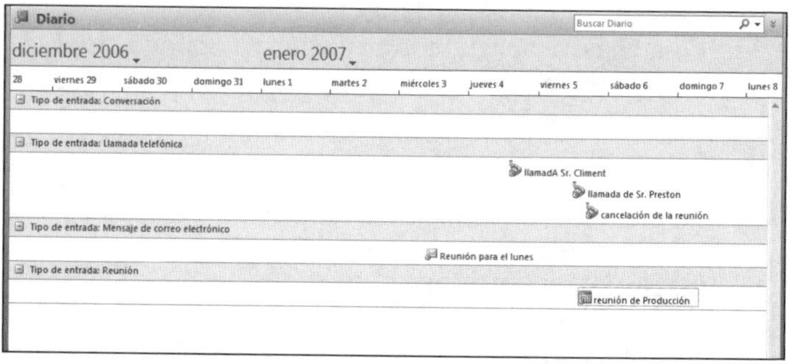

Figura 5.28. Ventana del Diario.

Las entradas del Diario se registran en función de dónde se produce la acción. Por ejemplo, un documento de Word se registra en la escala de tiempo en el momento que se crea o cuando se modifica por última vez. Puede organizar las entradas del Diario en la escala de tiempo por grupos lógicos (por ejemplo, mensajes de correo electrónico, reuniones y llamadas de teléfono) para buscar rápidamente la información, como todas las reuniones a las que asistió la semana pasada o el mes anterior.

Puede abrir una entrada del diario (Elemento de la carpeta Diario que actúa como un acceso directo a una actividad que se ha registrado.

Puede distinguir las entradas del Diario de los demás elementos por el reloj que aparece en la esquina inferior izquierda del icono.) y revisar los detalles acerca de la actividad, o utilizarla como acceso directo para ir directamente al elemento de Outlook o al archivo al que hace referencia la entrada del Diario.

> ***Nota:*** *Puede abrir la ventana del Diario, haciendo un clic en la carpeta* ***Diario*** *, situada en el margen inferior derecho de la ventana de Outlook. O bien, en el menú* Ir, *haga clic en* Diario, *o con* ***Control-8***.

> ***Truco:*** *Para tener acceso rápido al Diario, puede agregar la vista del botón Diario al panel de exploración. En la parte inferior del panel de exploración, haga clic en el botón, haga clic en* ***Agregar o quitar botones*** *y después en* ***Diario***.

5.14.1. Guardar elementos o archivos en el Diario

Para grabar automáticamente elementos y archivos, siga estos pasos:

1. En el menú Herramientas, haga clic en Opciones.
2. En el apartado **Contactos**, haga clic en Opciones del Diario.
3. En el cuadro Grabar automáticamente estos elementos seleccione las casillas de verificación de los elementos que desee que se registren automáticamente en el Diario.
4. En el cuadro Para estos contactos, active las casillas de verificación de los contactos cuyos elementos desea registrar automáticamente.
5. En el cuadro Grabar también archivos de, active las casillas de verificación situadas junto a los programas cuyos archivos desee registrar automáticamente en el **Diario**.
6. Haga clic en **Aceptar**.

Para grabar un elemento de Outlook manualmente:

1. En el menú Archivo, elija Nuevo y, a continuación, haga clic en Entrada del Diario. Véase esto en la figura 5.29.

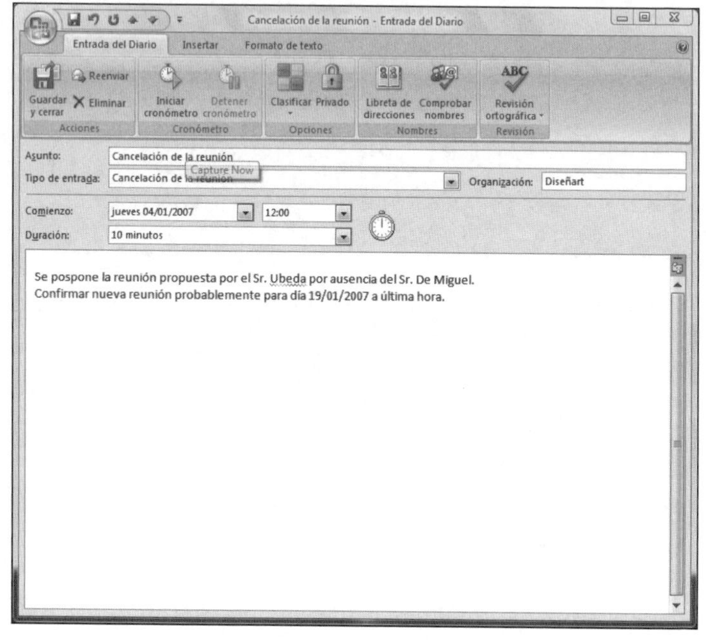

Figura 5.29. Entrada del Diario.

2. En el cuadro Asunto, escriba una descripción.
3. En el cuadro Tipo de entrada, haga clic en el tipo de Entrada del Diario que desee registrar.
4. Seleccione otras opciones que desee.
5. Haga clic en **Guardar y cerrar**.

Si por el contrario, desea grabar manualmente un archivo desde fuera de Outlook, siga estos pasos:

1. Localice el archivo que desee guardar. Puede utilizar Microsoft Outlook, el Explorador de Windows o el escritorio.
2. Arrastre el elemento al **Diario** .
3. Seleccione las opciones que desee de la Entrada del Diario.

5.14.2. Cambiar la hora de inicio y fin que se utiliza para registrar elementos del Diario

1. En el menú Ir, haga clic en Diario.
2. En el menú Ver, elija Organizar por, después Vista actual y, a continuación, haga clic en Personalizar la vista actual.
3. Haga clic en **Campos**.

> ***Nota:*** *Si desea abrir un nueva entrada de diario desde otra entrada sin guardar ni cerrar, haga clic en el* ***Botón de Office*** *y haga clic en* Nueva entrada de diario. *No olvide guardar y cerrar la entrada anterior.*

4. En el cuadro Seleccionar campos disponibles en, haga clic en el conjunto de campos que desee.
5. En el cuadro Campos de fecha y hora disponibles, haga clic en el campo que contiene la hora que desea utilizar para la fecha de comienzo del elemento y, a continuación, haga clic en **Inicio**.
6. En el cuadro Campos de fecha y hora disponibles, haga clic en el campo que contiene la hora que desee utilizar para la fecha de finalización del elemento y, a continuación, haga clic en **Fin**.

> ***Nota:*** *La Vista Escala de tiempo muestra cuándo se creó, guardó, envió, recibió, abrió o modificó cada elemento o documento. El cambio de los campos de hora que se utilizan para mostrar elementos en la escala de tiempo puede cambiar a su vez la ubicación y la duración de los elementos en la escala de tiempo.*

5.14.3. Registrar las entradas del Diario para un contacto

En el cuadro Buscar un contacto de la barra de herramientas Estándar de la ventana de Outlook, escriba el nombre del contacto y pulse la tecla **Intro**. Active la ficha Actividades y en el cuadro Mostrar, haga clic en **Diario**. Le aparecerá la entrada en el diario para el contacto que ha elegido.

5.14.4. Cambiar el aspecto del Diario

Haga clic en el menú Ver, elija Vista actual y, a continuación, haga clic en Personalizar la vista actual.

> ***Nota:*** *Para cambiar la cantidad de tiempo que se muestra en la escala de tiempo, haga clic en* ***Día***, ***Semana*** *o* ***Mes*** *en la vista de escala de tiempo.*

Haga clic en la opción que desee. Si desea cambiar el aspecto de una escala de tiempo, haga clic en **Más opciones**. Haga clic en **Aceptar**.

5.15. Trabajar con los elementos de Outlook

5.15.1. Buscar elementos

Puede buscar elementos que contienen una palabra o frase específica, siguiendo estos pasos:

1. En la barra de herramientas Estándar de la ventana de Outlook, haga clic en Buscar [Buscar en libretas], para que se pueda visualizar Barra de búsqueda, que aparece en la figura 5.30.

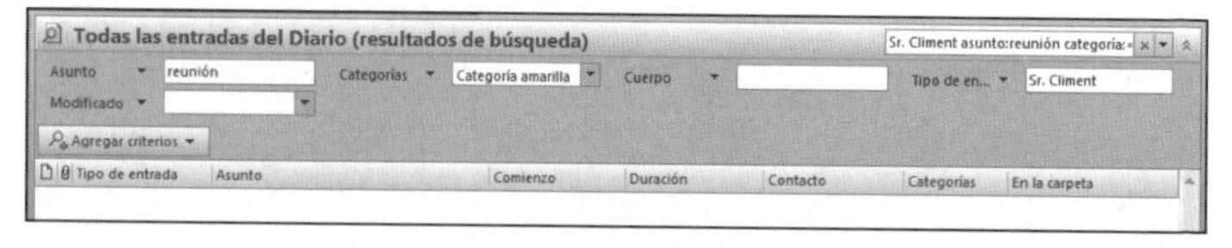

Figura 5.30. Barra de búsqueda.

2. En el cuadro Buscar, escriba el texto que desea encontrar.
3. Especifique las carpetas en las que desea realizar la búsqueda en el cuadro Buscar en.
4. Haga clic en **Buscar ahora**.

> ***Advertencia:*** *En el transcurso de la búsqueda, haga clic en* ***Detener***, *si así lo desea. Si los resultados de la búsqueda no le sirven, haga clic en* ***Borrar***.

También puede buscar artículos o archivos utilizando otros criterios:

1. En el menú Herramientas, haga clic en Búsqueda avanzada.
2. En el cuadro Buscar, haga clic en el tipo de elemento o archivo que quiere buscar.
3. Haga clic en **Examinar**, si en el apartado En, no aparece la carpeta en la que desea buscar o si prefiere buscar en más de una carpeta.
4. Elija otras opciones de búsqueda y, luego, haga clic en **Buscar ahora**.

5.15.2. Ordenar, agrupar y filtrar elementos

Si desea ordenar una lista de mensajes, contactos, notas o archivos:

1. En el menú Ver, elija Vista actual y haga clic en **Definir Vistas**. Seleccione un tipo de vista de tabla.
2. Una vez seleccionada el tipo de vista, en el menú Ver, elija Vista actual, y, luego, haga clic en Personalizar la vista actual.
3. Haga clic en Ordenar.
4. En el cuadro Organizar por, haga clic en un campo que tomará de referencia para seguir el orden. Si el campo que desea no aparece, haga clic en un conjunto de campos en el apartado Seleccionar campos disponibles en.
5. Haga clic en Ascendente o en Descendente para establecer el orden.
6. Haga clic en **Aceptar**.

Un filtro es una forma sencilla de ver sólo los elementos que cumplen unas condiciones que se han especificado. Por ejemplo, puede filtrar todos los elementos que contengan el nombre de Miguel.

1. Active la carpeta a la que desee aplicar un filtro.
2. En el menú Ver, elija Vista actual, y luego, haga clic en **Personalizar la vista actual**.
3. Haga clic en **Filtrar**.
4. En la ficha Entradas, rellene los cuadros Buscar palabras, En y Tipo de entrada.
5. Haga clic en la ficha Opciones adicionales, si desea filtrar utilizando criterios como la categoría o el nivel de importancia.

6. En la ficha Avanzada, podrá realizar el filtrado utilizando criterios personalizados.

> ***Nota:*** *Para quitar un filtro, en el menú* Ver, *elija* Vista actual *y, a continuación, haga clic en* Personalizar la vista actual. *Haga clic en* ***Filtrar*** *y, luego, en la esquina inferior derecha, haga clic en* ***Borrar todo****.*

5.16. Trabajar sin conexión

Office Outlook 2007, dispone de la flexibilidad de hacer que funcione con conexión o sin conexión con el servidor de correo electrónico, ya sea automáticamente o cuando se establezca así manualmente.

Algunas de las tareas de Outlook se pueden realizar sin conexión a Internet, como por ejemplo, escribir mensajes, leer correo electrónico, trabajar con el calendario, agregar tareas, notas etc.

También hay ocasiones en el que el servidor está desconectado para realizar operaciones de mantenimiento o, bien, está viajando y no puede conectarse con su servidor. En cualquier caso, puede cambiar entre trabajar sin conexión y con conexión. Si utiliza cuentas POP3, IMAP o HTTP, como MSN Hotmail, en el menú Archivo, haga clic en Trabajar sin conexión.

Si su cuenta está conectada con Microsoft Exchange, sus mensajes se guardarán en el buzón del servidor. Cuando tenga conexión con el servidor y trabaje con conexión, podrá usar toda la funcionalidad de Outlook, tal como abrir elementos, moverlos entre carpetas y eliminarlos. Sin embargo, cuando trabaje sin conexión perderá el acceso a todos los elementos del servidor.

Es aquí cuando resultan útiles las carpetas sin conexión, que se guardan en un Archivo de carpetas sin conexión (.ost) en el equipo.

Si tiene una cuenta de Microsoft Exchange, debe reiniciar Outlook para cambiar entre trabajar conectado y sin conexión. La forma más rápida de trabajar sin conexión es utilizar la configuración predeterminada de Outlook. Si desea personalizar la configuración, incluido dónde guardar el Archivo de carpetas sin conexión (.ost), utilice las instrucciones de Configuración personalizada.

5.16.1. Configuración rápida para trabajar sin conexión

1. En el menú **Archivo** de Outlook, haga clic en Trabajar sin conexión.
2. Para configurar un Archivo de carpetas sin conexión (.ost), haga clic en **Aceptar**.
   De forma predeterminada, la casilla de verificación Preguntar al inicio para elegir entre trabajar con o sin conexión está activada.
   Si desea que Outlook funcione siempre con conexión cuando haya una conexión disponible, desactive esta casilla de verificación.

> ***Nota:*** *Una vez creado el archivo .ost, cuando salga y reinicie Outlook, debe sincronizar el buzón de Exchange con el archivo .ost. La forma más rápida de hacerlo es la siguiente: en el menú* Herramientas, *elija* Enviar y recibir *y, a continuación, haga clic en* Enviar y recibir todo.

5.17. Imprimir documentos

5.17.1. Configurar la impresora

Para que pueda imprimir documentos es necesario configurar la impresora. Para ello:

1. Haga clic en el menú Inicio de Windows, elija Configuración.
2. Haga clic en Impresoras, como muestra la figura 5.31.
3. Haga doble clic en el icono **Agregar impresora**.
4. Siga las instrucciones del asistente.

5.17.2. Establecer una impresora como predeterminada

Para establecer una impresora como predeterminada:

1. Haga clic en el boton **Iniciar** de **Windows Vista** (menú Inicio en resto de sistemas de Windows), elija **Panel de control** (o Configuración).
2. Haga clic en Impresoras.

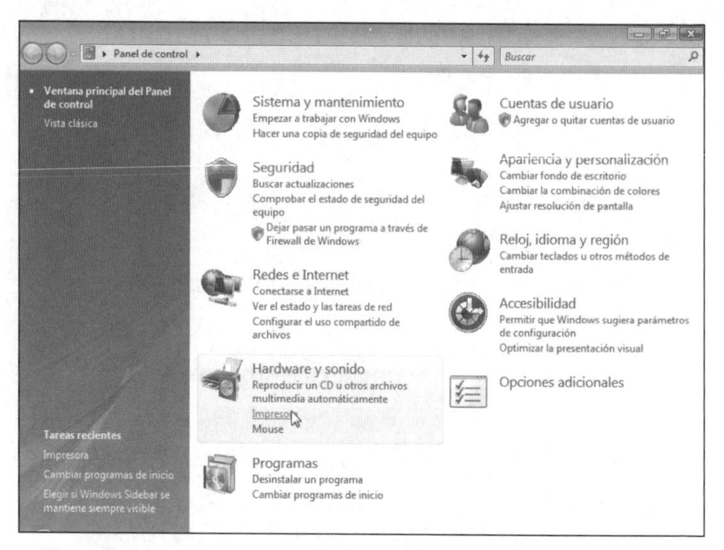

Figura 5.31. Primeros pasos para configurar la impresora.

3. Con el botón derecho del ratón, haga clic en el icono de la impresora que desee utilizar como predeterminada.
4. Aparecerá un menú, haga clic en Fijar como predeterminada.
5. Si hay una marca de verificación junto al icono **Impresora**, ya está configurada como predeterminada.

5.17.3. Imprimir uno o varios mensajes de correo electrónico

Para imprimir un mensaje de correo electrónico, haga doble clic en el nombre del mensaje de correo para abrirlo. A continuación, en el menú Archivo, haga clic en **Imprimir**. Le aparecerá un cuadro donde deberá de seleccionar las distintas opciones como Intervalo de impresión, número de páginas, de copias, etc. Haga clic en **Imprimir**. Si desea imprimir varios mensajes de correo electrónico:

1. Seleccione los mensajes que desea imprimir.

   - Para seleccionar elementos adyacentes, haga clic en el primer elemento y, a continuación, mantenga presionada la tecla **Mayús** y haga clic en el último elemento.

- Para seleccionar elementos no adyacentes, haga clic en el primer elemento y, a continuación, mantenga presionada la tecla **Control** y haga clic en los demás elementos.
- Para seleccionar todos los elementos, haga clic en el menú Edición y, a continuación, haga clic en Seleccionar todo.

2. En el menú Archivo, haga clic en **Imprimir**.
3. Seleccione las distintas opciones como Intervalo de impresión, número de páginas, de copias, etc.
4. Para imprimir los datos adjuntos, seleccione la casilla de verificación Imprimir archivos adjuntos.
5. Haga clic en **Imprimir**.

Nota: *Al cambiar la vista de los elementos, puede que resulte más fácil seleccionar determinados elementos. Por ejemplo, si desea seleccionar todos los mensajes con el mismo asunto, en la carpeta que contiene los mensajes, en el menú* Ver, *elija* Organizar por *y, a continuación, haga clic en* Conversación. *Seleccione los mensajes que desee en la vista.*

Advertencia: *Los archivos adjuntos sólo se imprimen en la impresora predeterminada. Por ejemplo, si la impresora A está establecida como predeterminada y abre un mensaje con datos adjuntos y elige imprimir el correo electrónico en la impresora B, el mensaje se enviará a la impresora B y los datos adjuntos a la impresora A.*

5.17.4. Imprimir un calendario

Outlook automáticamente detecta si lo que deseamos imprimir es un mensaje de correo, una entrada de contacto, tarea, cita o calendario. En la Vista previa, que podemos encontrar en la lista desplegable al hacer clic en el **Botón de Office**, nos lo confirma, en cualquier caso, para imprimir los calendarios, dado su formato personalizado, y que son tan amplios en extensión como se desee, (al igual que con los libros de Excel) tienen unas características específicas para conseguir la correcta impresión que se desea.

Para imprimir un calendario con todas sus citas:

1. En el menú Archivo del calendario, haga clic en **Imprimir** y, a continuación, en el cuadro Configurar Página, haga clic en el estilo de impresión que desee, como muestra la figura 5.33. Para imprimir los detalles de las citas y reuniones, en el cuadro Estilo de impresión, haga clic en **Estilo de detalles de calendario**.

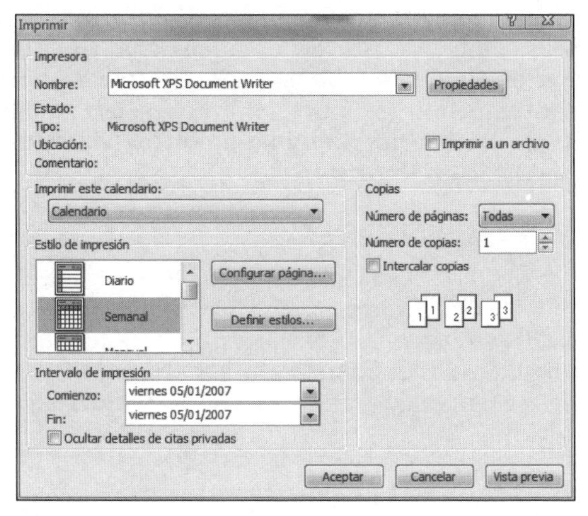

Figura 5.32. Imprimir un calendario.

2. En las listas Comienzo y Fin, escriba el primer y el último día que desee imprimir.
3. Para establecer otras opciones de impresión, como la orientación del papel o las fuentes, haga clic en **Configurar página** y seleccione las opciones que desee.
4. Haga clic en **Aceptar**.

> ***Nota:*** *Para imprimir los detalles de las citas privadas, borre la casilla de verificación* Ocultar detalles de citas privadas. *Para imprimir días no consecutivos, cambie a la vista **Semana** o **Mes**, seleccione los días que desea imprimir y, en el menú* Archivo, *haga clic en **Imprimir**.*

Si desea imprimir un calendario en blanco:

1. En el menú Archivo, elija Nuevo y, a continuación, haga clic en Carpeta.
2. Escriba el nombre de la carpeta.
3. En la lista Contenido de la carpeta, haga clic en **Todos los del Elementos de Calendario**.
4. En la lista Seleccionar ubicación de la carpeta, haga clic en **Calendario** y, a continuación, en **Aceptar**.
5. En el menú Ir, haga clic en Carpetas.
6. En la Carpetas, haga clic en la nueva carpeta o archivo creados.
7. En el menú Archivo, elija Configurar página y haga clic en el estilo de impresión que desee.
8. Seleccione las opciones de estilo de impresión que desee y haga clic en **Imprimir**.

5.17.5. Imprimir una libreta de direcciones

Puede imprimir nombres y direcciones para la correspondencia, de la siguiente forma:

1. Haga clic en **Contactos**.
2. En el menú Ver, elija Organizar por, Vista actual y, a continuación, haga clic en Tarjetas de visita.
3. Agregue o quite los campos que desee en la libreta de direcciones, para ello:
   - En el menú Ver, elija Organizar por, escoja la categoría Vista actual y, a continuación, haga clic en Personalizar la vista actual.
   - Haga clic en **Campos**.
   - Agregar o quitar campos. Los campos que se indican en el cuadro Seleccionar campos disponibles por este orden son los que se imprimirán.
   - Haga clic en **Aceptar**
4. En el menú Archivo, haga clic en **Imprimir**.
5. En el cuadro Estilo de impresión, haga clic en **Tabla**, **Memorando**, **Tarjeta de visita**, **Folleto pequeño** o **Folleto mediano**.

Para imprimir nombres y direcciones de correo electrónico:

1. Haga clic en **Contactos**.
2. En el menú Ver, elija Organizar por, Vista actual y, a continuación, haga clic en Lista de teléfonos.

3. Agregue o quite los campos que desee en la lista de correo electrónico. Para ello:
   - En el menú Ver, elija Organizar por, Vista actual y, a continuación, haga clic en Personalizar la vista actual.
   - Haga clic en **Campos**.
   - Agregar o quitar campos. Los campos que se indican en el cuadro cuadro Seleccionar campos disponibles por este orden son los que se imprimirán.
4. En el menú Archivo, haga clic en **Imprimir**.

5.17.6. Imprimir contactos

1. En el menú Archivo, haga clic en **Imprimir**.
2. En el cuadro Estilo de impresión, haga clic en el estilo de impresión que desee (tarjeta de visita, folleto pequeño, etc.) como muestra la figura 5.33.
3. Elija el resto de opciones que desee.
4. Haga clic en **Aceptar**.

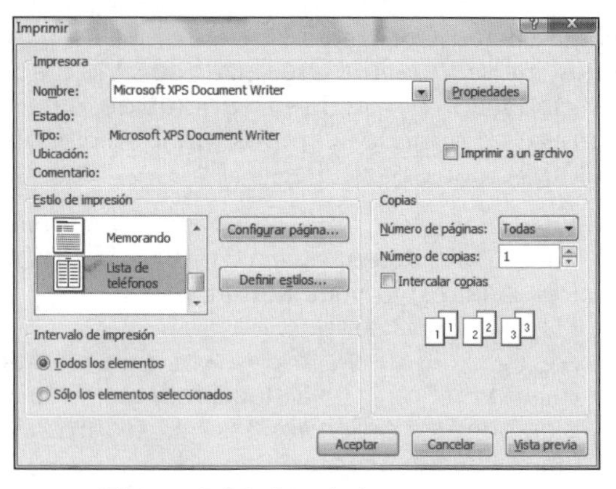

Figura 5.33. Imprimir contactos.

Si desea imprimir un subconjunto de los contactos:

1. En el menú Ver, elija Organizar por, después Vista actual y, a continuación, haga clic en Personalizar la vista actual.
2. Haga clic en **Filtrar** y utilice las opciones para ver únicamente los contactos que desea imprimir que le ofrece el cuado de diálogo que mostrará a continuación.

6 Access

6.1. Introducción

Access 2007 es la última versión del programa de administración de bases de datos de Microsoft Office. Una base de datos es la colección organizada y filtrada de datos y objetos, como tablas, consultas o formularios, relacionados con un tema o propósito concreto. A lo largo de este capítulo se explicará cómo se crea y amplía una base datos, tendrá todos los pasos para diseñar tablas, consultas, formularios e informes. También podrá crear macros y módulos y utilizar Access en Internet. Esta versión ofrece mejoras en cuanto a la facilidad de uso y la ampliación de la capacidad de importar, exportar y trabajar con archivos de datos XML. El trabajo con Access 2007 resulta más fácil, ya que se identifican y señalan los errores comunes, y se muestran después opciones para corregirlos.

Esta nueva versión dispone de una interfaz mejorada y funciones de diseño interactivas que permiten realizar un seguimiento y generar fácilmente informes con los datos. Office Access 2007 no requiere conocimientos profundos sobre bases de datos y permite empezar fácilmente con asistentes y aplicaciones predefinidas, modificarlas y adaptarlas a las necesidades cambiantes del proyecto. Es posible recopilar la información en formularios por correo electrónico o bien importarla desde aplicaciones externas. La capacidad de compartir información con las listas de la tecnología Microsoft Windows SharePoint Services permite realizar auditorias y copias de seguridad periódicamente manteniendo Office Access 2007 como interfaz de usuario.

Las novedades y mejoras respecto a la versión 2003 del programa se pueden resumir en:

- Mejoras en la creación y edición de tablas, formularios e informes.
- Nuevas funciones de diseño.
- Funcionalidad sencilla para copiar y pegar tablas de Microsoft Office Excel 2007, especialmente útil para directores de proyecto que, a menudo realizan un seguimiento de los proyectos en hojas de cálculo y necesitan informes de progreso con distintas vistas.
- Nuevas funciones de colaboración para recopilar datos y compartirlos con compañeros de equipo.

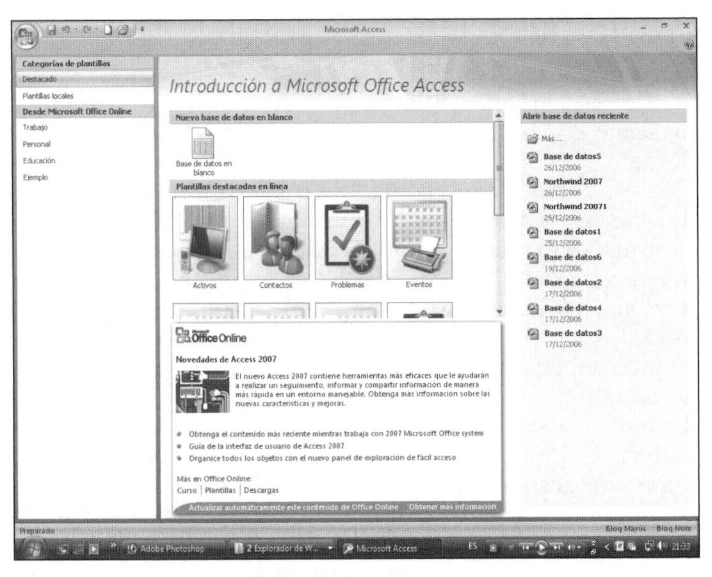

Figura 6.1. Ventana Introducción de Access.

Cuando se inicia Office Access 2007 mediante el **Botón de Windows Vista** (menú Inicio en resto de sistemas de Windows), o un acceso directo de escritorio (pero no abriendo una base de datos creada), aparece la página de Introducción a Microsoft Office Access mostrada en la figura 6.2. Esta página muestra lo que se puede hacer para comenzar a trabajar en Office Access 2007.

En este primer paso, Access nos mostrará una introducción de las funciones y tareas que puede llevar a cabo.

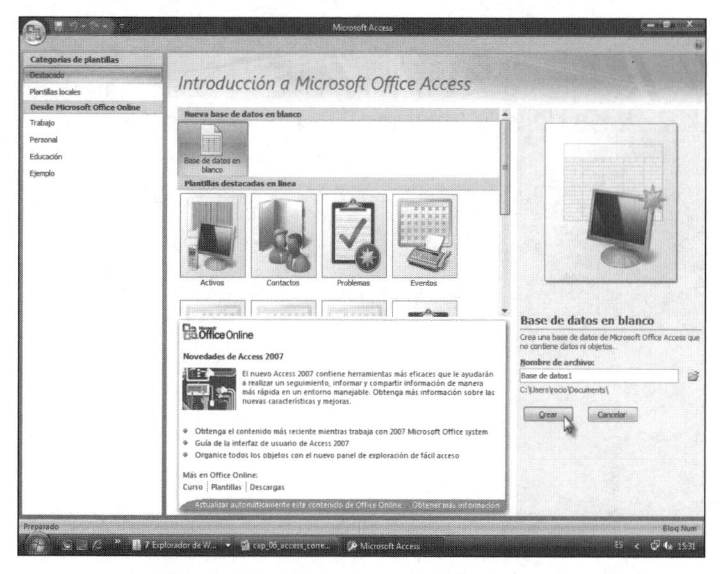

Figura 6.2. Ventana Inicial de Access.

Por ejemplo, se puede crear una base de datos en blanco, crear una base de datos a partir de una plantilla o abrir una base de datos reciente (si se ha abierto alguna base de datos anteriormente). Si dispone de conexión a Internet, también puede ir directamente a Microsoft Office Online para obtener más información sobre 2007 Microsoft Office System y Office Access, descargar plantillas, etc.

Abrir una base de datos existente mediante el botón de Office Access

1. Inicie Access.
2. Haga clic en el **Botón de Office** , y haga clic en la base de datos que desee abrir, si aparece en el panel derecho del menú o bien, haga clic en el **Botón de Office** y, a continuación, haga clic en **Abrir** y cuando aparezca el cuadro de diálogo **Abrir**, escriba un nombre de archivo o busque la carpeta de ubicación y a continuación, haga clic en **Abrir**.

Crear una nueva base de datos

1. Haga clic en el **Botón de Office** y, a continuación, haga clic en **Nuevo**.

2. En la **Cinta de opciones**, haga clic en la ficha **Crear**.
3. En el **Panel de exploración**, aparecerá la tabla recién creada, haga clic en ella. La tabla se abre en modo **Vista Hoja de datos**. Véase la figura 6.3.

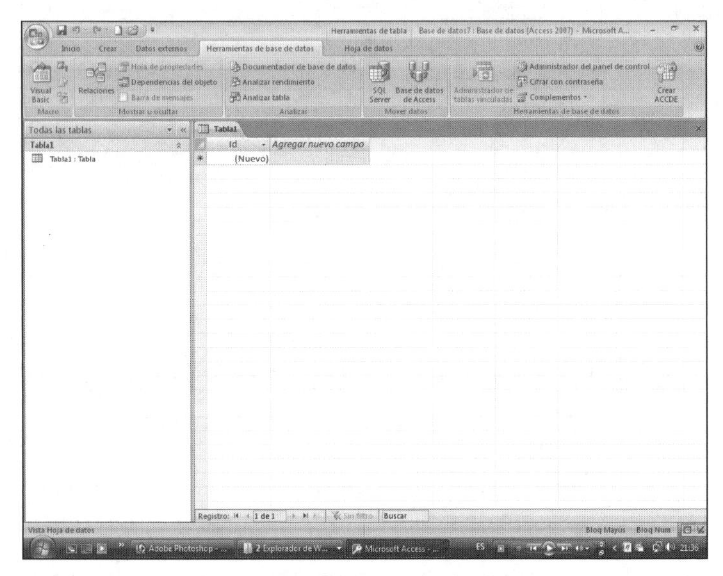

Figura 6.3. Crear base de datos.

> ***Nota:*** *No se puede utilizar el* Asistente para bases de datos *para agregar tablas, formularios o informes nuevos a una base de datos existente. Pero si lo desea, podrá crear una base de datos sin usar un Asistente. Puede crear una base de datos en blanco y, posteriormente, agregar las tablas, formularios, informes y demás objetos que desee. Éste es el método más flexible, pero requiere definir por separado cada elemento de la base de datos.*

6.2. La ventana de Access

La ventana inicial de Access aparece automáticamente al arrancar el programa, en esta ventana inicial de Access aparecerán todos los elementos que aparecen indicados en la figura 6.4.

- **Barra de título:** Aparece el nombre de la aplicación que se ha abierto: Microsoft Access. Inicialmente se muestra la Barra de herramientas de acceso rápido con los botones de funciones básicas.

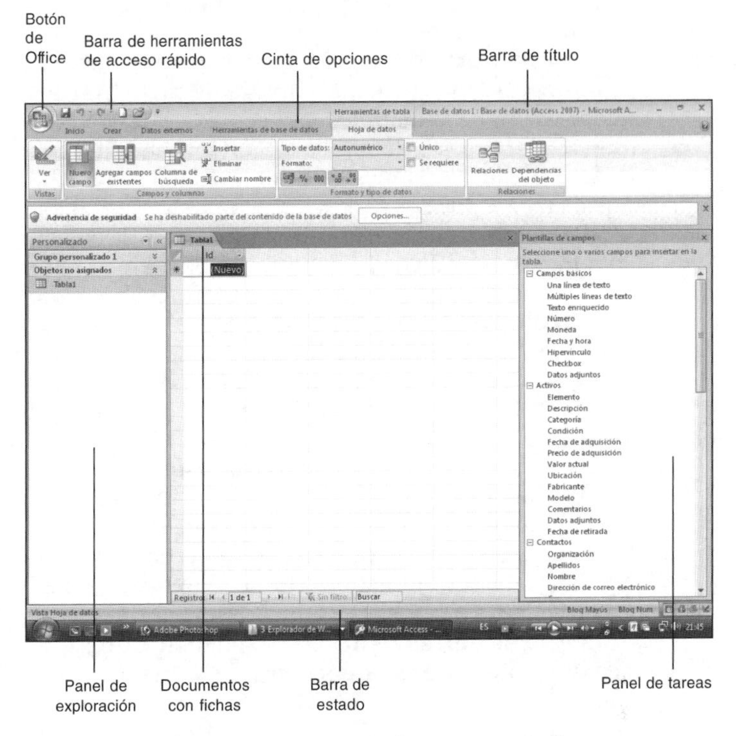

Figura 6.4. Elementos de la ventana de Access.

- **La Cinta de opciones:** Es el área situada en la parte superior de la ventana del programa donde se pueden elegir los comandos. Reemplaza a la Barra de Herramientas de anteriores versiones de Access.
- **Ficha de comandos contextual:** Es una ficha de comandos que aparece según el contexto, es decir, según el objeto con el que se trabaje o la tarea que se esté llevando a cabo.
- **Galería:** Es un control que muestra visualmente una opción de modo en que se ven los resultados que se van a obtener.
- **Barra de herramientas de acceso rápido:** Es una sola barra de herramientas estándar que aparece en

la cinta de opciones y permite obtener acceso con un solo clic a los comandos más usados, como **Guardar** y **Deshacer**.
Como en el resto de programas de Office 2007, es posible configurarla en cada hoja o tabla según las necesidades del usuario.

- **Panel de exploración:** Es el área situada a la izquierda de la ventana principal, donde se muestran los objetos de la base de datos y el centro operativo del archivo de Access. Reemplaza a la ventana de Base de datos de las versiones anteriores de Access. Por lo tanto, en ella podrá crear y utilizar cualquier objeto de la base de datos o proyecto de Access.
- **Documentos con fichas:** Los formularios, tablas, consultas, informes, páginas y macros se muestran como documentos con fichas. Es el área de trabajo propiamente dicha de la base de datos.
- **Panel de tareas:** Se establece el número de registros, las tablas, las barras para desplazarse entre ellos y el cuadro de búsqueda.
  Puntualmente, solamente cuando se esté trabajando con los elementos y objetos pertinentes, se mostrarán paneles contextuales y se ubicarán en el Panel de Tareas, en la parte derecha de la ventana principal, éstos son: el Panel de Lista de Campos y el Panel de Hoja de propiedades.
- **Minibarra de herramientas:** Es un elemento que aparece de manera transparente encima del texto seleccionado para que se pueda aplicar fácilmente formato al texto.
- **Barra de estado:** Ofrece información sobre el documento.

6.2.1. La Cinta de opciones

Access 2007 como Excel, Outlook, PowerPoint y Word 2007, dispone del dispositivo Cinta de opciones en la interfaz de su ventana principal como novedad más aparente y resolutiva.

Ya hemos explicado con detalle la funcionalidad y excelencias de esta Cinta común a los programas más relevantes de Office 2007. A continuación detallaremos el contenido de la Cinta de opciones y sus fichas correspondientes en Access (véase la figura 6.5).

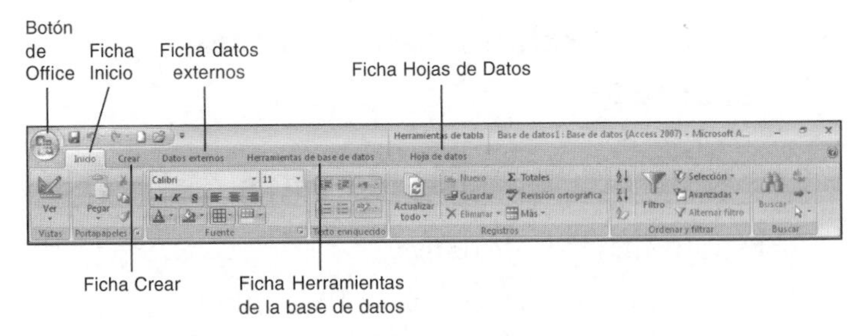

Figura 6.5. La Cinta de opciones de Access.

- La ficha Inicio consta de varios grupos o paneles de comandos y botones básicos para la creación de una base de datos, como el Portapapeles para **Cortar**, **Copiar** y **Pegar**; el grupo Fuente, Texto enriquecido, para dar formato al texto; Registros, para actualizar y guardar los cambios en las fichas registradas; Filtro, para acotar las búsquedas de datos, y por último Buscar.
- La ficha Crear está destinada principalmente a la estructura y funciones añadidas de una base de datos, esta dividida en cuatro grupos de tareas: Tablas, Formularios, Informes, y Otros, para ejecutar macros.
- La ficha Datos externos sirve para exportar elementos y funciones de otras aplicaciones de Office y relacionarlas con las bases de datos que se vayan a crear. Está dividida en cuatro grandes grupos: Importar (de otras aplicaciones), Exportar (Listas y archivos), Recopilar Datos, y Listas de SharePoint (para compartir datos Online).
- La ficha Herramientas de Base de Datos son funciones complejas que atañen al núcleo estructural de la base de datos propiamente dicha. Consta de los grupos Macro, Mostrar u ocultar, Analizar, Mover Datos, y Herramientas de base de datos.
- La ficha **Hoja de datos** sirve para añadir y visualizar los distintos elementos de una base de datos agrupados en los paneles Vistas, Campos y columnas, Formato y tipos de datos y Relaciones.

Además, pueden añadirse otras fichas contextuales según se van introduciendo y utilizando elementos, como Herramientas de consultas, Herramientas de Controles, Diseño y Complementos.

6.3. Tareas básicas para manejar archivos

6.3.1. Abrir y cerrar bases de datos

Para abrir una base de datos:

1. En el **Botón de Office**, haga clic en Abrir.
2. Haga clic en un acceso directo en la parte izquierda del cuadro de diálogo Abrir o en el cuadro Buscar en y haga clic en la unidad o carpeta que contenga la base de datos que desee. Haga doble clic sobre las carpetas que quiere abrir.
3. Una vez localizada la base de datos, selecciónela y haga clic en **Abrir**.

Para cerrar una base de datos haga clic en el botón **Cerrar** del objeto, es decir, de la tabla, consulta, formulario, informe, etc. que contiene la base de datos. Si quiere cerrar y no ha guardado la base de datos, aparecerá un cuadro de diálogo preguntando si desea guardar el objeto antes de cerrarlo. Si desea cerrar la aplicación Microsoft Access, en el **Botón de Office**, haga clic en **Salir**.

6.3.2. Buscar archivos

Si no recuerda dónde ha guardado el archivo, podrá buscarlo desde el cuadro de diálogo **Abrir**:

1. En el **Botón de Office** haga clic en **Abrir**.
2. A continuación, haga clic en **Buscar**.
3. En el cuadro de diálogo Buscar, haga clic en la ficha Básica y en el cuadro Buscar texto escriba el nombre del archivo que desea encontrar.
4. Para limitar las ubicaciones en las que realizar la búsqueda, en el cuadro Buscar en, seleccione una o varias unidades, carpetas, sitios Web o buzones de Outlook.
5. Para buscar en todas las partes, seleccione **En cualquier sitio**.
6. Para especificar una ubicación única, escríbala directamente en el cuadro Buscar en.
7. Para limitar los tipos de resultados de una búsqueda, en el cuadro Resultados posibles, seleccione los

tipos de elementos que desea buscar. Para buscar todos los tipos de archivos, seleccione Cualquier cosa.

8. Haga clic en **Buscar**.

Si prefiere realizar una búsqueda avanzada de un archivo, en función de una o varias propiedades, siga los pasos que se han desarrollado anteriormente, en el apartado de búsqueda básica, exceptuando el tercer paso. En su lugar, haga clic en la ficha Avanzada e introduzca uno o varios criterios de búsqueda.

> ***Truco:*** *También puede buscar archivos haciendo clic en* Buscar, *en el* ***Botón de Office****, o bien, en el panel de tareas* Buscar.

6.4. Elementos de una base de datos en Access

6.4.1. Tablas

Una tabla contiene datos específicos sobre un tema en concreto, como "empleados" o "productos". Cada registro de una tabla contiene información sobre un elemento, como un determinado empleado. Un registro se compone de campos, como un nombre, una dirección y un número de teléfono. Los registros se suelen denominar también filas y los campos, columnas. Las tablas organizarán los datos en columnas (denominados campos) y filas (denominadas registros). Como muestra la figura 6.6 cada campo de una tabla Empleados, contiene el mismo tipo de información, es decir, su nombre.

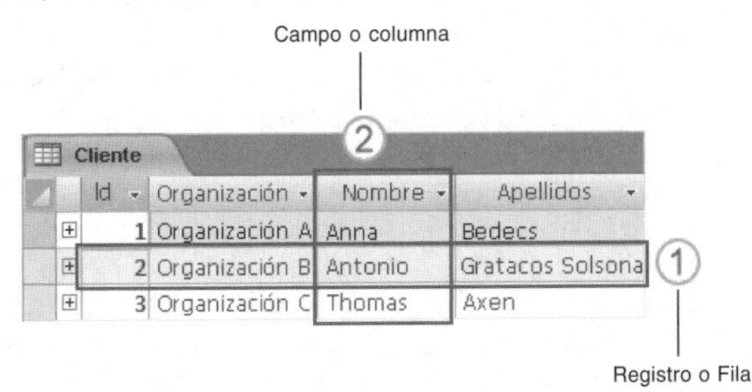

Figura 6.6. Ejemplo de una tabla sencilla.

En cada uno de los registros de esta tabla aparecen datos como, por ejemplo: nombre, apellidos, cargo, teléfono, etc. Una base de datos puede contener muchas tablas, cada una de ellas con información sobre un tema diferente. Cada tabla, a su vez, puede contener muchos campos de diferentes tipos, como texto, números, fechas e imágenes.

6.4.2. Consultas

Una consulta es un conjunto de instrucciones que se pueden usar para trabajar con datos. Se ejecuta para que se lleven a cabo estas instrucciones. Además de devolver resultados que se pueden almacenar, agrupar o filtrar, una consulta también puede crear, copiar, eliminar o cambiar datos.

6.4.3. Formularios

Un formulario es un objeto de base de datos que se puede usar para escribir, modificar o mostrar los datos de una tabla o consulta. Los formularios se pueden usar para controlar el acceso a los datos, como qué campos o filas de datos se van a mostrar.

El origen de los registros de un formulario hacen referencia a los campos de las tablas y consultas que ha seleccionado, aunque no es necesario que tenga todos los campos de cada una de las tablas o consultas en las que está basado. Si un formulario es visualmente atractivo, resultará más agradable y más eficaz trabajar con una base de datos, además de ayudar a evitar que se introduzcan datos incorrectos.

Microsoft Office Access 2007 incluye nuevas herramientas que ayudan a crear formularios con rapidez, así como nuevos tipos de formulario y nuevas características que mejoran el uso de las bases de datos.

6.4.4. Informes

Un informe es un método muy eficaz de presentar los datos en formato impreso. Puede controlar el tamaño y aspecto de todos los elementos de un informe y mostrar la información la manera que elija.

La mayoría de los informes están enlazados a una o más tablas y consultas de la base de datos. El origen de los registros de un informe, hace referencia a los campos de las tablas y consultas base que quiera. Por ejemplo, debe comenzar por pensar en el origen de los registros del informe. Aunque el informe sea un listado sencillo de registros o un resumen agrupado de las ventas realizadas por zona comercial, primero debe determinar qué campos contienen los datos que desea ver en el registro y en qué tablas o consultas residen.

Después de elegir el origen de los registros, normalmente le parecerá más sencillo crear el informe utilizando un asistente para informes. El Asistente para informes es una característica de Access que le guía por una serie de preguntas y, a continuación, genera un informe tomando como base las respuestas proporcionadas.

6.4.5. Páginas Web

Con Access 2007 podrá crear distintos tipos de páginas Web. Para manejar directamente los contenidos de la base de datos, utilice una página de acceso a datos; pero si prefiere ver datos actualizados sólo de lectura, considere el uso de archivos ASP, o IDC/HTX (recupera datos y les da formato de un documento HTML); y si desea ver una instantánea de los datos, utilice un formato de archivo HTML estático.

Puede utilizar las páginas de acceso a datos para ver, modificar, actualizar, eliminar, filtrar, agrupar y ordenar los contenidos activos de una base de datos de Access. Para que las páginas estén disponibles en la *Word Wide Web*, debe publicarlas en carpetas Web o en un servidor Web. Internet Explorer descargará la página una sola vez desde el servidor Web para permitirle que la página se vea y se pueda interactuar con los datos de la misma.

Cuando se crea una página de acceso a datos, Access administra los archivos relacionados y planea los vínculos e hipervínculos de manera que aparezcan las imágenes y funcionen los vínculos al colocar las páginas en el servidor Web final. Podrá crear archivos HTML estáticos a partir de tablas, consultas, formularios e informes. En un explorador Web, los informes se mostrarán en un formato de informe. Las tablas, consultas y formularios se muestran en un formato de hoja de datos.

6.5. Tablas

6.5.1. Crear una tabla en una nueva base de datos

Microsoft Access actualizará el Panel de exploración cuando se abra una base de datos o un proyecto de Access. Por lo tanto, una vez que se ha abierto la base de datos, si quiere crear una tabla con el asistente, pulse la tecla **F11** para tener activo el Panel de exploración.

1. Haga clic en el **Botón de Office** y, a continuación, haga clic en **Nuevo** .
2. En el cuadro Nombre de archivo, escriba el nombre del archivo. Para cambiar la ubicación, haga clic en el icono de carpeta para buscar la ubicación.
3. Haga clic en la ficha Crear, en la Cinta de opciones.

Se abre la nueva base de datos, se crea una nueva tabla denominada Tabla1 y se abre en la vista Hoja de datos .

Crear una tabla en una base de datos existente

1. Haga clic en el **Botón de Office** y, a continuación, haga clic en **Abrir** .
2. En el cuadro de diálogo Abrir, seleccione y abra la base de datos.
3. En la ficha Crear, en el grupo Tablas, haga clic en Tabla Tabla .
   Se inserta una nueva tabla en la base de datos y la tabla se abre en la vista Hoja de datos.

Crear una tabla a partir de una plantilla de tabla

Para crear una Tabla, Contactos, Tareas, Problemas, Eventos o Activos, tal vez desee partir de una de las plantillas de tablas para estos temas que se incluyen en Office Access 2007.

Las plantillas de tablas se diseñaron para que fueran compatibles con las listas de Microsoft Windows SharePoint Services 3.0 del mismo nombre.

1. Haga clic en el **Botón de Office** y, a continuación, haga clic en **Abrir** .
2. En el cuadro de diálogo Abrir, seleccione y abra la base de datos.

3. En la ficha Crear, en el grupo Tablas, haga clic en Plantillas de tabla y, a continuación, seleccione una de las plantillas disponibles de la lista.

Se inserta una nueva tabla basada en la plantilla de tabla que ha seleccionado.

Importar o vincular para crear una tabla

Puede crear una tabla importando o vinculando información almacenada en otro lugar. Por ejemplo, puede importar o vincular a la información de una hoja de cálculo de Excel, una lista de SharePoint, un archivo XML, otra base de datos de Access, una carpeta de Microsoft Office Outlook 2007 y otros orígenes distintos. Cuando se importa la información, se crea una copia de la información en una nueva tabla de la base de datos actual. Sin embargo, cuando se vincula a la información, se crea una tabla vinculada en la base de datos que representa un vínculo activo a la información existente almacenada en otro lugar. Por tanto, cuando cambie los datos en la tabla vinculada, los cambiará también en el origen, con algunas excepciones (vea la nota a continuación).

Cuando se cambia la información en el origen mediante otro programa, ese cambio queda reflejado en la tabla vinculada.

Nota: *En algunos casos, no puede realizar modificaciones en el origen de datos a través de una tabla vinculada, especialmente si el origen de datos es una hoja de cálculo de Excel.*

Crear una nueva tabla importando o vinculando datos externos:

1. Para usar una base de datos existente, en el **Botón de Office**, haga clic en **Abrir** .
2. En el cuadro de diálogo Abrir, seleccione y abra la base de datos.
3. Para crear una nueva base de datos, en el **Botón de Office**, haga clic en **Nuevo** .
   - En el cuadro de texto Nombre de archivo, escriba el nombre del archivo. Para cambiar la ubicación, haga clic en el icono de carpeta.
   - Haga clic en Crear.

Se abre la nueva base de datos, se crea una nueva tabla denominada Tabla1 y se abre en la vista Hoja de datos.

4. En la ficha Datos externos, en el grupo Importar, figura 6.7, haga clic en uno de los orígenes de datos disponibles.

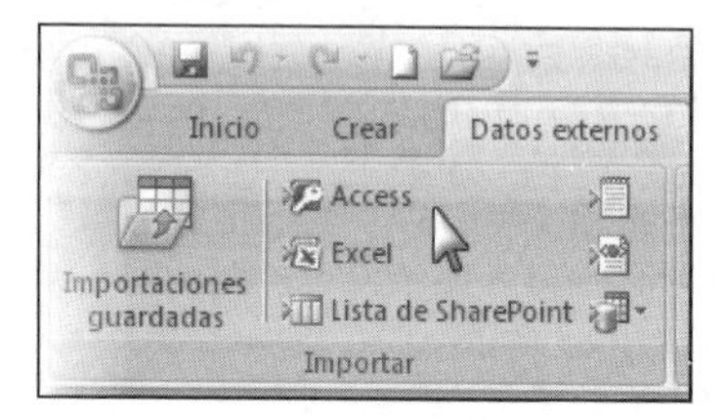

Figura 6.7. Importar datos externos.

5. Siga las instrucciones de los cuadros de diálogo.

Access crea la nueva tabla y la muestra en el panel de exploración.

> ***Nota:*** *También puede importar o vincular a una lista de SharePoint mediante un comando de la ficha* Crear. *Vea la siguiente sección para obtener instrucciones detalladas.*

Crear una nueva lista personalizada:

1. Haga clic en Personalizado, en el Menú de Listas de SharePoint.
2. En el cuadro de diálogo Crear nueva lista, escriba la dirección URL del sitio de SharePoint donde desee almacenar la lista. Escriba también el nombre de la nueva lista de SharePoint y especifique una descripción.
3. Si desea que la tabla vinculada se abra una vez creada, active la casilla de verificación Abrir la lista al finalizar (aparece activada de forma predeterminada).
   En caso contrario, desactive la casilla de verificación.
4. Haga clic en **Aceptar**.

6.5.2. Agregar y quitar campos

Agregar campos a una tabla en la vista Hoja de datos:

Los elementos de información de los que se desea realizar un seguimiento se almacenan en campos, denominados también columnas. Por ejemplo, en una tabla Contactos podría crear campos para el apellido, el nombre, el número de teléfono y la dirección, entre otros.

Es importante elegir los campos con cuidado. Por ejemplo, no es recomendable crear un campo para almacenar un campo calculado; es mejor dejar que Office Access 2007 calcule el valor cuando sea necesario.

Un campo tiene características que lo definen, un nombre que lo identifica dentro de la tabla. También contiene un tipo de datos relativos a la información que almacena. El tipo de datos determina los valores que se pueden almacenar y las operaciones que se pueden realizar, así como la cantidad de espacio de almacenamiento provista para cada valor.

Cada campo tiene también un grupo propiedades que definen las características formales o funcionales del campo. Por ejemplo, la propiedad **Formato** define el formato de presentación del campo, es decir, qué apariencia tendrá cuando se muestre.

Cuando se crea una nueva tabla, la tabla se abre en la Vista Hoja de datos. Puede agregar inmediatamente un campo escribiendo información en la columna Agregar nuevo campo (véase la figura 6.8).

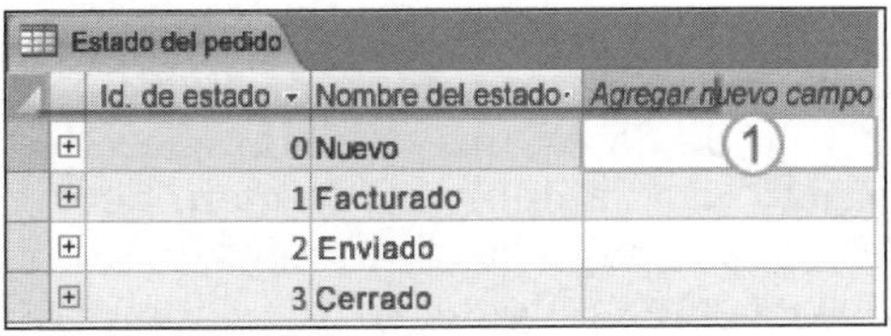

Estado del pedido

	Id. de estado	Nombre del estado	Agregar nuevo campo
⊞	0	Nuevo	(1)
⊞	1	Facturado	
⊞	2	Enviado	
⊞	3	Cerrado	

Figura 6.8. Agregar nuevo campo a una tabla existente.

Agregar un nuevo campo a una tabla existente:

1. Haga clic en el **Botón de Office** y, a continuación, haga clic en **Abrir**.
2. En el cuadro de diálogo Abrir, seleccione y abra la base de datos.

3. En el panel de exploración, haga doble clic en una de las tablas disponibles para abrirla.
4. Escriba los datos en la celda situada debajo del título de columna Agregar nuevo campo .

Agregar un nuevo campo a una tabla nueva:

1. Haga clic en el **Botón de Office** y, a continuación, haga clic en **Abrir** .
2. En el cuadro de diálogo Abrir, seleccione y abra la base de datos.
3. En la ficha Crear, en el grupo Tablas, haga clic en Tabla Tabla .
   Access inserta una nueva tabla en la base de datos y la abre en la Vista Hoja de datos.
4. Escriba los datos en la celda situada debajo del título de columna Agregar nuevo campo.

Agregar campos mediante plantillas de campos:

Algunas veces es más sencillo elegir un campo de una lista predefinida de campos que crearlo manualmente. Puede utilizar el panel de tareas Plantillas de campos para elegir un campo de una lista predefinida. Office Access 2007 incluye un conjunto de plantillas de campos integradas que le pueden ahorrar mucho tiempo a la hora de crear campos.

Para crear un nuevo campo mediante una plantilla de campos, debe mostrar el panel Plantillas de campos y, a continuación, arrastrar y colocar una o varias plantillas en la tabla abierta en la vista Hoja de datos.

Una plantilla de campo es un conjunto predefinido de características y propiedades que describen un campo. La definición de plantilla de campo incluye un nombre de campo, un tipo de datos, una configuración de la propiedad de formato del campo y un número de propiedades adicionales de un campo que, en conjunto, forman un modelo que sirve como punto de partida para crear un nuevo campo.

1. Asegúrese de que la tabla está en la vista Hoja de datos.
2. En la ficha Hoja de datos, en el grupo Campos y columnas, mostrado en la figura 6.9, haga clic en Nuevo campo. Aparece el panel Plantillas de campos.
3. Seleccione uno o varios campos en el panel Plantillas de campos y arrástrelos a la tabla. Cuando aparezca

la línea de inserción, coloque el campo en su posición. El campo aparece en la hoja de datos.

Figura 6.9. Agregar campo mediante plantillas de campos.

6.5.3. Tipos de datos de campo

Éstos son los tipos de datos de campo disponibles en Microsoft Access su utilización y su tamaño de almacenamiento:

- **Texto.** Almacena caracteres alfanuméricos. Se utiliza para texto o combinaciones de texto y números, como direcciones, o para números que no requieren cálculo, como números de teléfono o identificadores de producto. La propiedad Tamaño del campo controla el número máximo de caracteres que se pueden escribir. Tamaño de almacenamiento: Hasta 255 caracteres.
- **Memo.** Almacena caracteres alfanuméricos. Es útil para texto de gran longitud y números, como notas o descripciones y formatos extra. Almacena hasta 65.536 caracteres, o su equivalente, 2 Gigabytes.
- **Numérico.** Almacena valores numéricos enteros o fraccionarios. Puede utilizarse para los datos que se van a incluir en cálculos matemáticos. Almacena hasta 8 bytes, 16 cuando se usa para id, de réplica. La propiedad Tamaño del Campo define el tipo Numérico específico.
- **Fecha y Hora.** Almacena fechas y horas. Con valores para cada concepto. Almacena 8 bytes.
- **Moneda.** También llamado *Currency*. Se utiliza para valores de moneda y para evitar el redondeo durante los cálculos. Almacena 8 bytes.
- **Auto numérico.** Puede usarse para números secuenciales exclusivos (con incremento de una unidad) o números aleatorios que se insertan automáticamente cuando se agrega un registro. Almacena 4 bytes o 16 cuando se usa para id, de réplica.

- **Sí/No.** Valores booleanos. Se utiliza para datos que pueden ser uno de los valores posibles: Sí/No, Verdadero/Falso, Activado/Desactivado. Almacena 1 bit. (8 bits = 1 byte).
- **Objeto OLE.** Es útil para objetos OLE (como objetos diseñados para otras aplicaciones de Windows, hojas de cálculo de Microsoft Word, hojas de cálculo de Microsoft Excel, imágenes o sonidos) u otros valores binarios que se crearon en otros programas mediante el protocolo OLE.
- **Hipervínculo.** Un hipervínculo puede ser una ruta UNC (convención de nomenclatura universal) o una dirección URL (localizador uniforme de recursos) puede crear vínculos a la ubicación de un objeto, documento o página Web. Almacena hasta 64.000 caracteres.
- **Asistente para búsquedas.** En realidad no es un tipo de datos, inicia el asistente para búsquedas y crear un campo que utilice un cuadro combinado para buscar un valor de otra tabla, consulta o lista de valores. Su capacidad de almacenamiento esta relacionado con el tamaño del campo texto utilizado para almacenar el valor.

6.5.4. Clave principal e índices

Una clave principal es un campo o conjunto de campos de la tabla que proporcionan a Access 2007 un identificador para cada fila. En una base de datos relacional como Access 2007, la información se divide en tablas distintas en función del tema.

A continuación, se utilizan relaciones de tablas y claves principales para indicar a Access cómo debe volver a reunir la información. Access utiliza campos de clave principal para asociar rápidamente los datos de varias tablas y combinar esos datos de forma significativa.

Una vez definida la clave principal, se puede utilizar en otras tablas para hacer referencia a la tabla que contiene la original. Por ejemplo, un campo "Id. de cliente" de la tabla "Clientes" podría aparecer también en la tabla "Pedidos". En la tabla "Clientes" es la clave principal y en la tabla "Pedidos" es una clave externa. Una clave externa, en términos simples, es la clave principal de otra tabla. Véase la figura 6.10.

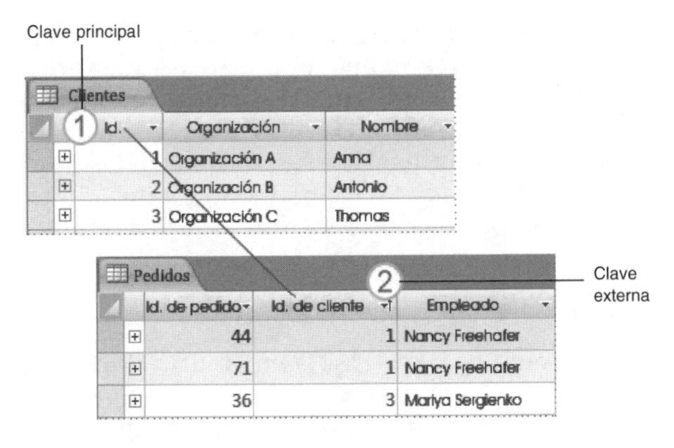

Figura 6.10. Clave principal y clave externa.

A menudo, un número de identificación exclusivo, como un número de Id. o un número de serie o código, sirve como clave principal en una tabla. Por ejemplo, en una tabla Clientes, cada cliente podría tener un número de Id. de cliente distinto. El campo Id. de cliente sería, en ese caso, la clave principal.

Un buen ejemplo para una clave principal debe tener varias características. En primer lugar, debe identificar inequívocamente cada fila. En segundo lugar, nunca debe estar vacío ni ser nulo (siempre debe contener un valor). En tercer lugar, casi nunca (o preferiblemente, nunca) debe cambiar. Access utiliza campos de clave principal para reunir rápidamente los datos de varias tablas.

Siempre debe especificar una clave principal para una tabla. Access crea automáticamente un índice para la clave principal, que permite agilizar las consultas y otras operaciones, comprueba que cada registro tiene un valor en el campo de clave principal y que éste es siempre distinto.

Cuando crea una nueva tabla en la vista Hoja de datos, Access crea automáticamente una clave principal y le asigna un nombre de campo de "Id." y el tipo de datos Autonumérico. El campo está oculto de forma predeterminada en la vista Hoja de datos, pero se puede ver en la Vista Diseño.

Hay tres tipos de claves principales:

- **Auto numérico.** Puede establecerse para que inserte automáticamente un número secuencial a medida que se agregan registros a la tabla.

- **Campo simple.** Si tiene un campo que contiene valores exclusivos, como números de identificación, también puede designar ese campo como la clave principal.
- **Campos múltiples.** Hay situaciones en las que no se puede garantizar la exclusividad de un solo campo, entonces puede designar dos o más campos como clave principal.

Agregar una clave principal autonumérica

Cuando crea una nueva tabla en la vista Hoja de datos, Access crea automáticamente una clave principal y le asigna el tipo de datos Autonumérico. Sin embargo, si desea agregar un campo de clave principal a una tabla que ya existe, debe abrir la tabla en la Vista Diseño.

1. Haga clic en el **Botón de Office** y, a continuación, haga clic en **Abrir**.
2. En el cuadro de diálogo Abrir, seleccione y abra la base de datos.
3. En el Panel de exploración, haga clic con el botón secundario en la tabla a la que desee agregar la clave principal y, a continuación, en el menú contextual, haga clic en Vista Diseño.
4. Busque la primera fila vacía disponible en la cuadrícula de diseño de la tabla.
5. En la columna Nombre del campo, escriba un nombre, como **IdCliente**.
6. En la columna Tipo de datos, haga clic en la flecha desplegable y en Autonumérico.
7. En Propiedades del campo, en Nuevos valores, haga clic en Incremento para usar valores numéricos incrementales para la clave principal, o haga clic en Aleatorio para utilizar números aleatorios.

Definir la clave principal

Si tiene una tabla en la que cada registro contiene un número de identificación exclusivo, como un número de Id. o un número de serie o código, ese campo podría convertirse en una buena clave principal. Para que una clave principal funcione correctamente, el campo debe identificar inequívocamente cada fila, no debe contener un valor vacío o nulo y casi nunca (o, preferiblemente, nunca) debe cambiar.

Para definir explícitamente la clave principal, debe utilizar la Vista Diseño.

1. Haga clic en el **Botón de Office** y, a continuación, haga clic en **Abrir**.
2. En el cuadro de diálogo Abrir, seleccione y abra la Base de datos.
3. En el Panel de exploración, haga clic con el botón secundario en la tabla en la que desea establecer la clave principal y, en el menú contextual, haga clic en Vista Diseño.
4. Seleccione el campo o los campos que desea utilizar como clave principal.
   Para seleccionar un campo, haga clic en el selector de filas del campo que desee.
   Para seleccionar varios campos, presione la tecla **Control** y haga clic en el selector de filas de cada campo.
5. En la ficha Diseño, en el grupo Herramientas, haga clic en Clave principal, como muestra la figura 6.11.

Figura 6.11. Definir la clave principal.

Se agrega un indicador de clave a la izquierda del campo o campos que ha especificado como clave principal.

6.5.5. Valores predeterminados

Se agrega un valor predeterminado a un campo de tabla o un control de formulario cuando se desea que Access especifique automáticamente un valor en un registro nuevo. Por ejemplo, se puede configurar que Access agregue siempre la fecha actual a los nuevos pedidos.

Se agrega el valor abriendo la tabla en la Vista Diseño y, a continuación, escribiendo un valor en la propiedad Valor predeterminado del campo. Si se establece un valor predeterminado para un campo de tabla, Access aplica el valor a todos los controles basados en ese campo. Si no se enlaza un control a un campo de tabla o se vincula a datos ubicados en otras tablas, se establece un valor predeterminado para los controles de formulario.

Establecer un valor predeterminado para un campo de tabla.

1. En el Panel de exploración, haga clic con el botón secundario en la tabla que desee cambiar y, a continuación, haga clic en Vista Diseño.
2. Seleccione el campo que desee cambiar.
3. En la ficha General, escriba un valor en el cuadro de la propiedad Nuevos Valores.
4. Guarde los cambios.

> ***Nota:*** *El valor que se puede especificar depende del tipo de datos que se haya establecido para el campo. Por ejemplo, se puede escribir* `=Fecha()` *para insertar la fecha de hoy en un campo Fecha/Hora.*

6.5.6. Tipos de Relaciones e integridad referencial

Tras crear una tabla para cada tema en la base de datos, es preciso proporcionar a Office Access 2007 los medios para recopilar de nuevo esa información cuando sea necesario. Para ello, se colocan campos comunes en las tablas que están relacionadas y se definen las relaciones entre las tablas. De ese modo, se pueden crear consultas, formularios e informes que muestren a la vez la información de varias tablas. Existen tres tipos de relaciones de tabla:

- **Relación uno a varios:** Considere una base de datos de seguimiento de pedidos que incluya una tabla Clientes y una tabla Pedidos. Un cliente puede realizar cualquier número de pedidos. Por lo tanto, para cualquier cliente representado en la tabla Clientes puede haber representados muchos pedidos en la tabla Pedidos. Por consiguiente, la relación entre la tabla Clientes y la tabla Pedidos es una relación de uno a varios.
- **Una relación de varios a varios:** Considere la relación entre una tabla Productos y una tabla Pedidos. Un solo pedido puede incluir varios productos. Por otro lado, un único producto puede aparecer en muchos pedidos. Por tanto, para cada registro de la tabla

Pedidos puede haber varios registros en la tabla Productos. Además, para cada registro de la tabla Productos puede haber varios registros en la tabla Pedidos. Este tipo de relación se denomina relación de varios a varios porque para un producto puede haber varios pedidos, y para un pedido puede haber varios productos. Tenga en cuenta que para detectar las relaciones de varios a varios existentes entre las tablas, es importante que considere ambas partes de la relación.

Para representar una relación de varios a varios, debe crear una tercera tabla, a menudo denominada tabla de unión, que divide la relación de varios a varios en dos relaciones uno a varios. Debe insertar la clave principal de cada una de las dos tablas en la tercera. Como resultado, la tercera tabla registra cada ocurrencia, o instancia, de la relación.

- **Una relación uno a uno:** En una relación uno a uno, cada registro de la primera tabla sólo puede tener un registro coincidente en la segunda tabla y viceversa. Este tipo de relación no es común porque, muy a menudo, la información relacionada de este modo se almacena en la misma tabla. Puede utilizar la relación uno a uno para dividir una tabla con muchos campos, para aislar parte de una tabla por razones de seguridad o para almacenar información que sólo se aplica a un subconjunto de la tabla principal. Cuando identifique esta relación, ambas tablas deben compartir un campo común.

Crear una relación de tabla

Se puede crear una relación de tabla mediante la ventana Relaciones, en la ficha de Herramientas de base de datos o arrastrando un campo en una hoja de datos desde el panel Lista de campos.

Cuando se crea una relación entre tablas, los campos comunes no tienen que tener los mismos nombres, si bien sus suelen coincidir. Sin embargo, dichos campos tienen que tener el mismo tipo de datos.

No obstante, si el campo de clave principal es un campo Autonumérico, el campo de clave externa puede ser un campo de tipo Número si la propiedad Tamaño del campo de ambos campos tiene el mismo valor. Por ejemplo, puede hacer coincidir un campo Autonumérico y un campo de tipo Número si la propiedad Tamaño del campo de ambos campos es **Entero largo**.

Cuando ambos campos comunes son campos de tipo Número, tienen que tener el mismo valor para la propiedad Tamaño del campo.

1. Haga clic en el **Botón de Office** y, a continuación, haga clic en **Abrir**.
2. En el cuadro de diálogo Abrir, seleccione y abra la base de datos.
3. En la ficha Herramientas de base de datos, en el grupo Mostrar u ocultar, haga clic en Relaciones.
4. Si aún no ha definido ninguna relación, aparecerá automáticamente el cuadro Mostrar tabla. Si no aparece, en la ficha Diseño, en el grupo Relaciones, haga clic en Mostrar tabla.

   En el cuadro Mostrar tabla se muestran todas las tablas y consultas de la base de datos. Para ver únicamente las tablas, haga clic en Tablas. Para ver únicamente las consultas, haga clic en Consultas. Para ver las tablas y las consultas, haga clic en Ambas.
5. Seleccione una o varias tablas o consultas y, a continuación, haga clic en **Agregar**. Cuando termine de agregar tablas y consultas a la ventana Relaciones, haga clic en **Cerrar**.
6. Arrastre un campo (normalmente el campo de clave principal) de una tabla al campo común (la clave externa) en la otra tabla. Para arrastrar varios campos, presione la tecla **Control**, haga clic en cada uno de los campos y, a continuación, arrástrelos.

   Aparecerá el cuadro de diálogo Modificar relaciones.
7. Compruebe que los nombres de campo mostrados son los campos comunes de la relación. Si un nombre de campo es incorrecto, haga clic en él y seleccione un nuevo campo de la lista.

   Para exigir la integridad referencial de esta relación, active la casilla de verificación Exigir integridad referencial.
8. Haga clic en **Crear**.

Se dibujará una línea de relación entre las dos tablas. Si activó la casilla de verificación Exigir integridad referencial, la línea aparecerá más gruesa en los extremos. Además, sólo si activó la casilla de verificación Exigir integridad referencial, aparecerá el número 1 sobre la parte gruesa de un extremo de la línea de relación y aparece el símbolo de infinito (8) sobre la parte gruesa del otro extremo. Véase la figura 6.12.

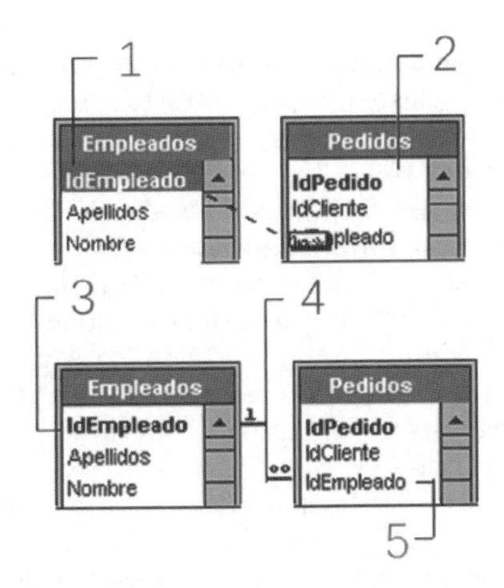

Figura 6.12. Ejemplo de integridad referencial entre tablas.

Si cuando creó la tabla no había definido relaciones en la base de datos, se mostrará el cuadro de diálogo Mostrar tabla.

Si no aparece este cuadro y necesitara agregar las tablas que desea relacionar, haga clic en la ficha Herramientas de la Cinta de opciones, en Mostrar tabla.

1. Arrastre el campo de una tabla al campo equivalente en la otra tabla.
2. (vacía)
3. Clave principal de tabla 1, 4. Línea de relaciones definiendo una relación uno-a-muchos.
4. (en rojo) Campo coincidente en la tabla Pedidos 2 y 4.

6.6. Consultas

Una consulta es un conjunto de instrucciones que se pueden usar para trabajar con datos. Se ejecuta para que se lleven a cabo estas instrucciones. Además de devolver resultados que se pueden almacenar, agrupar o filtrar, una consulta también puede crear, copiar, eliminar o cambiar datos.

Para realizar o ejecutar consultas en tablas de bases de datos estructuradas, son necesarios unos valores o criterios de consulta.

Un criterio de consulta es una regla para identificar los registros que se desea incluir en el resultado de una consulta. No todas las consultas deben incluir criterios, pero si no le interesa ver todos los registros que están almacenados en el origen de registros subyacente, deberá agregar criterios a una consulta cuando la diseñe.

Los criterios pueden ser muy distintos unos de otros, dependiendo del tipo de datos del campo en el que se apliquen y de los requisitos en cada caso. Algunos criterios son sencillos y usan operadores básicos y constantes. Otros son complejos y usan funciones y operadores especiales, e incluyen referencias de campo.

Para agregar un criterio a una consulta, debe abrirla en la Vista Diseño. Después, identifique los campos para los que desea especificar criterios. Si el campo no está aún en la cuadrícula de diseño, agréguelo arrastrándolo desde la ventana de diseño de la consulta hasta la cuadrícula, o bien, haciendo doble clic en el campo. (De este modo, se agrega automáticamente a la siguiente columna vacía de la cuadrícula.) Por último, escriba los criterios en la fila Criterios.

Los criterios que especifique para los distintos campos en la fila Criterios se combinan mediante el operador `Y`. Dicho de otro modo, los criterios especificados en los campos Ciudad y FechaNacimiento (véase la figura 6.13) se interpretan así:

```
Ciudad = "Chicago" Y FechaNacimiento< AgregFecha
("aaaa", -40, Fecha())
```

1. Los campos Ciudad y FechaNacimiento incluyen criterios.
2. Sólo los registros cuyo valor para el campo Ciudad sea Chicago se ajustarán al criterio.
3. Sólo los registros que tengan como mínimo 40 años de antigüedad se ajustarán al criterio.
4. Sólo los registros que cumplan los dos criterios se incluirán en los resultados.

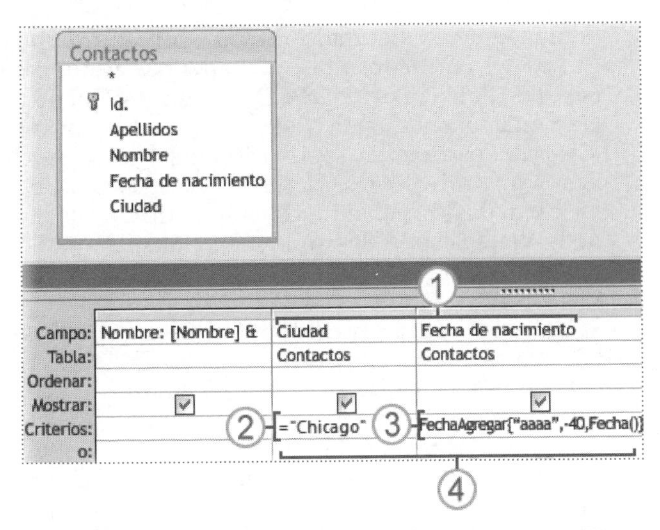

Figura 6.13. Ejemplo de criterio de consulta sencilla.

6.6.1. Tipos de consultas

Existen varios tipos de consultas en Microsoft Access:

- **Consultas de selección:** Obtiene los datos de una o más tablas y muestra los resultados en una hoja de datos en la que podrá actualizar los registros. Este tipo de consulta es la más habitual.
- **Consultas de tabla de referencias cruzadas:** Se utilizan para calcular y reestructurar datos, como una suma, una medida, etc. Se agrupan en dos tipos de información: uno son los títulos de filas que están ubicadas hacia abajo, en el lado izquierdo de la hoja de datos; y otro, son los títulos de las columnas a lo largo de la parte superior.
- **Consultas de parámetros:** Cuando se ejecuta, muestra un cuadro de diálogo que solicita información para recuperar registros o un valor que desea insertar en un campo. Podrá diseñar la consulta para que solicite más de un dato, por ejemplo, entre dos fechas. De esta forma, Access podrá recuperar todos los registros que se encuentren en ese período de tiempo.
- **Consulta SQL:** Una consulta SQL es aquella creada con una instrucción SQL. Puede utilizar el Lenguaje

de consulta estructurado (SQL o *Structured Query Language*) para consultar, actualizar y administrar bases de datos relacionales, como Access. Cuando se crea una consulta en la Vista Diseño de la consulta, Access construye en segundo plano las instrucciones SQL equivalentes. De hecho, la mayoría de las propiedades de consulta de la hoja de propiedades de la Vista Diseño de ésta tienen cláusulas y opciones equivalentes a las que están disponibles en la Vista SQL.

Si lo desea, podrá ver o editar la instrucción SQL en la vista SQL. Sin embargo, después de hacer cambios en una consulta en la vista SQL, puede que su aspecto no sea el que tenía en la Vista Diseño. Algunas consultas SQL, denominadas consultas específicas de SQL, no se pueden crear en la cuadrícula de diseño.

En el caso de las consultas de paso a través, consultas de definición de datos y consultas de unión, deberá crear las instrucciones SQL directamente en la vista SQL.

En el caso de las subconsultas, la instrucción SQL se escribirá en la fila Campo o en la fila Criterios de la cuadrícula de diseño de la consulta.

- **Consultas de acción:** Realiza cambios o desplazamientos de muchos registros en una sola operación.

  Hay cuatro tipos de consultas de acción:

  1. **Consultas de eliminación.** Suprime un grupo de registros de una o más tablas. Por ejemplo, quitar los productos que ya no se fabrican.
  2. **Consultas de actualización.** Realiza cambios globales en un grupo de registros de una o más tablas. Por ejemplo, aumentar un 5% los precios de los productos audiovisuales.
  3. **Datos anexados.** Agrega un grupo de registros de una o más tablas. Por ejemplo, tiene una tabla con información nueva de los proveedores. Para evitar escribir toda esa información en la base de datos, la puede anexionar en la tabla que ya existía de Proveedores.
  4. **Creación de tabla.** Crea una tabla nueva a partir de la totalidad o una parte de los datos de una o más tablas.

6.6.2. Crear consultas de selección sencilla

Una consulta de selección se puede usar para crear subconjuntos de datos que sirvan para responder a preguntas específicas. También se puede usar para suministrar datos a otros objetos de base de datos. Una vez creada una consulta de selección, se puede usar siempre que sea necesario.

Una consulta de selección es un tipo de objeto de base de datos que muestra información en una vista Hoja de datos. Una consulta puede obtener sus datos de una tabla o de varias, de consultas existentes, o de una combinación de ambas opciones. Las tablas o las consultas de las que una consulta obtiene sus datos se conocen como su origen de registros.

Ya cree consultas de selección sencillas mediante un asistente o trabajando en la Vista Diseño, los pasos son, en esencia, los mismos. Debe elegir el origen de registros que desea utilizar y los campos que desea incluir en la consulta. Opcionalmente, puede especificar criterios para depurar los resultados.

Una vez creada la consulta de selección, puede ejecutarla para ver los resultados. Las consultas de selección son fáciles de ejecutar: sólo tiene que abrirlas en la vista Hoja de datos. Podrá reutilizarlas siempre que lo necesite; por ejemplo, como origen de registros para un formulario, un informe u otra consulta.

Generar la consulta

1. En la ficha Crear, en el grupo Otros, haga clic en Asistente para consultas.
2. En el cuadro de diálogo Nueva consulta, haga clic en Asistente para consultas sencillas y, a continuación, haga clic en **Aceptar**.
3. En Tablas y consultas, haga clic en la tabla que contiene los datos que desea usar. En este caso, haga clic en **Tabla: Clientes**. Recuerde que una consulta también puede usar otra consulta como origen de registros.
4. En Campos disponibles, haga doble clic en los campos Contacto, Dirección, Teléfono y Ciudad. Esto los agrega a la lista Campos seleccionados. Una vez agregados los cuatro campos, haga clic en **Siguiente**.
5. Llame a la consulta Contactos de Londres y, a continuación, haga clic en **Finalizar**.

Access mostrará todos los registros de los contactos en la vista Hoja de datos. Los resultados incluyen todos los registros, pero sólo muestran los cuatro campos especificados en el asistente para consultas.

Resumir los valores de la consulta

Resumir valores de una consulta es más fácil en Office Access 2007, si se compara con la misma tarea en versiones anteriores de Access. Puede agregar, contar o calcular otros valores agregados y mostrarlos en una fila especial (denominada la fila Total) que aparece debajo de la fila asterisco (*) en la vista Hoja de datos. Puede usar una función de agregado diferente para cada columna. También puede optar por no resumir una columna.

Proceda según los siguientes pasos:

1. Abra la consulta en la vista Hoja de datos.
2. En la ficha Inicio, en el grupo Registros, haga clic en Totales.
3. Haga clic en la fila Total de la columna Contacto.

En la lista desplegable, puede elegir entre Ninguno y Cuenta. Dado que la columna Contacto contiene valores de texto, otras funciones como Suma y Promedio no son aplicables y no están disponibles por lo tanto.

4. Seleccione Cuenta para contar el número de contactos que se muestran en el resultado.

El número 5 aparece en la fila Total.

5. En el campo Edad, seleccione Promedio. Dado que el campo Edad da como resultado un número, admite las funciones Suma, Promedio, Cuenta, Máximo, Mínimo, Desviación estándar y Varianza. Access muestra la edad promedio en la fila Total.

Para quitar el total de una columna, haga clic en la fila Total situada bajo la columna y, después, seleccione Ninguno en la lista desplegable. Para ocultar la fila Total, en la ficha Inicio, en el grupo Formato y tipo de datos, haga clic en Totales.

Agregar cálculos a la consulta

Una base de datos bien diseñada no almacena simples valores calculados en tablas. Por ejemplo, una tabla puede almacenar la fecha de nacimiento de una persona pero no su edad actual. Si se conoce la fecha actual y la fecha de nacimiento de la persona, siempre se puede calcular la edad actual, por lo que no es necesario almacenar ese dato en la tabla. En vez de eso, se crea una consulta que calcula y muestra el valor pertinente. Los cálculos se efectúan cada vez que se ejecuta la consulta, de modo que, si los datos subyacentes cambian, también cambian los resultados calculados.

A continuación, modificaremos una consulta para que muestre la fecha de nacimiento y la edad actual de cada contacto.

1. Abra la consulta en la Vista Diseño.
2. En la ventana de la tabla Clientes, arrastre el campo FechaNacimiento a la primera columna en blanco de la cuadrícula de diseño. También puede hacer doble clic en el nombre del campo para agregarlo automáticamente en la primera columna en blanco.
3. En la siguiente columna, en la fila **Campo**, escriba la expresión que calcule la edad para cada registro. Escriba **Edad: DifFecha ("aaaa", [FechaNacimiento], Fecha())**.

`Edad` es el nombre que utiliza para el campo calculado. Si no especifica un nombre, Access usará uno genérico para el campo, por ejemplo, "EXPR1". La cadena a continuación de los dos puntos (`:`) es la expresión que proporciona los valores para cada registro. La función `DifFecha` calcula la diferencia entre dos fechas cualesquiera y devuelve la diferencia en el formato especificado.

El formato `aaaa` devuelve la diferencia en años y los elementos `[FechaNacimiento]` y `Fecha()` de la expresión proporcionan los dos valores de fecha.

`Fecha` es una función que devuelve la fecha actual y `[FechaNacimiento]` hace referencia al campo `FechaNacimiento` de la tabla subyacente.

6.6.3. Consultas con parámetros

Las consultas con parámetros son aquellas en la que un usuario especifica interactivamente uno o más valores de criterio. Una consulta de parámetros no es un tipo diferente de consulta; más bien, extiende la flexibilidad de una consulta. Cuando se desea acotar los datos con los que se va a trabajar, basándose en el valor de un campo, se pueden usar criterios en la consulta. Los criterios son valores que se incluyen en el diseño de una consulta. Estos valores especifican modelos con los que los campos deben coincidir o que los campos deben contener para que la consulta los devuelva.

Para crear una consulta de parámetros siga estos pasos:

1. Cree una consulta de selección y, a continuación, abra la consulta en la Vista Diseño.
2. En la fila Criterios del campo al que desee aplicar un parámetro, escriba entre corchetes el texto que debe aparecer en el cuadro de diálogo del parámetro; por ejemplo:

   ```
   [País o región de origen:]
   ```

   Cuando ejecute la consulta de parámetros, el parámetro aparecerá sin corchetes en un cuadro de diálogo.
3. Repita el paso 2 por cada parámetro que la consulta debe recopilar y aplicar.

Puede seguir los pasos anteriores para crear una consulta de parámetros a partir de cualquiera de los siguientes tipos de consulta:

- Selección.
- Tabla de referencias cruzadas.
- Datos anexados.
- Creación de tabla.

6.6.4. Ejecutar una consulta de acción

Una consulta de acción realiza cambios o desplazamientos de muchos registros en una sola operación. Hay cuatro tipos de consultas de acción:

- **Consultas de datos anexados:** Es un tipo de consulta que agrega los registros del conjunto de resultados de una consulta al final de una tabla existente.
- **Consultas de eliminación:** Es una instrucción SQL que quita las filas que coinciden con el criterio especificado de una o más tablas.
- **Consultas de actualización:** Instrucción SQL que modifica un conjunto de registros de acuerdo con los criterios (condiciones de búsqueda especificadas).

- **Consultas de creación de tabla:** Consulta que crea una nueva tabla y, posteriormente, crea registros (filas) en ella copiando los registros de una tabla existente.

Salvo en el caso de las consultas de creación de tabla (que crean tablas nuevas), las consultas de acción realizan cambios en los datos de las tablas en las que se basan. Estos cambios no se pueden deshacer fácilmente, por ejemplo, presionando **Control-Z**. Si realiza cambios mediante una consulta de acción que, más adelante, desea deshacer, normalmente tendrá que restaurar los datos a partir de una copia de seguridad.

Por este motivo, asegúrese de tener siempre una copia de seguridad actualizada de los datos subyacentes antes de ejecutar una consulta de acción.

Para mitigar el riesgo de ejecutar una consulta de acción, obtenga una vista previa de los datos objeto de la consulta.

Puede hacerlo de dos maneras:

1. Vea la consulta de acción en la vista Hoja de datos antes de ejecutarla.
2. Para ello, abra la consulta en la Vista Diseño, haga clic en la Barra de estado de Access.
3. A continuación, haga clic en Vista Hoja de datos en el menú contextual. Para volver a la Vista Diseño, haga de nuevo clic en Ver.
4. Haga clic en Vista Diseño en el menú contextual.
5. Cambie la consulta a una consulta de selección y, a continuación, ejecútela.

***Nota:** Asegúrese de anotar el tipo de la consulta de acción inicial (consulta de datos anexados, actualización, creación de tabla o eliminación) para que pueda cambiar la consulta a ese tipo después de obtener la vista previa de los datos con este método.*

6.6.5. Ejecutar una consulta específica de SQL

SQL es una abreviatura de *Structured Query Languaje* (Lenguaje estructurado de consultas). Como su propio nombre indica, SQL es un lenguaje informático que se puede utilizar para interaccionar con una base de datos y más concretamente con un tipo especifico denominado base de datos relacional.

Hay tres tipos principales de consulta específica de SQL: Consultas de unión (tipo de consulta que utiliza el operador `UNION` para combinar los resultados de dos o más consultas de selección.), Consultas de paso a través (consulta específica de SQL que se utiliza para enviar comandos directamente a un servidor de base de datos ODBC. Las consultas de paso a través permiten trabajar directamente con las tablas del servidor en lugar de hacer que el motor de base de datos Microsoft Jet procese los datos), y Consultas de definición de datos (consulta específica de SQL que contiene instrucciones DDL o lenguaje de definición de datos. Estas instrucciones permiten crear o alterar objetos de la base de datos.).

- **Las consultas de unión** combinan los datos de dos o más tablas, pero no de la misma forma que las demás consultas. La mayoría de las consultas combinan los datos concatenando las filas mientras que las consultas de unión combinan los datos anexando las filas. Se diferencian de las consultas de datos anexados en que no cambian las tablas subyacentes ya que anexan las filas en un conjunto de registros que no se conserva después de cerrarse la consulta.
- **Las consultas de paso a través** no las procesa el motor de base de datos incluido con Access, sino que se pasan directamente a un servidor de bases de datos remoto que procesa y devuelve los resultados a Access.
- **Las consultas de definición de datos** son un tipo especial de consulta que no procesa los datos sino que crea, elimina o modifica otros objetos de base de datos como tablas, consultas, formularios, informes, páginas, macros y módulos.
- **Las consultas específicas de SQL** no se pueden abrir en la Vista Diseño. Sólo se pueden abrir o ejecutar en la Vista SQL, excepto en el caso de las consultas de definición de datos, al ejecutarse una consulta específica de SQL, ésta se abre en la vista Hoja de datos.

Para ejecutar una consulta específica de SQL, siga el siguiente procedimiento:

1. Ejecutar la consulta.
2. Busque la consulta en el panel de exploración.

3. Haga doble clic en la consulta que desee ejecutar.
4. Haga clic en la consulta que desee ejecutar y, a continuación, presione **Intro**.

6.7. Formularios

Un formulario es un objeto de base de datos que se puede usar para escribir, modificar o mostrar los datos de una tabla o consulta.

Los formularios se pueden usar para controlar el acceso a los datos, como qué campos o filas de datos se van a mostrar. Por ejemplo, puede que algunos usuarios necesiten ver sólo algunos de los campos de una tabla que contiene numerosos campos. Si se proporciona a esos usuarios un formulario con sólo esos campos, les será más fácil usar la base de datos.

Asimismo, se pueden agregar botones y otras funciones a un formulario con el fin de automatizar las acciones frecuentes.

Pueden considerarse a los formularios como ventanas por las que los usuarios ven y alcanzan las bases de datos. Un formulario eficaz acelera el uso de las bases de datos, ya que los usuarios no tienen que buscar lo que necesitan.

Si un formulario es visualmente atractivo, resultará más agradable y más eficaz trabajar con una base de datos, además de ayudar a evitar que se introduzcan datos incorrectos. Access 2007 incluye nuevas herramientas que ayudan a crear formularios con rapidez, así como nuevos tipos de formulario y nuevas características que mejoran el uso de las bases de datos.

Un formulario podrá crearse de cinco formas:

1. Con Autoformulario basándose en una sola tabla o consulta.
2. Crear un formulario mediante la herramienta Formulario en blanco con un Asistente basándose en una o varias tablas o consultas y en la vista.
3. Crear un formulario mediante el Asistente para formularios.
4. Crear un formulario dividido mediante la herramienta Formulario dividido.
5. Crear un formulario que muestre varios registros mediante la herramienta Varios elementos.

6.7.1. Crear un formulario mediante la herramienta Formulario

1. En el Panel de exploración, haga clic en la tabla o consulta que contiene los datos que desee ver en el formulario.
2. En la ficha Crear, en el grupo Formularios, haga clic en Formulario (véase la figura 6.14).

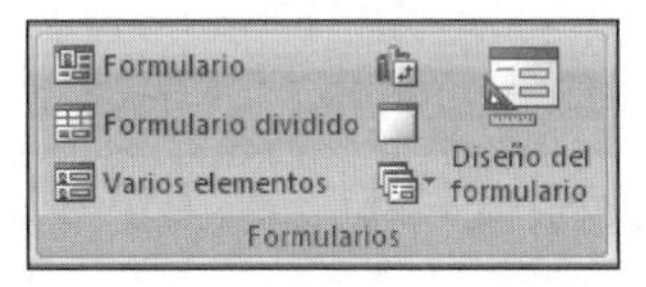

Figura 6.14. Crear un formulario.

Access crea el formulario y lo muestra en la Vista Presentación. En la vista Presentación, se pueden realizar cambios de diseño en el formulario mientras muestre datos. Por ejemplo, se puede ajustar el tamaño de los cuadros de texto para que quepan los datos si es necesario.

6.7.2. Crear un formulario mediante la herramienta Formulario en blanco

1. En la ficha Crear, en el grupo Formularios, haga clic en En blanco .
   Access abre un formulario en blanco en la Vista Presentación y muestra el panel Lista de campos, que aparece en la figura 6.15.

> ***Nota:** El orden de las tablas en el panel* Lista de campos *puede cambiar en función de qué parte del formulario esté seleccionada actualmente. Si no puede agregar un campo al formulario, seleccione una parte distinta del formulario y pruebe a agregar el campo de nuevo.*

2. En el panel Lista de campos, haga clic en el signo más (+) situado junto a la tabla o las tablas que contienen los campos que desee ver en el formulario.
3. Para agregar un campo al formulario, haga doble clic en él o arrástrelo hasta el formulario. Para agregar

varios campos a la vez, mantenga presionada la tecla **Control** y haga clic en varios campos. A continuación, arrástrelos todos juntos hasta el formulario.

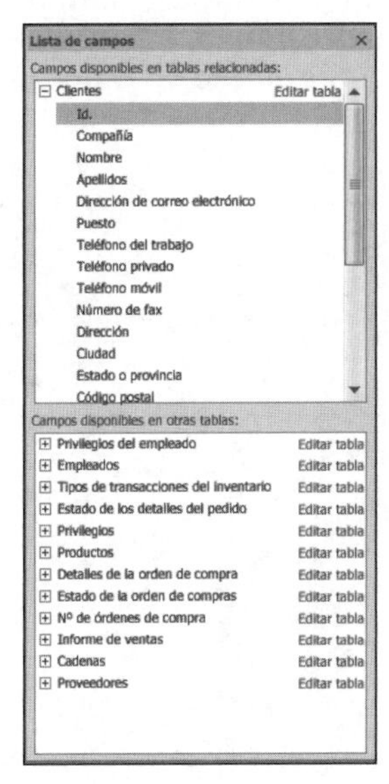

Figura 6.15. Panel Lista de campos.

4. Con las herramientas del grupo Controles en la ficha Formato, se puede agregar al formulario un logotipo, un título, números de páginas o la fecha y la hora.
5. Si desea agregar al formulario una mayor variedad de controles, cambie a la Vista Diseño haciendo clic con el botón secundario en el formulario o eligiendo Vista Diseño. A continuación, podrá usar las herramientas del grupo Controles de la ficha Diseño.

6.7.3. Crear un formulario mediante el Asistente para formularios

1. En la ficha Crear, en el grupo Formularios, haga clic en **Más formularios** y en Asistente para formularios. Se inicia el Asistente para formularios.
2. En el cuadro combinado Tablas y consultas, haga clic en el nombre de la consulta que desee usar como origen de registros del formulario.

3. En el cuadro de lista Campos disponibles, que muestra la figura 6.16, haga doble clic en cada uno de los campos que desee usar.
   Al hacer doble clic en un campo, éste se agrega al cuadro de lista Campos seleccionados.
4. Haga clic en **Siguiente** cuando termine de agregar campos.

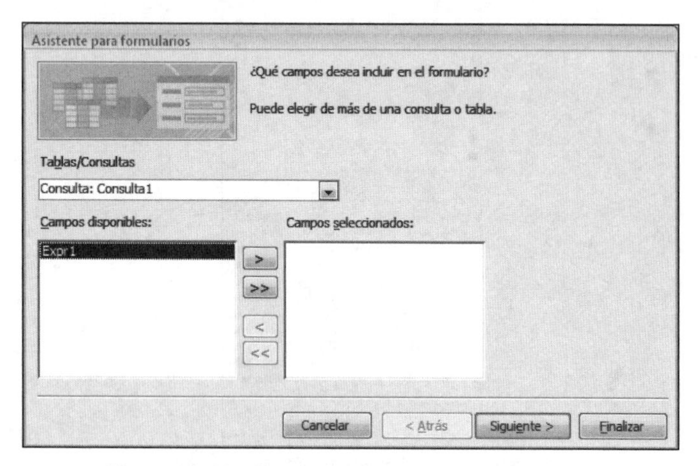

Figura 6.16. Cuadro de diálogo del Asistente para formularios.

6.7.4. Crear un formulario mediante la herramienta Formulario dividido

Un formulario dividido (véase la figura 6.17) es una característica nueva de Microsoft Office Access 2007 que permite obtener dos vistas de los mismos datos a la vez: una Vista Formulario y una Vista Hoja de datos.

Las dos vistas están conectadas al mismo origen de datos y están en todo momento sincronizadas entre ellas. Si se selecciona un campo en una parte del formulario, se selecciona el mismo campo en la otra parte del formulario. Se pueden agregar, editar o eliminar datos de ambas partes (siempre y cuando el origen de registros sea actualizable y el formulario no esté configurado para evitar estas acciones).

Para crear un formulario dividido mediante la herramienta Formulario dividido:

1. En el Panel de exploración, haga clic en la tabla o consulta que contiene los datos que desee incluir en el formulario. O bien, abra la tabla o consulta en la Vista Hoja de datos.
2. En la ficha Crear, en el grupo Formularios, haga clic en Formulario dividido.

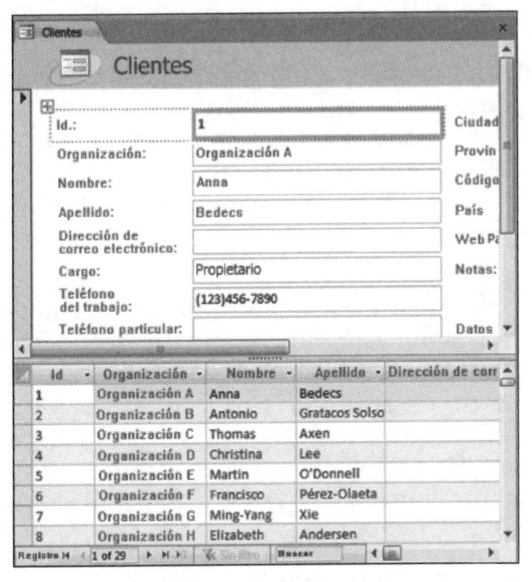

Figura 6.17. Cuadro para crear un formulario dividido.

Access crea el formulario y lo muestra en la Vista Presentación. En la Vista Presentación, se pueden realizar cambios de diseño en el formulario mientras muestre datos. Por ejemplo, se puede ajustar el tamaño de los cuadros de texto para que quepan los datos si es necesario.

6.7.5. Personalizar y Presentar un formulario

Para personalizar un formulario para su presentación es necesario hacerlo en la Vista Diseño. Antes conviene explicar las características entre la Vista Presentación y la Vista Diseño.

La Vista Presentación es la vista más intuitiva que se usa para modificar los formularios. Se puede usar para llevar a cabo casi todos los cambios en Office Access 2007. En la Vista Presentación, el formulario se está ejecutando, por lo que los datos se pueden ver de manera muy similar a como aparecen en la vista Formulario. Sin embargo, en la vista Presentación, también se pueden realizar cambios en el diseño de formulario. Dado que se ven los datos durante la modificación de los formularios, se trata de una vista muy útil para configurar el tamaño de los controles o llevar a cabo casi todas las tareas que afecten a la apariencia y al uso del formulario.

Hay algunas tareas que no se pueden realizar en la Vista Presentación y que requieren pasar a la Vista Diseño. En algunos casos, Access muestra un mensaje que indica que hay que cambiar a la Vista Diseño para llevar a cabo un cambio determinado.

Ajustar un formulario en la Vista Diseño

La Vista Diseño ofrece una vista más detallada de la estructura de un formulario. Se pueden ver las secciones Encabezado, Detalle y Pie de página de un formulario. Cuando se muestra en la Vista Diseño, el formulario no se está ejecutando en realidad, por lo que no se pueden ver los datos subyacentes mientras se realizan cambios de diseño; sin embargo, hay algunas tareas que se pueden realizar más fácilmente en la Vista Diseño que en la Vista Presentación. Por ejemplo:

- La función **Autoformulario** crea un formulario que muestra todos los campos y registros de la tabla o consulta base. Si el origen de registros seleccionado tiene tablas o consultas relacionadas, el formulario también incluirá todos los campos y registros de dichos orígenes de recursos.
  - **Autoformulario: en columnas.** Cada campo aparece en una línea distinta con una etiqueta a la izquierda.
  - **Autoformulario: en tabla.** Los campos de cada registro aparecen en una línea y las etiquetas se muestran una vez en la parte superior del formulario.
  - **Autoformulario: en hoja de datos.** Los campos de cada registro aparecen en formato de fila y columna, con un registro en cada fila y un campo en cada columna. Los nombres de campo aparecen en la parte superior de cada columna.
  - **Autoformulario: tabla dinámica.** El formulario se abre en la vista Tabla dinámica. Para agregar

campos, arrástrelos desde la lista de campo a las distintas áreas de la vista.

- **Autoformulario: gráfico dinámico.** Se abre en la vista Gráfico dinámico. Para agregar campos, arrástrelos desde la lista de campos a las distintas áreas de la vista.

Guardar el trabajo

Tras guardar el diseño de un formulario, se puede guardar el formulario tantas veces como se desee. El diseño permanece intacto, pero los datos actuales se ven cada vez que se muestra el formulario. Si cambian sus necesidades, puede modificar el diseño o crear un nuevo formulario basado en el original.

6.7.6. Hojas de propiedades

Las propiedades determinan las características de las tablas y/o consultas de las que se componen. Determinan su estructura, aspecto, comportamiento, así como las características del texto o los datos que contiene.

Para poder visualizar la hoja de Propiedades, haga clic en el menú Ver de la barra de herramientas de Access y seleccione Propiedades. Aparecerá un cuadro compuesto por una barra de títulos, que muestra el tipo y el nombre del objeto seleccionado, y fichas. Cada una de ellas muestra las propiedades de una categoría específica.

6.8. Filtrar y Ordenar

Para buscar uno o varios registros más específicos en un formulario o imprimir registros específicos en un informe, una tabla o una consulta, puede usar un filtro.

Un filtro cambia los datos que muestra un formulario o informe en una vista sin cambiar el diseño de ese formulario o informe. Un filtro puede considerarse como un criterio o una regla que se especifica para un campo. El criterio identifica los valores de campo que el usuario desea ver. Cuando se aplica el filtro, se incluyen en la vista únicamente los registros que contienen los valores que se desean ver. El resto permanece oculto hasta que se quita el filtro.

Cuando se aplica un filtro, la vista se actualiza para mostrar únicamente los registros que coinciden con los criterios. En este caso, se verán únicamente los registros de cliente donde la parte correspondiente al mes en el campo denominado Fecha de nacimiento sea el mes de abril. Todos los demás registros permanecen ocultos.

Office Access 2007 incluye varios filtros para cada tipo de datos. Estos filtros están disponibles como comandos de menú en las siguientes vistas: Hoja de datos, Formulario, Informe y Presentación. Además de estos filtros, también se puede filtrar un formulario o una hoja de datos rellenando un formulario (que se denomina Filtro por formulario).

6.8.1. Tipos de filtro

Existen cuatro métodos que podrá utilizar para filtrar registros en un formulario u hoja de datos: Filtro por entrada de datos (Filtro común), Filtro por selección, Filtro por formulario, y Filtro u orden avanzado. También se pueden filtrar registros en una página de acceso a datos.

6.8.2. Filtros comunes

Hay varios filtros comunes disponibles como comandos de menú contextual, de modo que el usuario no tiene que perder tiempo creando criterios de filtro correctos. Para obtener acceso a estos comandos, haga clic en el botón secundario del ratón en el campo que desee filtrar.

> ***Nota:*** *Si selecciona dos o más columnas o controles, no estarán disponibles las opciones de filtro. Si desea filtrar la vista por varios controles o columnas, deberá seleccionar y filtrar cada columna o control por separado, o bien, usar una opción de filtro avanzada. Vea las secciones Filtro por formulario y Filtros avanzados de este artículo para obtener más información.*

Por ejemplo, para ver los filtros disponibles para el campo denominado Fecha de nacimiento:

1. En la ficha Inicio, en el grupo Ordenar y filtrar, haga clic en Filtro y luego en filtros de fecha comunes (figura 6.18).

2. Para filtrar por valores específicos, use la lista de casillas de verificación. La lista incluye todos los valores que se muestran actualmente en el campo.
3. Para filtrar por un intervalo de valores, haga clic en uno de estos filtros y especifique los valores requeridos.

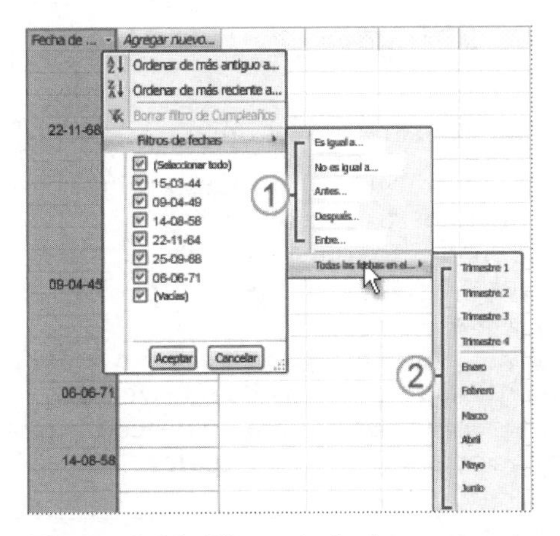

Figura 6.18. Filtros de fecha comunes.

Por ejemplo, para ver los cumpleaños que se celebran entre la fecha de hoy y el fin de año, haga clic en Entre y, a continuación, especifique las fechas inicial y final apropiadas en el cuadro de diálogo Entre.

> ***Nota:*** *Para ver todos los cumpleaños que se celebran en una fecha específica, use la lista de valores. En una vista sin filtrar, la lista de valores de cada campo presenta todos los valores únicos almacenados en ese campo.*

Aplicar un filtro común

1. Abra una tabla, una consulta, un formulario o un informe en cualquiera de las vistas siguientes: Hoja de datos, Formulario, Informe o Presentación.
2. Asegúrese de que aún no se ha aplicado ningún filtro a la vista.

   En la barra de selectores de registro, compruebe que está presente el icono Sin filtrar o el icono atenuado Sin filtro.

> ***Truco:*** *Para quitar todos los filtros de un objeto concreto, en la ficha* Inicio, *en el grupo* Ordenar y filtrar, *haga clic en* Avanzadas *y, a continuación, en* Borrar todos los filtros.

3. Haga clic en cualquier parte de la columna o del control correspondiente al primer campo que desee filtrar.
4. En la ficha Inicio, en el grupo Ordenar y filtrar, haga clic en **Filtro**.
5. Siga uno de estos procedimientos:

   - Para aplicar un filtro común, elija Filtros de texto (o de números o de fechas) y, a continuación, haga clic en el filtro que desee. En el caso de los filtros Igual a y Entre, es preciso especificar los valores necesarios.
   - Para aplicar un filtro basado en valores de campo, desactive las casillas de verificación junto a los valores por los que no desee filtrar y, a continuación, haga clic en **Aceptar**.

> ***Truco:*** *En el caso de una lista de valores exhaustiva, si desea filtrar por uno o sólo por algunos de esos valores, desactive primero la casilla de verificación (*Seleccionar todo*) y, a continuación, seleccione los valores que desee.*

   - Para filtrar por valores nulos (un valor nulo indica la ausencia de datos) en campos de texto, números y fechas, en la lista de casillas de verificación, desactive Seleccionar todo y, a continuación, active la casilla de verificación junto a Vacías.

Repita los tres pasos anteriores para cada campo que desee filtrar.

6.8.3. Filtro por selección

Si el valor que desea usar como base para un filtro está actualmente seleccionado, podrá filtrar rápidamente la vista haciendo clic en uno de los comandos de selección. Los comandos disponibles varían dependiendo del tipo de datos del valor seleccionado. Estos comandos también están disponibles en el menú contextual del campo, al que se obtiene acceso haciendo clic con el botón secundario en el campo. Por ejemplo, si está seleccionado el valor 21/2/1967 en el campo denominado Fecha de nacimiento, en la ficha Inicio, en el grupo Ordenar y filtrar, haga clic en Selección para mostrar el filtro por comandos de selección, como muestra la figura 6.19.

La lista de comandos incluye automáticamente el valor actual, por lo que no hay que escribirlo.

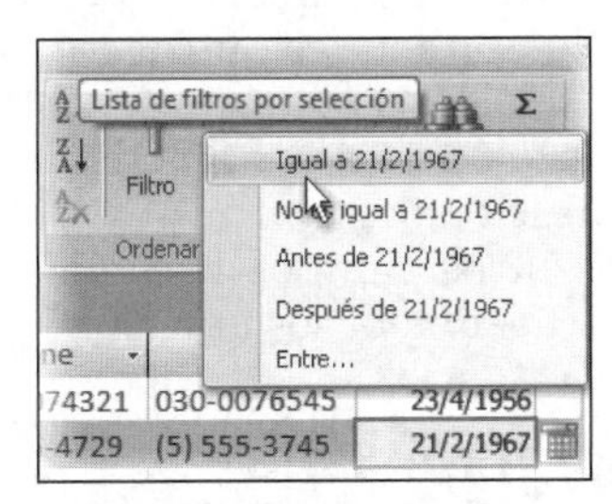

Figura 6.19. Filtros por selección.

También depende de la porción del valor que se haya seleccionado. Por ejemplo, si se seleccionan sólo algunos de los caracteres del valor, se verá una lista diferente de comandos, dependiendo de la parte del campo que se haya seleccionado. (Véase la figura 6.20.)

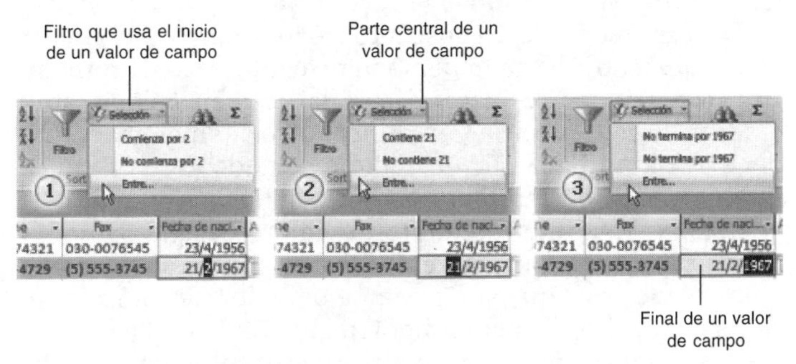

Figura 6.20. Valores de campo.

Aplicar un filtro por selección

1. Abra una tabla, una consulta, un formulario o un informe en cualquiera de las vistas siguientes: Hoja de datos, Formulario, Informe o Presentación.

2. Asegúrese de que aún no se ha aplicado ningún filtro a la vista. En la barra de selectores de registro, compruebe que está presente el icono Sin filtrar o el icono atenuado Sin filtro.
3. Vaya al registro que contiene el valor que desee usar como parte del filtro y, a continuación, haga clic dentro de la columna en la vista Hoja de datos, o del control en la vista Formulario, Informe o Presentación. Para filtrar basándose en una selección parcial, seleccione los caracteres que desee.
4. En la ficha Inicio, en el grupo Ordenar y filtrar, haga clic en Selección y, a continuación, haga clic en el filtro que desea aplicar.
5. Para filtrar otros campos basándose en una selección, repita los dos pasos anteriores.

6.8.4. Filtro por formulario

Esta técnica resulta útil cuando se desea filtrar por varios campos en un formulario o una hoja de datos, o bien, cuando se intenta buscar un registro específico. Access crea un formulario o una hoja de datos en blanco similar al formulario o a la hoja de datos original. A continuación, permite al usuario rellenar tantos campos como desee. Una vez finalizado, Access busca los registros que contengan los valores especificados.

Por ejemplo, si desea buscar todos los registros de cliente en los que el título de la persona de contacto sea Propietario y esa persona resida en Guadalajara o en Toledo, abra el formulario Clientes y, en la ficha Inicio, en el grupo Ordenar y filtrar, haga clic en Filtro avanzado y, a continuación, haga clic en Filtro por formulario.

Escriba el primer conjunto de valores, haga clic en la ficha O y, a continuación, escriba el siguiente conjunto de valores. Observe que si desea que un valor de campo funcione como filtro independientemente de los demás valores de campo, deberá especificar ese valor en la ficha Buscar y cada ficha O. Cada ficha O representa un conjunto alternativo de valores de filtro.

Aplicar un filtro rellenando un formulario

1. Abra una tabla o una consulta en la vista Hoja de datos o un formulario en la Vista Formulario.

2. Asegúrese de que aún no se ha aplicado ningún filtro a la vista. En la barra de selectores de registro, compruebe que está presente el icono Sin filtrar o el icono atenuado Sin filtro.
3. En la ficha Inicio, en el grupo Ordenar y filtrar, haga clic en Opciones avanzadas y, a continuación, haga clic en Filtrar por formulario en el menú contextual. Según esté trabajando en la vista Hoja de datos o la vista Formulario, siga uno de los siguientes procedimientos.

En la vista Hoja de datos:

1. Haga clic en la primera fila de la columna por la que desee filtrar.
2. Haga clic en la flecha que aparece y seleccione un valor. Puede agregar más valores haciendo clic en la ficha O situada en la parte inferior de la hoja de datos y seleccionando otro valor.

En la vista Formulario:

1. Haga clic en la flecha que aparece en el control y seleccione el valor por el que desee filtrar. Puede agregar más valores haciendo clic en la ficha O situada en la parte inferior del formulario y seleccionando otro valor.
2. Haga clic en la ficha O para seguir agregando más valores.

Nota: *No se pueden especificar valores para los campos multivalor mediante filtro por formulario, si bien se pueden especificar valores para cualquier campo que no sea multivalor en el conjunto de registros.*

6.8.5. Agrupar y Ordenar

Los registros e una tabla, una consulta un formulario o un informe se pueden ordenar por uno o varios campos. Con un trabajo de diseño mínimo. Los usuarios pueden elegir como desean ordenar los registros.

- **Ordenación simple.** Ordena todos los registros en orden ascendente o descendente en vista Formulario, vista Hoja de datos o vista Página.

- **Ordenación compleja.** En la Vista Diseño de un informe, se pueden ordenar registros en orden ascendente y en orden descendente.

Si no tuvo en cuenta dónde especificó el orden, Access lo almacenará al guardar el informe. Si basa un nuevo informe en una tabla o consulta con un orden guardado, el nuevo informe heredará ese mandato. Para ordenar fechas y horas de más temprano a más tarde, use el orden ascendente.

Para agrupar y ordenar registros, siga estos pasos:

1. Abra el informe en la Vista Diseño.
2. Haga clic en Agrupar y Ordenar, en la ficha contextual Diseño de las Herramientas de Diseño.
3. En la primera fila de la columna **Campo/Expresión** del cuadro Agrupar y Ordenar en la ficha Diseño seleccione el campo dentro del cual desee agrupar los registros. El campo de la primera fila es el primer nivel de agrupación. La segunda fila, es el segundo nivel de agrupación y así sucesivamente.
4. Cuando rellene las columnas de **Campo/Expresión**, Access establecerá automáticamente el Orden en Ascendente. Para cambiar el tipo de orden, seleccione Descendente.
5. En la parte inferior del cuadro Agrupar y Ordenar, hay unos cuadros: Encabezado del grupo o Pie del grupo. Establezca uno u otro, o ambos para crear el nivel de grupo.
6. En **Agrupar en**, específica cómo se desean agrupar los valores. Las opciones que se ven dependen del tipo de datos del campo por el que se está agrupando.
7. En **Intervalo del grupo**, señala cualquier intervalo que sea válido para los valores en el campo o expresión por el que esté agrupando.
8. **Mantener juntos**, expone si Access debe imprimir todo o sólo una parte de un grupo de la misma página.

6.9. Controles

Office Access 2007 proporciona una nueva característica denominada Panel de exploración, que reemplaza a la ventana Base de datos. Este panel se puede utilizar en lugar de los paneles de control.

El Panel de exploración funciona con el nuevo modelo de interfaz de usuario de Office Access 2007 en el que coloca los objetos abiertos (formularios, informes, etc.) en una sola ventana y marca cada objeto con una ficha. Cuando se abre más de un objeto, se utilizan las fichas para ir de un objeto abierto a otro.

6.9.1. Agregar controles a un formulario

Algunos controles se crean automáticamente, como el control dependiente que se crea cuando se agrega al formulario un campo del Panel Lista de campos. En la Vista Diseño se pueden crear muchos otros controles mediante las herramientas del grupo Controles (figura 6.21) de la ficha Diseño.

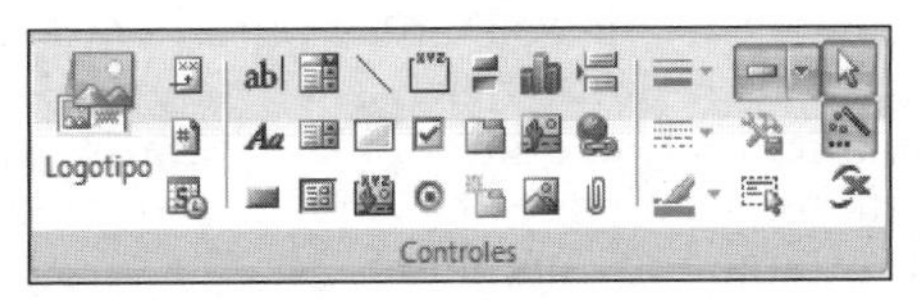

Figura 6.21. Herramientas del panel de controles.

> ***Nota:*** *Muchas de las herramientas del grupo* Controles *son accesibles únicamente mientras esté abierto el formulario en la* Vista Diseño. *Para cambiar a la* Vista Diseño, *haga clic con el botón secundario en el nombre del formulario en el panel de exploración y, a continuación, haga clic en* Vista Diseño.

1. Determinar el nombre de una herramienta.
2. Sitúe el puntero del ratón sobre la herramienta.
3. Access muestra el nombre de la herramienta.
4. Utilizar asistentes para controles.
5. Puede usar los asistentes para que le ayuden a crear botones de comando, cuadros de lista, subformularios, cuadros combinados y grupos de opciones. En la ficha Diseño, en el grupo Controles, sino está seleccionada la opción Utilizar asistentes para controles haga clic en ella para seleccionarla.

Si prefiere crear controles sin la ayuda del asistente, haga clic en Utilizar asistentes para controles de modo que no esté seleccionada esta opción.

6.9.2. Crear un control mediante las herramientas del grupo Controles

1. Haga clic en la herramienta que desee agregar al tipo de control. Por ejemplo, para crear una casilla de verificación, haga clic en la herramienta correspondiente.
2. En la cuadrícula de diseño del formulario, haga clic en el lugar donde desee colocar la esquina superior izquierda del control.
3. Haga clic una vez para crear un control de tamaño predeterminado, o bien, haga clic en la herramienta y, a continuación, arrastre el puntero del ratón en la cuadrícula de diseño del formulario para crear un control con el tamaño deseado.

Si seleccionó Utilizar asistentes para controles y el control que está colocando tiene asociado un asistente, este asistente se iniciará y le guiará para configurar el control. Si no coloca correctamente el control al primer intento, muévalo de la siguiente manera:

1. Haga clic en el control para seleccionarlo.
2. Sitúe el puntero del ratón sobre el control hasta que se convierta en una flecha de cuatro puntas.
3. Haga clic y arrastre el control hasta la ubicación deseada.

Si usa un Asistente para controles, puede que el asistente contenga pasos para ayudarle a enlazar el control a un campo. En caso contrario, mediante este procedimiento se crea un control independiente.

Si el control es del tipo que puede mostrar datos (por ejemplo, un cuadro de texto o una casilla de verificación), es preciso especificar un nombre de campo o una expresión en el cuadro de la propiedad Origen del control para que se muestren los datos.

6.10. Informes

Con Access 2007 puede crear una amplia variedad de informes, desde los más sencillos a los más complejos. Por ejemplo, debe comenzar por pensar en el origen de los registros del informe. Aunque el informe sea un listado sencillo de registros o un resumen agrupado de las ventas realizadas por zona comercial, primero debe determinar qué campos contienen los datos que desea ver en el registro y en qué tablas o consultas residen. Se puede personalizar un informe de las siguientes formas:

- **Origen del registro:** Puede cambiar las tablas y consultas en que está basado un informe.
- **Agrupar y Ordenar datos:** Se pueden ordenar los datos en orden ascendente o descendente. También puede agrupar los registros de uno o más campos, y mostrar subtotales y totales en un informe.
- **Ventana Informe:** Se puede agregar o quitar los botones **Maximizar** y **Minimizar**, cambiar el texto de la barra de título y otros elementos de la ventana Informe.
- **Secciones:** Se puede agregar, quitar, ocultar o cambiar de tamaño los encabezados, pies y las secciones de detalles de un informe. También puede establecer propiedades de sección para controlar la presentación de un informe y el resultado que se obtiene al imprimirlo.
- **Controles:** Puede mover, cambiar el tamaño o establecer las propiedades de fuente de un control. También puede agregar controles para mostrar valores calculados, totales, la fecha y hora actuales, y otra información que sea de utilidad en un informe.

6.10.1. Elegir un origen de registros

Los informes constan de información extraída de una tabla o consulta, así como de la información almacenada en el diseño del informe, como etiquetas, encabezados y gráficos. La tabla o consulta que proporciona los datos subyacentes también se conoce como origen de registros del informe. Si los campos que desea incluir se encuentran todos en una sola tabla, utilice dicha tabla como origen de registros.

Si los campos se encuentran en más de una tabla, le será más conveniente utilizar una o más consultas como origen de registros. Puede que dichas consultas ya existan en la base de datos, o bien, puede ser necesario crear consultas específicas que cubran las necesidades del informe.

Hay tres maneras de crear un informe: Crear un informe mediante la herramienta de informes, Crear un informe mediante el Asistente para informes, o Crear un informe utilizando la herramienta Informe en blanco.

6.10.2. Crear un informe mediante la herramienta de informes

La herramienta Informe es la manera más rápida de crear un informe, porque lo genera inmediatamente sin solicitarle ningún tipo de información. El informe muestra todos los campos de la tabla o consulta subyacente. La herramienta Informe puede no crear el producto final terminado que desea obtener en última instancia, pero resulta muy útil para ver rápidamente los datos subyacentes. Después, puede guardar el informe y modificarlo en la vista Presentación o en la Vista Diseño para que se adapte mejor a sus propósitos.

1. En el Panel de exploración, haga clic en la tabla o consulta en la que desea basar el informe.
2. En la ficha Crear, en el grupo Informes, haga clic en Informe. Access crea y muestra el informe en la vista Presentación. Y abre la ficha contextual Formato de la figura 6.22.

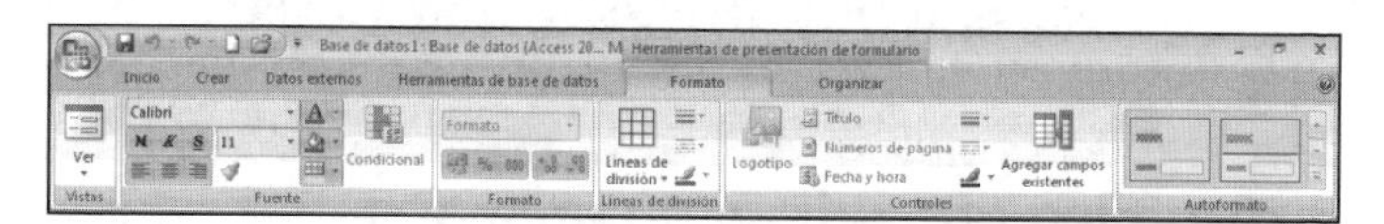

Figura 6.22. Ficha contextual Formato.

Después de ver el informe, puede guardarlo y, a continuación, cerrar tanto el informe como la tabla o consulta subyacente que ha utilizado como origen de registros. La próxima vez que abra el informe, Access mostrará los datos más recientes del origen de registros.

6.10.3. Crear un informe mediante el Asistente para informes

Puede utilizar el Asistente para informes para ser más selectivo acerca de los campos que van a aparecer en el informe.

También puede especificar cómo se agrupan y se ordenan los datos, y puede utilizar los campos de más de una tabla o consulta, siempre que haya especificado de antemano las relaciones entre las tablas y consultas.

1. En la ficha Crear, en el grupo Informes, haga clic en Asistente para informes Asistente para informes.
2. Siga las instrucciones de las páginas del Asistente para informes Asistente para informes. En la última, haga clic en **Finalizar**.

En la Vista preliminar del informe, éste aparece tal y como se imprimirá. También puede ampliarlo para ver mejor determinados detalles.

6.10.4. Agregar campos y controles al informe

Algunos controles se crean automáticamente, como el control de cuadro de texto dependiente que se crea al agregar al informe un campo desde el panel Lista de campos. Se pueden crear otros controles en la Vista Diseño mediante las herramientas del grupo Controles en la ficha Diseño tab.

Cuando cree un informe, lo más eficaz es agregar y organizar primero todos los controles dependientes, especialmente si son la mayoría de los controles del informe. Después puede agregar los controles independientes y calculados que completen el diseño utilizando las herramientas del grupo Controles en la ficha Diseño.

Los controles se enlazan con un campo especificando el campo del cual toma los datos el control. Puede crear un control enlazado con el campo seleccionado arrastrándolo desde el panel Lista de campos hasta el informe. El panel Lista de campos muestra los campos de la tabla o consulta subyacente del informe. Para mostrar el panel Lista de campos, en la ficha Diseño, en el grupo Controles, haga clic en Agregar campos existentes.

Para crear un control utilizando las herramientas del grupo Controles siga los siguientes pasos:

1. Haga clic en la herramienta correspondiente al tipo de control que desee agregar. (Coloque el puntero del ratón sobre la herramienta, Access le muestra el nombre y la función de la herramienta). Por ejemplo, para crear una casilla de verificación, haga clic en la herramienta **Casilla de verificación** .

2. Haga clic en la cuadrícula del informe donde desea colocar la esquina superior izquierda del control.
3. Haga clic una vez para crear un control de tamaño predeterminado, o bien, haga clic en la herramienta y arrástrela en la cuadrícula de diseño para crear un control que tenga el tamaño deseado.

Si no coloca correctamente el control al primer intento, muévalo con la ayuda del procedimiento siguiente:

1. Haga clic en el control para seleccionarlo.
2. Sitúe el puntero sobre el control hasta que se convierta en una flecha de cuatro puntas.
3. Arrastre el control a la ubicación deseada.

Este procedimiento crea un control "independiente". Si el tipo de control puede mostrar datos (un cuadro de texto o casilla de verificación, por ejemplo), es necesario especificar un nombre de campo o una expresión en la propiedad Origen DelControl para el control antes de mostrar ningún dato.

- Para agregar campos del panel Lista de campos, arrastre uno de los campos desde el panel Lista de campos a la sección del informe donde desee mostrarlo.
- Para agregar varios campos al mismo tiempo, mantenga presionada la tecla **Control** y haga clic en los campos que desea. A continuación, arrastre los campos seleccionados hasta el informe.

Al colocar los campos en una sección del informe, Access crea un cuadro de texto dependiente para cada uno de esos campos e incluye automáticamente un control de etiqueta junto a cada uno de ellos.

6.10.5. Ver y Ajustar un informe

Ajustar el informe en la Vista Presentación

Después de crear un informe, puede ajustar su diseño con precisión trabajando en la vista Presentación. Con los datos del informe como guía, puede ajustar el ancho de las columnas, reorganizar las columnas y agregar niveles de grupo y totales. Puede colocar nuevos campos en el diseño del informe y establecer las propiedades para el informe y sus controles.

- Para cambiar a la vista Presentación, haga clic con el botón secundario en el nombre del informe en el Panel de exploración y, a continuación, haga clic en Vista Presentación.
- Puede utilizar la hoja de propiedades para modificar las propiedades del informe así como de sus controles y secciones. Para mostrar la hoja de propiedades, presione **F4**.
- Puede usar el panel Lista de campos para agregar campos de la tabla o consulta subyacente al informe. Para mostrar el panel Lista de campos, realice una de las acciones siguientes:

  1. En la ficha Formato, en el grupo Controles, haga clic en Agregar campos existentes.
  2. Presione **Alt-F8**.

  Se pueden agregar campos arrastrándolos desde el panel Lista de campos hasta el informe.

6.10.6. Realizar Cálculos y obtener totales

En cualquier informe que contenga números, se pueden usar totales, promedios, porcentajes o sumas continuas para que los datos sean más comprensibles. En este artículo se muestra cómo realizar y crear esos elementos agregados a un informe. En la siguiente tabla se describen los tipos de funciones de agregado de Microsoft Office Access 2007 que se pueden agregar a un informe.

Tabla 6.2. Funciones de agregado.

Cálculo	*Descripción*	*Función*
Suma	La suma de todos los números de la columna.	`Suma()`
Promedio	El valor medio de todos los números de la columna.	`Promedio()`
Recuento	El recuento de los elementos de la columna.	`Cuenta()`
Máximo	El valor numérico o alfabético más alto de la columna.	`Máx()`
Mínimo	El valor numérico o alfabético más bajo de la columna.	`Mín()`

Cálculo	Descripción	Función
Desviación estándar	Un cálculo de la desviación estándar en el conjunto de valores de la columna.	`DesvEst()`
Varianza	Un cálculo de la varianza en el conjunto de valores de la columna.	`Var()`

Access 2007 agrega un cuadro de texto a la sección Pie del informe (sección de un informe que se utiliza para colocar información que, normalmente, aparece en la parte inferior de una página, como los números de página, fechas y sumas) y establece su propiedad Origen del control en una expresión que realice el cálculo deseado.

Calcular una suma continua (total acumulativo)

Puede utilizar Access 2007 para crear una suma continua en un informe como en la figura 6.23. Una suma continua es un total que se acumula de registro a registro en un grupo, o incluso en todo un informe.

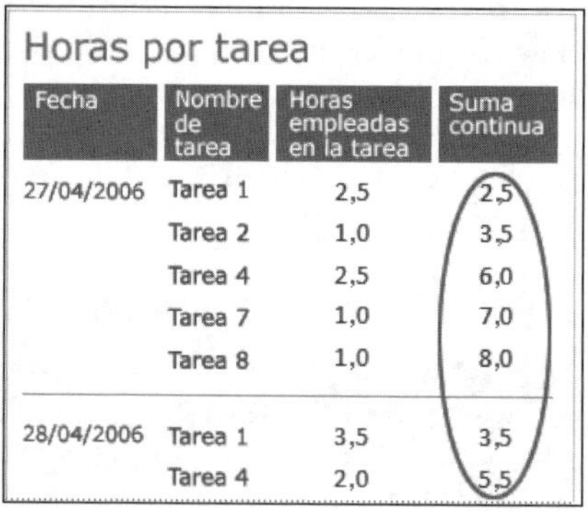

Horas por tarea

Fecha	Nombre de tarea	Horas empleadas en la tarea	Suma continua
27/04/2006	Tarea 1	2,5	2,5
	Tarea 2	1,0	3,5
	Tarea 4	2,5	6,0
	Tarea 7	1,0	7,0
	Tarea 8	1,0	8,0
28/04/2006	Tarea 1	3,5	3,5
	Tarea 4	2,0	5,5

Figura 6.23. Crear una suma continua.

1. En el panel de exploración, haga clic con el botón secundario en el informe y, a continuación, haga clic en Vista Diseño en el menú contextual.
2. En la ficha Diseño, en el grupo Controles, haga clic en Cuadro de texto .
3. Haga clic en la sección Detalle, Encabezado del grupo o Pie del grupo para crear un cuadro de texto.

Si aparece una etiqueta junto al cuadro de texto, elimínela o cambie su texto a un valor significativo.
4. Seleccione el cuadro de texto. Si no se muestra la hoja de propiedades, presione **F4**.
5. Haga clic en la ficha de Datos. En el cuadro de propiedad Origen del control, escriba el nombre de campo o la expresión para la que desee crear la suma continua. Por ejemplo, escriba **PrecioConDescuento** para el campo PrecioConDescuento. O bien, en el nivel de grupo, escriba la expresión **=Suma([Precio ConDescuento])**.
6. Haga clic en el cuadro de propiedad Suma continua.
7. Haga clic en la flecha desplegable del cuadro de propiedad y siga uno de estos procedimientos:
    - Si desea que la suma continua se restablezca en 0 cuando se alcance el siguiente nivel de grupo superior, seleccione Sobre grupo en la lista.
    - Si desea que la suma continua se acumule hasta el final del informe, seleccione Sobre todo en la lista.
    - Cierre la hoja de propiedades.

> ***Nota:*** *Si establece la propiedad* Suma continua *en* Sobre todo, *puede repetir el total general en la sección* Pie del informe. *Cree un cuadro de texto en el pie del informe y establezca su propiedad* Origen del control *en el nombre del cuadro de texto que calcula la suma continua; por ejemplo,* `=[CantidadPedido].`

6.10.7. Guardar el trabajo

Una vez guardado el diseño del informe, puede usarlo siempre que lo necesite. El diseño del informe sigue igual, pero los datos se actualizan cada vez que imprime el informe. Si cambian las necesidades del informe, puede modificar el diseño del mismo o crear un nuevo y similar basado en el original. Guarde el diseño del informe según estos pasos:

1. Haga clic en el **Botón de Office** y, a continuación, haga clic en Guardar.
2. También puede hacer clic en **Guardar** en la Barra de herramientas de acceso rápido.
3. Escriba un nombre en el cuadro Nombre del informe y haga clic en **Aceptar**.

6.11. Macros

Una macro es un conjunto de una o más acciones que realiza una operación determinada, como, por ejemplo, abrir un formulario o imprimir un informe. También puede utilizar un grupo de macros para realizar varias tareas al mismo tiempo. Para crear una macro:

1. En **Otros** de la ficha Crear, haga clic en Macros.
2. Haga clic en el botón **Nuevo**, de la ventana Base de datos.
3. En la ventana Macros, de la hoja de Datos, haga clic en la primera fila en blanco de la columna Acción.
4. Haga clic en la flecha que aparecerá al lado derecho de la fila, para presentar la lista de acciones.
5. Seleccione una acción.
6. En la ficha Diseño, en el grupo Mostrar u Ocultar haga clic en Argumentos si es que se requiere alguno. Hay unos argumentos de acción cuyos valores son el intervalo de impresión, número de páginas, copias, calidad de impresión, etc.
7. En la parte derecha del cuadro, introduzca un comentario para la acción, si así lo desea, pues es opcional.
8. Para agregar más acciones, haga clic en la siguiente fila en blanco y repita la misma operación.
9. Access llevará a cabo las acciones en el orden en que se enumeren.

Nota: *Si una vez que ha seleccionado varias acciones desea insertar una nueva entre ellas, haga clic en el selector de la fila de acción que se encuentra debajo de la fila donde desea insertar la nueva acción. Luego, haga clic en* ***Insertar fila*** Insertar filas *, del grupo* Filas. *Si quiere eliminarla, selecciónela y haga clic en el botón* ***Eliminar fila*** Eliminar filas.

6.12. Imprimir documentos

6.12.1. Configurar la impresora

Para que pueda imprimir documentos es necesario configurar la impresora.

Para ello:

1. Haga clic en el Botón de Windows Vista (menú Inicio en resto de sistemas de Windows), elija Panel de Control.
2. Haga clic en Impresoras.
3. Haga doble clic en el icono **Agregar impresora**.
4. Siga las instrucciones del asistente.

Establecer una impresora como predeterminada

1. Haga clic en el Botón de Windows Vista (menú Inicio en resto de sistemas de Windows).
2. Haga clic en Impresoras.
3. Con el botón derecho del ratón, haga clic en el icono de la impresora que desee utilizar como predeterminada.
4. Aparecerá un menú, haga clic en **Fijar como predeterminada**.
5. Si hay una marca de verificación junto al icono **Impresora**, ya está configurada como predeterminada.

6.12.2. Seleccionar datos o registros

La tabla siguiente muestra técnicas del ratón para seleccionar datos o registros en la vista Hoja de datos:

Tabla 6.3. Técnicas de selección con el ratón en la vista Hoja de datos.

Para seleccionar	*Haga clic*
Datos en un campo	Donde desee empezar a seleccionar y arrastre el ratón por los datos.
Un campo completo	En el borde izquierdo del campo de una hoja de datos, donde el puntero cambia a .
Campos adyacentes	En el borde izquierdo de un campo y arrastre el ratón para extender la selección.
Una columna	En el selector de campo.
Columnas adyacentes	En el nombre del campo en la parte superior de la columna y después arrastre para extender la selección.
Un registro	En el selector de registro.

Para seleccionar	*Haga clic*
Varios registros	En el selector de registro del primer registro y arrastre el ratón para extender la selección.
Todos los registros	En Seleccionar todos los registros en el menú Edición.

6.12.3. Imprimir la hoja de datos de una consulta, formulario o informe

En primer lugar, abra la tabla, consulta o formulario en la vista Hoja de datos, la Vista Tabla dinámica o la Vista Gráfico dinámico. A continuación, siga uno de estos dos procedimientos: Imprimir toda la hoja de datos o los datos en la Vista Tabla dinámica o Gráfico dinámico, o bien, imprimir sólo algunos registros de la Hoja de datos. Si desea imprimir toda la hoja de datos o imprimir los datos en la Vista Tabla dinámica o Gráfico dinámico:

1. Si la Hoja de datos contiene una hoja secundaria de datos que también desea imprimir, haga clic en el indicador de expansión (+) situado a la izquierda de cada fila cuya hoja secundaria de datos desee expandir.
2. Si expande todas las hojas secundarias de datos (haga clic en Formato, elija Hoja secundaria de datos y, a continuación, haga clic en Expandir todo), Access puede devolver un número de registros inesperadamente elevado.
   No imprima nada después de expandir todas las hojas secundarias de datos, a no ser que esté completamente seguro de que desea imprimir todos los registros resultantes.
3. Siga uno de estos procedimientos:
   - Para cambiar la configuración del cuadro de diálogo Imprimir antes de imprimir, en el menú Archivo elija Imprimir y, a continuación, seleccione las opciones que desee.
   - Para imprimir inmediatamente sin cambiar la configuración del cuadro de diálogo Imprimir, haga clic en Imprimir en el menú del Botón de Office.
4. En cuadro de diálogo Imprimir, haga clic en **Aceptar**.

También puede imprimir sólo algunos registros de la hoja de datos.

Para ello:

1. Seleccione los registros que desee imprimir. Si no sabe cómo, lea el apartado anterior.
2. En el Botón de Office, elija Imprimir y, a continuación, elija Registros seleccionados.

Para Imprimir un informe:

1. Siga uno de estos procedimientos:
   - Seleccione el informe en el Panel de exploración.
   - Abra el informe en la Vista Diseño, o Vista preliminar.
2. En el **Botón de Office**, elija Imprimir.
3. Escriba los valores que desea en el cuadro de diálogo Imprimir. En **Impresora**, especifique una impresora que esté predeterminada. En **Intervalo de impresión**, especifique todas las páginas o el intervalo de éstas.
   En **Copias**, especifique el número de copias y si desea que se intercalen.

6.12.4. Imprimir un formulario

Imprimir un formulario abierto:

1. En el menú **Botón de Office**, elija Imprimir.
2. En el cuadro de diálogo Imprimir, seleccione las opciones de impresión que desee.

> ***Advertencia:*** *El resultado depende de la vista en la que esté abierto el formulario, excepto en la* Vista Diseño. *Si el formulario está abierto en la* Vista Diseño, *se imprimirá en la* Vista Formulario.

Imprimir un formulario desde la ventana Base de datos:

1. Haga clic en Formularios, bajo **Objetos**.
2. Seleccione el formulario que desee imprimir.
3. En el **Botón de Office**, elija Imprimir.
4. En el cuadro de diálogo Imprimir, seleccione las opciones de impresión que desee.

Nota: Access 2007 imprime el formulario en la vista especificada en la propiedad Presentación Predeterminada *del formulario.*

Para imprimir los registros seleccionados en la Vista Formulario u Hoja de datos:

1. Abra el formulario en la Vista Formulario o en la vista Hoja de datos.
2. Seleccione los registros haciendo clic en el selector de registro. Para seleccionar varios registros, haga clic con el ratón en el primer selector de registro y arrástrelo hasta el último que desee imprimir. Si no aparece el selector de registro, pulse **Mayús-Barra espaciadora**. Si está en el modo Edición, pulse **F2** antes de presionar **Mayús-Barra espaciadora**.
3. En el menú Archivo, elija Imprimir.
4. En el cuadro de diálogo Imprimir, en **Intervalo de impresión**, elija **Registros seleccionados**.

Truco: Puede imprimir rápidamente desde un acceso directo arrastrando su icono a un icono de impresora del escritorio o de la carpeta Impresoras.

6.12.5. Cancelar impresión

1. Haga clic en el icono **Impresora**, en la Barra de estado de la barra de tareas. Margen inferior derecho del escritorio.
2. Seleccione el documento que desee cancelar.
3. En el menú Documento, haga clic en **Cancelar impresión**.

Advertencia: Si está imprimiendo un documento corto, es posible que el icono de la impresora no aparezca en la barra de estado el tiempo suficiente para que pueda hacer clic y comprobar el proceso de impresión.

7

PowerPoint

7.1. Introducción

PowerPoint 2007 es el programa de gráficos de presentación del sistema Microsoft Office que le permite crear rápidamente presentaciones dinámicas de alto impacto mientas integra flujos de trabajo de seguridad mejorada y maneras de compartir fácilmente esta informaciónCon PowerPoint aprenderá a crear presentaciones para sesiones con diapositivas, reuniones y páginas Web. También permite proporcionar una buena impresión en persona o en línea. Con las mejoras de la interfaz de usuario y la compatibilidad con las etiquetas inteligentes, PowerPoint 2007 facilita la visualización y la creación de las presentaciones. También se ha mejorado la compatibilidad multimedia. Los archivos de PowerPoint se pueden guardar de forma sencilla en un CD. La integración con el Reproductor de Microsoft Windows Media permite incluir secuencias de audio y vídeo en una presentación con diapositivas de forma directa e inmediata. Puede convertir una lista con viñetas en un diagrama, o bien modificar y actualizar los diagramas existentes y resultará más sencillo beneficiarse de las opciones de formato enriquecido con las herramientas contextuales de creación de diagramas SmartArt de la interfaz de usuario.

7.2. La ventana de PowerPoint

La nueva interfaz de usuario se ha diseñado para aumentar la rapidez en PowerPoint, simplificar la búsqueda de las características adecuadas para las distintas tareas, detectar nuevas funciones y ganar en tiempo y eficacia.

La ventana inicial de Word aparece automáticamente cuando se abre el programa. Haga clic el **Botón de Windows Vista** (**Inicio**, en el resto de sistemas operativos de Windows), seleccione Programas, y a continuación en Microsoft Office, haga clic en Microsoft PowerPoint.

Una vez iniciado el programa, aparecerá la ventana inicial de PowerPoint, tal y como se muestra en la figura 7.1.

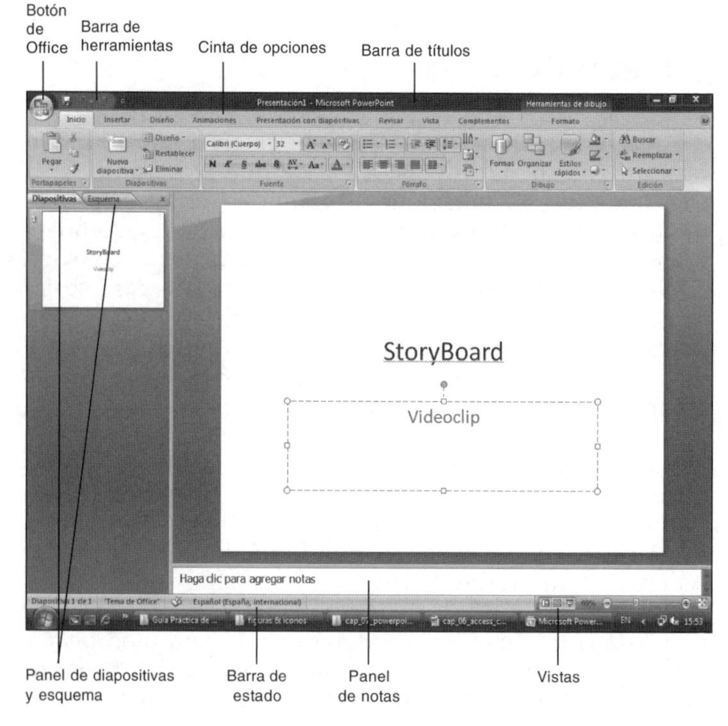

Figura 7.1. Ventana inicial de Microsoft PowerPoint.

- **Barra de títulos.** Contiene el nombre que le ha dado al documento. Si hasta el momento no lo ha guardado con ningún nombre, aparecerá como Presentación 1.
- **Cinta de opciones.** Contiene las fichas Inicio, Insertar, Diseño, Animaciones, Presentación con diapositi-

vas, Revisar, Vista, Programador, y Complementos. Al hacer clic en cualquiera de estas fichas, se mostrará a la vista las opciones correspondientes.
- **Panel de diapositivas y esquema.** Fichas que permiten visualizar en miniatura las diapositivas insertadas en la presentación.
- **Panel de diapositivas.** Área de trabajo donde escribirá y diseñará su presentación.
- **Panel de tareas.** Es la ventana de las aplicaciones Office que proporciona comandos utilizados frecuentemente. En la figura 7.1 está abierto el Panel de tareas Inicio.
- **Barras de desplazamiento.** Permiten desplazarse por las diferentes diapositivas y mostrar las zonas que quedan fuera de la pantalla.
- **Panel de notas.** En esta zona de la pantalla podrá escribir las notas de texto que acompañen a cada diapositiva.

7.3. Crear presentaciones

El proceso de creación de una presentación en Power Point 2007 implica una estructuración de las tareas: empezar con un diseño básico; agregar el contenido y las diapositivas nuevas; elegir los diseños y el formato; modificar la apariencia y los detalles de la presentación, si así se precisa, cambiando la combinación de colores o aplicando distintas plantillas de diseño; y crear efectos como transiciones de diapositivas animadas y otros. La siguiente información se centra en las opciones disponibles al iniciar este proceso.

El panel de tareas Nueva presentación de PowerPoint (que aparece en la figura 7.2 y que se activa en el **Botón de Office**, en **Nuevo**) permite iniciar la creación de una presentación de varias formas. Entre éstas se incluyen:

- **Presentación en blanco y reciente:** Para comenzar desde cero, sin ningún elemento predeterminado. Adecuada para empezar con diapositivas a las que no se ha aplicado color y que tienen un diseño mínimo.
- **Presentación existente:** Base la nueva presentación en otra existente que ya está escrita y diseñada. Esta

función crea una copia de una presentación existente en la que puede cambiar el contenido y el diseño para crear una nueva presentación.

- **Plantilla de diseño instaladas:** Base la presentación en una plantilla de PowerPoint que ya contiene un concepto de diseño, fuentes y combinación de colores. Además de las plantillas incluidas con Power Point, podrá utilizar sus propias plantillas.
- **Plantillas de Microsoft Office Online:** Elija entre las plantillas adicionales de PowerPoint en Microsoft Office Online. Las plantillas están organizadas temáticamente en función del tipo de presentación.

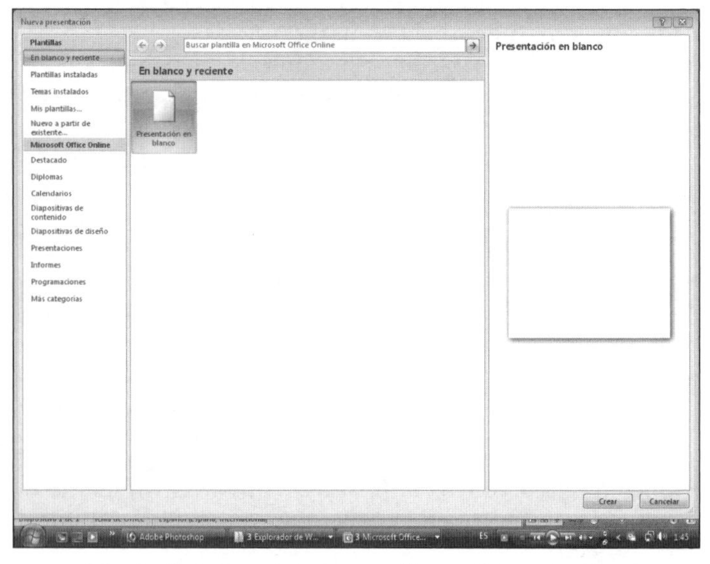

Figura 7.2. Panel de tareas Nueva Presentación.

Crear una presentación con diapositivas en blanco

Si desea crear una presentación con diapositivas en blanco:

1. En la botón, haga clic en **Nuevo** .
2. Si desea conservar el diseño de título predeterminado en la primera diapositiva, vaya al paso 3. Si prefiere un diseño distinto en la primera diapositiva, en el panel de tareas, elija Diseño de la diapositiva y haga clic en el diseño que desee.

3. En la diapositiva o en la ficha Esquema, escriba el texto que desee. Véase figura 7.3.
4. Para insertar una nueva diapositiva, en la Cinta de opciones, en Diapositivas, haga clic en Nueva diapositiva y, a continuación, haga clic en el diseño que desee. En la figura 7.3, se ha elegido título y texto a dos columnas.
5. Repita los pasos 3 y 4 para cada nueva diapositiva y agregue los efectos o elementos de diseño que considere cambiar.
6. Una vez finalizada, en el **Botón de Office**, haga clic en **Guardar** y en el cuadro de diálogo escriba el nombre de la presentación y, a continuación, haga clic en **Guardar**.

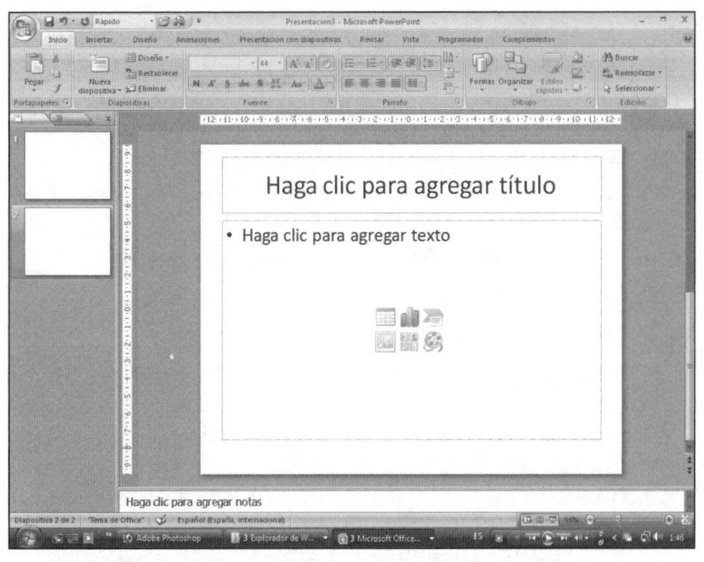

Figura 7.3. Presentación con diapositivas en blanco.

> ***Truco:*** *También puede crear una presentación en blanco, en el panel de tareas* Nueva presentación *(**Botón de Office**, comando* Nuevo*).*

Crear una nueva presentación a partir de otra existente

También puede crear una nueva presentación a partir de otra existente. Al realizar estos pasos, se crea una copia de la presentación existente para que pueda cambiar el diseño y el contenido y así crear una nueva presentación sin modificar la original.

1. Haga clic en el **Botón de Office** y seleccione Nuevo .
2. Haga clic en Nueva a partir de existente.
3. En la lista de archivos, haga clic en la presentación que desee y, a continuación, en Crear nueva.
4. Haga los cambios necesarios en la presentación y, a continuación, en el **Botón de Office**, haga clic en Guardar como.
5. En el cuadro Nombre de archivo, escriba el nombre de la presentación.
6. Haga clic en **Guardar** .

Nota: *En la presentación nueva puede insertar diapositivas existentes en otra presentación. Con la presentación abierta, seleccione la diapositiva a continuación de la cual desea insertar las diapositivas. En la ficha* Insertar, *haga clic en* Álbum de fotografías, *localice la presentación y seleccione las diapositivas que desea insertar.*

Crear una presentación con contenido sugerido

Para crear una presentación con contenido sugerido, si desea crear una presentación personalizada:

1. En el grupo Iniciar presentación con diapositivas de la ficha Presentación con diapositivas, haga clic en presentación personalizada situada debajo y a la derecha de Desde el principio.
2. En el cuadro de diálogo Presentaciones personalizadas, haga clic en **Nueva**.
3. En Definir Presentación personalizada, haga clic en las diapositivas que desea incluir en la presentación personalizada en el cuadro de la derecha y, a continuación, haga clic en **Agregar**.
4. Si desea cambiar el orden en que aparecen las diapositivas, seleccione una en el cuadro Diapositivas de la presentación personalizada y, a continuación, haga clic en una de las flechas para subir o bajarla en la lista.
5. Escriba un nombre en el cuadro Nombre de la presentación con diapositivas y, a continuación, haga clic en **Aceptar**.

6. Repita los pasos 1 a 3 para crear más presentaciones personalizadas con las diapositivas de la presentación.

> ***Nota:*** *Para obtener una vista previa de una presentación personalizada, seleccione el nombre de la presentación en el cuadro de diálogo* Presentaciones personalizadas *y, a continuación, haga clic en* ***Mostrar****.*

7.4. Tareas básicas para manejar archivos

7.4.1. Abrir, guardar y cerrar presentaciones

Para abrir una presentación previamente guardada:

1. Haga clic en el botón **Abrir** en el **Botón de Office**.
2. En la lista Buscar en, haga clic en la unidad, carpeta o ubicación de Internet que contenga el archivo que desee abrir.
3. En la lista de carpetas seleccione el archivo que desee abrir y haga clic en **Abrir**.
   Si tiene problemas para encontrar un archivo, puede buscarlo tal y como aparece detallado en el apartado siguiente.

Para guardar un archivo, haga clic en el botón **Guardar**. Si es la primera vez que guarda el archivo, PowerPoint le solicitará un nombre. Posteriormente, para guardar el archivo con un nombre diferente, haga clic en la opción Guardar como del menú de **Botón de Office**.

Escriba el nuevo nombre para el archivo y seleccione la unidad y carpeta donde desea guardarlo. También puede seleccionar el formato de éste desde este mismo cuadro.

Para cerrar el archivo, haga clic en el aspa que aparece en el extremo superior derecho de la pantalla.

7.4.2. Buscar archivos

Si no encuentra el archivo que desea abrir, podrá buscarlo desde el cuadro de diálogo Buscar en. Para ello, haga clic en el botón **Abrir**, y a continuación, en el cuadro Buscar en (véase figura 7.4), haga clic en la opción Herramientas y finalmente en Buscar.

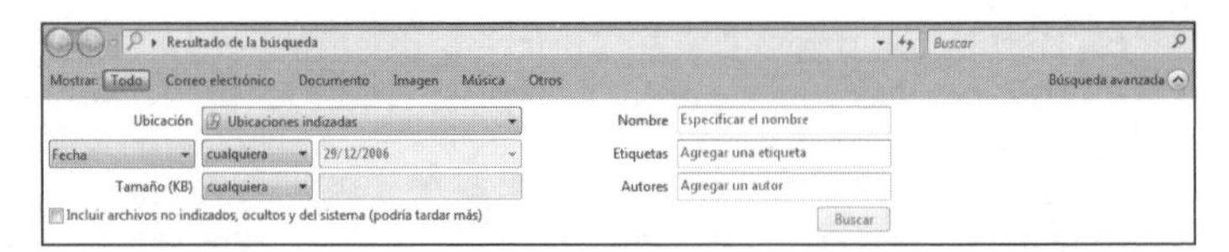

Figura 7.4. Cuadro de diálogo Búsqueda avanzada.

Existen dos modos de realizar la búsqueda: uno básico, que permite buscar el archivo por un fragmento del texto, y uno avanzado, que permite realizar la búsqueda por las propiedades del archivo.

Para realizar la búsqueda sencilla, seleccione la ficha Básica, y en el cuadro Buscar texto escriba un fragmento del texto que aparece en el archivo. Para buscar, puede introducir caracteres comodín en el texto. El símbolo de interrogación (?) representará a cualquier carácter sencillo, mientras que el asterisco (*) equivale a un grupo de caracteres.

Puede limitar la búsqueda a determinadas ubicaciones. Para ello, selecciónelas en el cuadro Buscar en. Para acotar la búsqueda a una única ubicación, escríbala directamente en el cuadro.

También puede limitar la búsqueda a ciertos tipos de archivos. En el cuadro Resultados posibles seleccione los tipos de elementos a los que desea circunscribir la búsqueda. Si desea incluir todos los tipos de archivos, seleccione la opción Cualquiera.

Para efectuar una búsqueda avanzada, haga clic en la ficha Avanzada, e introduzca uno o varios criterios de búsqueda.

7.4.3. Propiedades de archivos

Las propiedades de un archivo son una serie de atributos que establecen las características del archivo, tales como el tamaño, el color o la posición de la pantalla, si el objeto está oculto o no, etc.

Puede ver las propiedades de un archivo que tenga abierto haciendo clic en el **Botón de Office**, y a continuación, en Propiedades.

También puede ver las propiedades de un archivo que no tenga abierto en el cuadro de diálogo Abrir. Haga clic en el botón **Abrir** y en el cuadro de diálogo seleccione el archivo del que quiere obtener información y haga clic con el botón derecho del ratón en él y seleccione **Propiedades**.

Para ver propiedades, como el tamaño del archivo y la fecha de la última modificación, o si quiere comprimir el contenido para ahorrar espacio en disco, haga clic en **Opciones avanzadas**.

7.5. Trabajar con presentaciones

7.5.1. Elementos de una presentación de PowerPoint

Diapositivas

Las diapositivas son el elemento gráfico que, aparte de suministrar gran parte de la información, visualmente dan atractivo a la presentación.

A la diapositiva se le pueden dar gran número de estilos diferentes para variar su apariencia gráfica y así conseguir el mayor impacto en los destinatarios de la presentación.

En cada una de las partes de la presentación se podrán introducir una o varias diapositivas, según la cantidad de información que se quiera suministrar. También es posible añadir imágenes o vídeos a las diapositivas para ganar en impacto, aunque en caso de utilizar archivos que contengan sonido, es recomendable reforzar el mensaje incluyendo el texto por escrito.

Notas

Las notas de texto añaden información adicional a las diapositivas.

Puede imprimir las notas en una página de notas que le sirva de apoyo durante la presentación, o si son notas para la audiencia, distribuirlas para complementar la presentación.

Escriba en el panel de notas el texto con el que desea apoyar a cada diapositiva. Podrá cambiar el formato de las notas utilizando los botones de la **Cinta de opciones**. A las páginas de notas también se les puede agregar gráficos o tablas que permitan una comprensión más rápida de los datos aportados.

Esquema

El esquema es el orden estructural que seguirá la presentación.

Puede en cualquier momento, cambiar el orden de las diapositivas. Para conocer el esquema de forma rápida y eficaz, haga clic en la ficha Esquema, donde podrá ver el estado actual de su presentación en cada momento del proceso.

7.5.2. Ver una presentación

En PowerPoint existen tres vistas principales: **Normal** , **Clasificador de diapositivas** y **Presentación con diapositivas** . Puede acceder a ellas desde la ficha Vista de la Cinta de opciones, o mediante los botones situados en la Barra de estado.

- La vista **Normal** es la vista de modificación principal, que utilizará para escribir y diseñar la presentación.
- La vista **Clasificador de diapositivas** es una vista en miniatura de las diapositivas. Resulta muy útil para obtener una idea global del estado de la presentación y reorganizar o añadir diapositivas, así como obtener una vista previa de las animaciones y transiciones.
- La **Presentación con diapositivas** llena toda la pantalla, como una presentación real. Aquí verá la presentación tal y como la verá el público.
- La **Vista página de notas** es la visualización previa en donde podrá ver las notas de texto, encabezados, pies y número de página y todo lo referente al texto incluido en la presentación.

Para cambiar entre las diferentes vistas, haga clic en la ficha Vista, y seleccione la vista que desee (véase la figura 7.5).

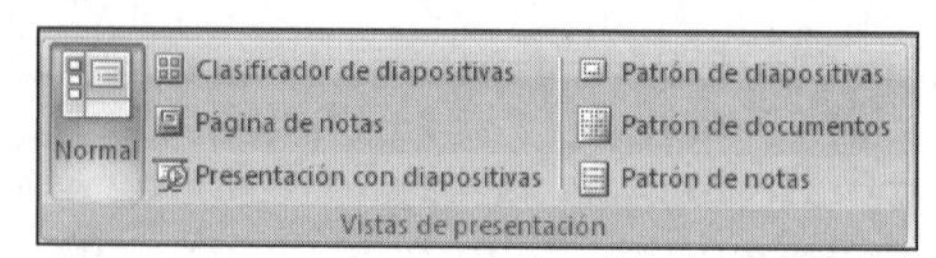

Figura 7.5. Vistas de la presentación en la ficha Vista.

7.5.3. Desplazarse por una presentación

Existen varias maneras de desplazarse por las distintas diapositivas que forman una presentaciónPara ir a una diapositiva puede utilizar las fichas Esquema y Diapositivas. Haga clic en la diapositiva que desee seleccionar. También puede desplazarse utilizando la barra de desplazamiento que aparece a la derecha del panel de diapositivas.

Para desplazarse por las diapositivas durante una presentación, haga clic con el ratón o pulse la **barra espaciadora** o la tecla **Intro** para ir a la siguiente diapositiva. Haciendo clic con el botón derecho del ratón aparecerá un cuadro contextual en el que podrá elegir las opciones **Siguiente** o **Anterior**.

Si desea ver una diapositiva específica dentro de la presentación, escriba el número y pulse la tecla **Intro**.

7.5.4. Insertar texto en las presentaciones

En la ficha Esquema, puede insertar texto creado en otros programas y obtener el formato automático de títulos y texto principal. De esta forma, podrá utilizar documentos con formato de Microsoft Word (`.doc`), formato de texto enriquecido (`.rtf`), y texto sin formato (`.txt`). Los documentos en formato HTML insertados en las presentaciones, conservan la estructura del encabezado y aparecen dentro de un cuadro de texto.

En vez de copiar y pegar, puede utilizar los comandos de los menús de Microsoft PowerPoint para insertar texto o basar una presentación en el esquema de otro documento.

- **Texto en Word o con formato de texto enriquecido.** Tras insertar un documento de Word o un documento con formato de texto enriquecido, PowerPoint crea una estructura de esquema basada en los estilos de encabezado del documento. De este modo, el encabezado 1 del documento de origen se convertirá en el título de la diapositiva en PowerPoint, el encabezado 2 en el primer nivel de texto principal, el encabezado 3 en el segundo nivel de texto y así sucesivamente. Si el documento original no contiene estilos de encabezado, PowerPoint crea un esquema basado en los párrafos. Por ejemplo, si inserta un

archivo `.doc` o `.rft` que contenga varios párrafos con estilo Normal, en PowerPoint cada párrafo pasará a ser el título de una diapositiva.
Mientras trabaja en PowerPoint puede insertar el texto de un documento de Word; o puede crear un esquema en Word y "enviarlo" a PowerPoint para iniciar una nueva presentación basada en este esquema.

- **Texto en HTML.** Tras insertar un esquema con formato HTML en la presentación, se conserva la estructura original del encabezado, no obstante, todo el texto del archivo aparecerá dentro de un cuadro de texto en la diapositiva. Este texto se puede modificar en la diapositiva, pero no se puede modificar en la ficha Esquema. Para crear varias dispositivas basadas en archivos `.htm`, inserte un archivo por cada diapositiva en la que desea insertar texto.
  Tras enviar el archivo de un esquema con formato `.htm`, de Word a PowerPoint, los encabezados y subencabezados se conservan y el esquema se estructura de la misma forma que en un archivo `.doc` o `.rtf`.
- **Texto sin formato.** Tras insertar un documento de texto sin formato, las tabulaciones en el inicio de los párrafos son las que definen la estructura del esquema. Por tanto, el texto sin tabulaciones pasa a ser el título de la diapositiva; el texto con una sangría se convierte en el texto principal; el texto con dos sangrías en el texto principal de segundo nivel y así sucesivamente. Como el texto no contiene ningún estilo, el texto insertado hereda los estilos de la presentación activa.

7.6. Diapositivas

7.6.1. Insertar una diapositiva nueva

1. Para insertar una nueva diapositiva en blanco, siga uno de estos dos procedimientos:
   - En la Cinta de opciones, ficha Formato, haga clic en Nueva diapositiva .
   - Con el punto de inserción en la ficha Esquema o en la ficha Diapositivas, pulse la tecla **Intro**.

2. En el panel de tareas Diseño de la diapositiva, haga clic en el diseño que desee, como muestra la figura 7.6.

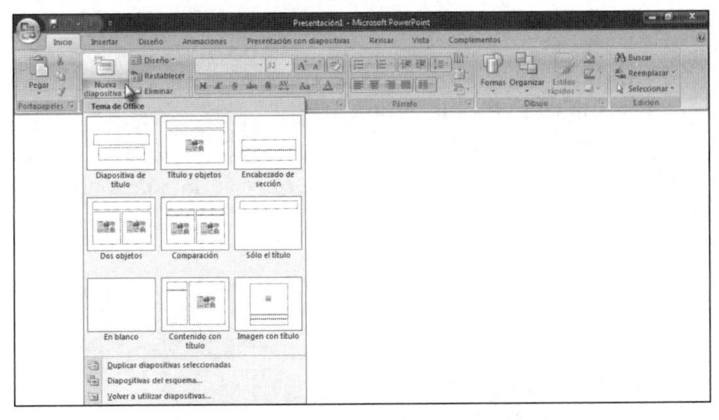

Figura 7.6. Diseño de la diapositiva.

También puede insertar una nueva diapositiva haciendo clic con el botón secundario del ratón en el panel de exploración, en Nueva diapositiva del desplegable contextual.

7.6.2. Eliminar una diapositiva

1. En la Vista Normal, elija la ficha Esquema o la ficha Diapositivas y seleccione las diapositivas que desea eliminar. (Si desea seleccionar las diapositivas en orden, pulse la tecla **Mayús** mientras hace clic; en caso contrario, pulse la tecla **Control** mientras hace clic.)
2. En la ficha Inicio, grupo Diapositivas, haga clic en el botón Eliminar diapositiva.

> ***Truco:*** *También puede presionar la tecla* ***Eliminar (Supr)*** *para eliminar las diapositivas.*

7.6.3. Cambiar el orden de diapositivas

Siga uno de estos procedimientos:

- En la Vista Normal, elija la ficha Esquema y seleccione uno o varios iconos de diapositivas, a continuación, arrastre la selección a una nueva ubicación.

- En la vista **Normal**, elija la ficha Diapositivas y seleccione una o varias diapositivas en miniatura y, a continuación, arrastre la selección a una nueva ubicación.
- En la vista **Clasificación de diapositivas**, seleccione una o varias diapositivas en miniatura y arrástrelas a una nueva ubicación.

Para seleccionar varias diapositivas de una fila, pulse **Mayús** antes de hacer clic en el icono de la diapositiva o miniatura.

> ***Nota:*** *Una vez seleccionadas las diapositivas en miniatura, haga clic con el botón secundario del ratón y arrastre las miniaturas a la nueva ubicación. Aparecerá un menú contextual con opciones para mover y copiar las diapositivas.*

7.6.4. Dividir el texto principal en dos diapositivas

Para que la presentación sea más atractiva, incluya sólo el texto absolutamente necesario en cada diapositiva. Si una diapositiva tiene más texto del que desearía, puede dividirlo entre dos diapositivas:

1. En el panel de exploración que contiene las fichas Esquema y Diapositivas, haga clic en la ficha Esquema.
2. Sitúe el cursor donde desee dividir el texto (por ejemplo, al final de un párrafo con viñetas) y, a continuación, presione **Intro**.
3. En la ficha Esquema de la vista Normal, coloque el punto de inserción donde desee dividir el texto (por ejemplo, al final de un párrafo con viñetas) y, a continuación, pulse **Intro**.

Hay otro procedimiento para dividir el texto entre dos diapositivas. Mientras escribe el texto en el marcador de posición de una diapositiva, en diseño de una sola columna, si la cantidad de texto excede la cantidad que puede contener el marcador de posición, el botón Opciones de autoajuste aparece a la izquierda del texto. Al hacer clic en este botón, se muestran las opciones, incluidas la división del texto entre dos diapositivas y la creación de una segunda diapositiva en blanco con el mismo título, donde puede escribir el texto adicional.

7.6.5. Acercar o alejar una diapositiva

Haga clic en el área donde desea cambiar el Zoom, ya sea en el Esquema, en la ficha Diapositivas o en la diapositiva mostrada en el panel de diapositivas. En la Barra de estado, ajuste la barra deslizante de Zoom, y seleccione el nivel de aproximación que desee 100%. Si desea un nivel de aproximación exacto, diríjase a la ficha Vista y haga clic en Zoom y ajuste al porcentaje que considere oportuno. También ofrece la posibilidad de Ajustar a la ventana.

7.6.6. Duplicar las diapositivas de una presentación

Las diapositivas duplicadas se insertan justo debajo de las diapositivas seleccionadas.

1. En la vista Normal, elija la ficha Esquema o la ficha Diapositivas y seleccione las diapositivas que desea duplicar. (Si desea seleccionar las diapositivas en orden, pulse la tecla **Mayús** mientras hace clic; en caso contrario, pulse la tecla **Control** mientras hace clic.)
2. En el menú Vista, vaya a Clasificador de diapositivas y le mostrará un esquema de visualización mas amplio de las diapositivas a modo de álbum. Seleccione la o las diapositivas que desee duplicar, haga clic con el botón derecho del ratón en **Copiar**, a continuación sitúe el ratón en el panel y de nuevo con el botón derecho del ratón haga clic en **Pegar**.

> ***Truco:*** *También puede duplicar diapositivas presionando las teclas* ***Control-Mayús-D****.*

7.6.7. Ocultar una diapositiva

1. En la ficha Diapositivas de la vista Normal, seleccione la diapositiva que desea ocultar.

2. En el la ficha Presentación con diapositivas, haga clic en Ocultar diapositiva . 
3. El icono de la diapositiva oculta aparece con el número de la diapositiva dentro, junto a la diapositiva que ha ocultado. Véase figura 7.7.

Figura 7.7. Panel de diapositivas con diapositiva oculta.

> ***Advertencia:*** *La diapositiva se guarda en el archivo, aunque esté oculta cuando se ejecuta la presentación.*

7.6.8. Crear una diapositiva que contenga los títulos de otras diapositivas

Para iniciar o finalizar una presentación con diapositivas, puede crear una que incluya los títulos de las diapositivas seleccionadas en la presentación. Una nueva diapositiva, con los títulos en una lista con viñetas de las diapositivas, aparecerá delante de la primera diapositiva seleccionada.

1. En la Vista Normal, seleccione el texto que desee incluir del panel de texto.
2. En el Panel de notas, seleccione el texto de la diapositiva, haga clic en copiar.
3. En el Panel de exploración, haga clic en la pestaña Diapositivas y haga clic en pegar en el número de diapositivas que desee permutar.

7.7. Escribir texto en una diapositiva

Para agregar texto principal o texto de título a un marcador de posición en una diapositiva, haga clic dentro de un marcador de posición de texto y, a continuación, escriba o pegue el texto. Si lo que desea es insertar texto dentro de la diapositiva, siga el siguiente procedimiento:

1. En la Cinta de opciones, en Insertar, haga clic en Cuadro de texto .
2. Sitúe el cursor en la parte de la diapositiva donde quiere ubicar el texto.
3. Escriba o pegue el texto que considere en la caja de texto donde se encuentra el cursor.
4. En la ficha Formato aplique o pruebe el estilo del texto, tipo de fuente, tamaño, color, etc. (Se recomienda el uso de estilos rápidos.)
5. Si desea que tan solo aparezca texto sin que el marco o caja de texto superpuesto sobre la diapositiva, haga clic en Relleno en el panel Estilos de forma y seleccione Sin relleno.

Puede agregar cuatro tipos de texto distintos a una diapositiva: texto de un marcador de posición, texto de una autoforma, texto de un cuadro de texto y texto de WordArt.

El texto que escriba en los marcadores de posición, como títulos y listas con viñetas, se podrá modificar en la diapositiva o en la ficha y exportarlo desde esta ficha a Microsoft Word. El texto de un objeto, como un cuadro de texto o autoforma, y el texto de WordArt no aparecerán en la ficha Esquema y deberá modificarse en la diapositiva.

- **Marcadores de posición.** Los diseños de diapositivas contienen marcadores de posición de objetos y texto en variedad de combinaciones. En los marcadores de posición de texto, escriba los títulos, los subtítulos y el texto principal de las diapositivas. Puede cambiar el tamaño y mover los marcadores de posición, así como darles formato con bordes y colores.

- **Autoformas.** Las autoformas, como llamadas y flechas de bloque, contienen mensajes de texto. Cuando se escribe texto en una autoforma, el texto se adjunta a la forma y se mueve y gira con la forma.
- **Cuadros de texto.** Utilice los cuadros de texto para colocar texto en cualquier parte de una diapositiva, como fuera de un marcador de posición de texto. Por ejemplo, puede agregar un título a una imagen creando un cuadro de texto y situándolo cerca de ésta. Además, un cuadro de texto es muy útil para agregar texto a una autoforma, cuando no se desea adjuntarlo a la forma. Un cuadro de texto puede tener bordes, relleno o un efecto de sombra o efecto tridimensional (3D), así como cambiar de forma.
- **WordArt.** Utilice WordArt para conseguir elaborados efectos de texto. WordArt puede estirar o torcer el texto, curvarlo, girarlo o hacerlo tridimensional o vertical.

7.7.1. Agregar texto a una diapositiva

Agregar WordArt

También puede agregar WordArt:

1. Seleccione la diapositiva a la que desee agregar WordArt.
2. En la ficha Insertar, grupo Texto, haga clic en WordArt. 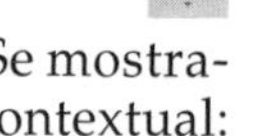
3. Haga clic en el efecto WordArt que desee. Se mostrará en la Cinta de opciones una nueva ficha contextual: Formato.
4. En el cuadro de diálogo Modificar texto de WordArt, escriba el texto que desee.
5. Siga uno de estos procedimientos:
    - Para cambiar el tipo de fuente, selecciónela de la lista Fuente.
    - Para cambiar el tamaño de fuente, selecciónelo de la lista Tamaño.
    - Para cambiar un texto en negrita, haga clic en el botón **Negrita**.
    - Para cambiar un texto en cursiva, haga clic en el botón **Cursiva**.

7.7.2. Activar o desactivar el Autoajuste de texto

Tras activar o desactivar Autoformato para el texto principal, también se activa o desactiva para el texto del panel de notas. Para asegurarse que el texto del título y el principal se ajustan automáticamente a un marcador de posición, siga este procedimiento para activar o desactivar la función Autoajustar.

1. Haga clic en el **Botón de Office** y diríjase a Opciones de PowerPoint, a continuación seleccione Revisión.
2. Haga clic en la ficha Autoformato mientras escribe (véase la figura 7.8).

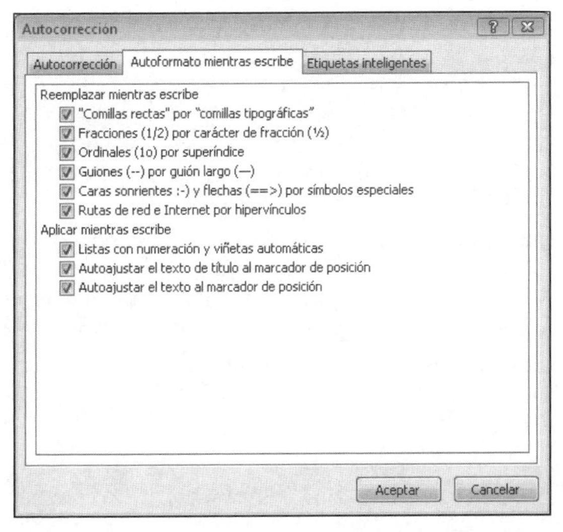

Figura 7.8. Opciones de PowerPoint. Autoformato.

3. Siga uno de estos procedimientos:
   - Activar o desactivar Autoajuste para el texto de título. En Reemplazar mientras escribe, active o desactive la casilla de verificación Ajustar el texto del título al marcador de posición.
   - Activar o desactivar Autoajuste para el texto principal. En Aplicar mientras escribe, active o desactive la casilla de verificación Ajustar el texto principal al marcador de posición.

Truco: *Puede desactivar Autoajuste temporalmente en el menú de botones* Opciones de Autoajuste.

7.7.3. Seleccionar texto

Para seleccionar texto, siga uno de los procedimientos de la tabla 7.1:

Tabla 7.1. Métodos de selección de texto.

Descripción	*Acción*
Seleccionar una palabra.	Haga doble clic en la palabra.
Seleccionar un párrafo y todo el texto subordinad	Haga clic tres veces en cualquier parte del párrafo.
	En la ficha Esquema de la vista Normal, elija el icono de la diapositiva o viñeta y cuando aparezca el puntero de cuatro flechas, haga clic. (Esto funciona también con el texto de los marcadores de posición seleccionados en la diapositiva.)
Seleccionar todo el texto de una diapositiva	En la ficha Esquema de la vista Normal, haga clic en el icono de la diapositiva y cuando aparezca el puntero de cuatro flechas, haga clic de nuevo.
Seleccionar el texto en un marcador de posición, autoforma o cuadro de texto	Sitúe el punto de inserción en el objeto y, a continuación, pulse **Control-A**.
Seleccionar el texto de todos los marcadores de posición de la presentación	Sitúe el punto de inserción en la ficha Esquema y, a continuación, pulse **Control-A**.

Si arrastra para seleccionar sólo algunos caracteres de una palabra y PowerPoint selecciona la palabra entera, haga lo siguiente:

1. En Opciones de PowerPoint, haga clic en Avanzadas y, a continuación, en la ficha Opciones de edición.
2. Desactive la casilla de verificación Al realizar una Selección, Seleccionar automáticamente la palabra completa.
3. A continuación, arrastre para seleccionar los caracteres.

7.7.4. Copiar y pegar texto

1. Si copia texto entre dos presentaciones, abra las presentaciones y, en el menú Inicio, haga clic en Organizar.
2. En la diapositiva, seleccione el texto que desea copiar y haga clic con el botón secundario del ratón en **Copiar**.
3. Muestre la diapositiva en la que desea pegar el elemento y haga clic donde decida pegarlo, a continuación, haga clic con el botón secundario del ratón y, por último, haga clic en **Pegar**. Si el estilo del texto pegado no coincide con el estilo del texto de la diapositiva, aparecerá el botón **Opciones de pegado** .

   Si este es el formato que desea para los elementos pegados, esta tarea ya está terminada. En caso contrario, vaya al paso 4.
4. Para aplicar un formato diferente, haga clic en el botón **Opciones de pegado** y, a continuación, haga lo siguiente:

   - Para poder conservar el formato original del elemento pegado, haga clic en Mantener formato original.
   - Para que el texto pegado coincida con cualquier formato que tenga el marcador de posición actual, haga clic en Mantener como sólo texto (que aparece si el texto pegado o el marcador de posición de destino tienen un estilo de fuente distinto de la plantilla de diseño original o actual).

Si selecciona una de las opciones anteriores y, a continuación, decide aplicar los estilos de la plantilla de diseño actual, haga clic en Utilizar formato de plantilla de diseño, que es la opción predeterminada.

> ***Nota:*** *Si desea mover un elemento en vez de copiarlo, en el menú contextual, haga clic en* ***Cortar*** *y no en* ***Copiar****.*

> ***Truco:*** *Para copiar también puede presionar las teclas* ***Control-C****, para cortar las teclas* ***Control-X*** *y para pegar las teclas* ***Control-V****.*

7.7.5. Buscar texto

1. En la ficha Inicio, haga clic en Edición , y en el menú desplegable haga clic en Buscar.
2. En el cuadro Buscar, introduzca el texto que desee buscar.
3. Haga clic en Buscar siguiente.

> ***Nota:*** *Para cancelar una búsqueda en curso, pulse* ***Esc****.*

7.7.6. Reemplazar texto

1. En la ficha Inicio, en Edición, haga clic en Reemplazar, mostrado en la figura 7.9.
2. En el cuadro Buscar, introduzca el texto que desea buscar y reemplazar.
3. En el cuadro Reemplazar con, introduzca el texto que desee utilizar en su lugar.
4. Para buscar la siguiente aparición del texto, haga clic en Buscar siguiente.

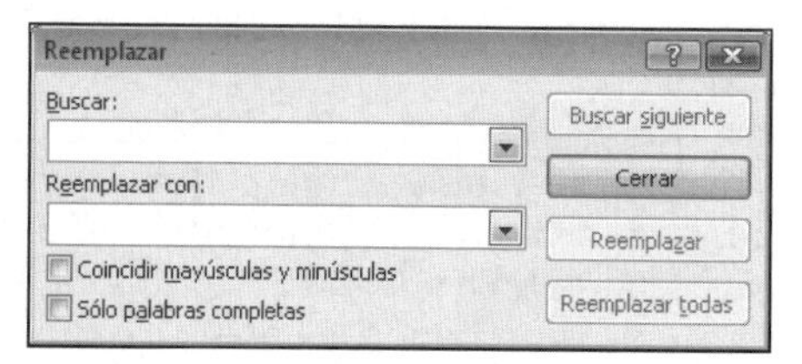

Figura 7.9. Cuadro de diálogo Reemplazar.

5. Siga uno de estos procedimientos:
    - Para reemplazar la aparición del texto seleccionada actualmente, haga clic en Reemplazar.
    - Para reemplazar todas las apariciones del texto, haga clic en Reemplazar todas.

7.7.7. Revisar la ortografía

PowerPoint 2007 no revisa la ortografía de objetos incrustados como gráficos, efectos especiales de texto como WordArt u objetos insertados.

Siga uno de estos procedimientos: revisar la ortografía de toda la presentación o mientras escribe.

Para revisar la ortografía de toda la presentación:

1. En la Cinta de opciones, ficha Revisar, haga clic en Ortografía.

2. Seleccione la opción que desee para cada palabra en la que se detenga el corrector ortográfico cambiar la palabra por la ortografía sugerida, omitirla, agregarla al diccionario personalizado o a la lista de Autocorrección.

7.8. Insertar elementos gráficos en una diapositiva

7.8.1. Insertar una imagen o gráfico

Para agregar un archivo de imagen a una diapositiva, haga clic en el lugar en el que desee insertar la imagen. Seguidamente, en la Cinta de opciones en Insertar haga clic en el botón **Insertar imagen desde archivo**. Busque la carpeta que contenga la imagen que quiera insertar, y a continuación, haga clic en el archivo de la imagen y luego en **Insertar**.

Si desea incorporar una imagen procedente de un escáner o una cámara digital, asegúrese de que el dispositivo esté conectado al ordenador y de que es compatible con los estándares TWAIN o WIA. La opción de escáner a cámara para agregar imágenes a una presentación o a un álbum de fotografías no está disponible en PowerPoint 2007. En su lugar, puede agregar imágenes de una cámara o un escáner si primero descarga las imágenes en el equipo y, a continuación, las copia desde el equipo en PowerPoint.

> ***Nota:*** *Para obtener más información sobre cómo escanear, copiar un archivo de imagen desde cámara o escáner al equipo, vea la documentación contenida en la cámara o en el escáner.*

Después de descargar una imagen en el equipo, En PowerPoint, haga clic en **Imagen**, en el grupo Ilustraciones de la ficha Insertar, busque la imagen que desea agregar a la presentación o al álbum de fotografías y, a continuación haga clic en **Insertar**.

Insertar un gráfico

Si desea insertar un gráfico, haga clic en el lugar en el que desea insertar el gráfico, y seguidamente, en el botón **Insertar gráfico** en la ficha Insertar, de la Cinta de opciones. A continuación, aparecerá la ficha contextual datos, (he aquí un buen ejemplo de la interacción de elementos entre las diferentes aplicaciones de Office 2007, en este caso, es la ficha Datos de Excel). En la hoja de datos introduzca los nombres de los campos y los números de los datos en filas y columnas, seguidamente haga clic en el gráfico para actualizar los datos.

Para modificar la apariencia del gráfico, haga clic sobre el elemento que desee modificar, y seleccione la modificación que quiere realizar en el campo que aparezca. Dependiendo del elemento sobre el que haga clic, las modificaciones posibles serán diferentes.

En este apartado, también aparecerá una nueva ficha contextual, la ficha Herramientas de Diseño, en la cual podrá modificar los datos y su aspecto.

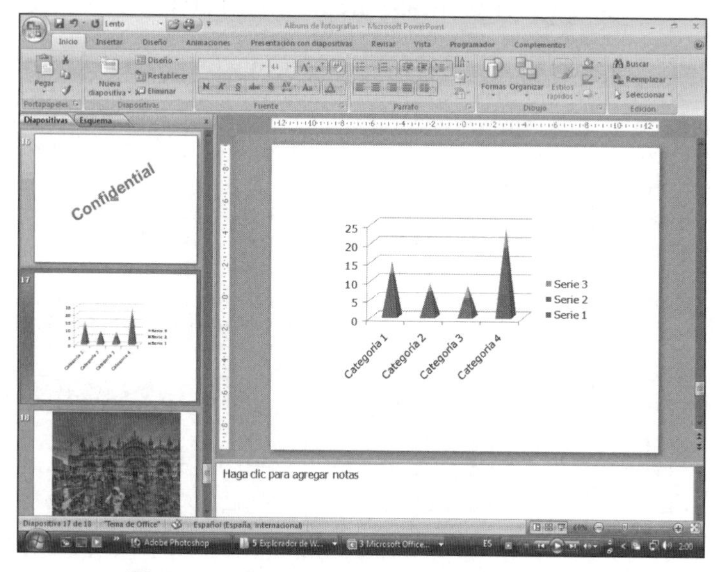

Figura 7.10. Gráfico insertado en el Panel de diapositivas de PowerPoint.

También podrá importar un gráfico desde Microsoft Excel. Para ello, siga el siguiente procedimiento:

1. En el menú **Insertar**, haga clic en **Objeto**.
2. En el cuadro de diálogo que aparece, mostrado en la figura 7.11, seleccione en las casillas de verificación **Crear nuevo** o **Crear desde archivo**, y el **Tipo de objeto**. Microsoft Office le ofrecerá una serie de tipos de archivo y documentos, entre los que se encuentran Gráfico de Microsoft Graph o Gráfico de Microsoft Office Excel.
3. Seleccione el que prefiera y haga clic en **Aceptar**.

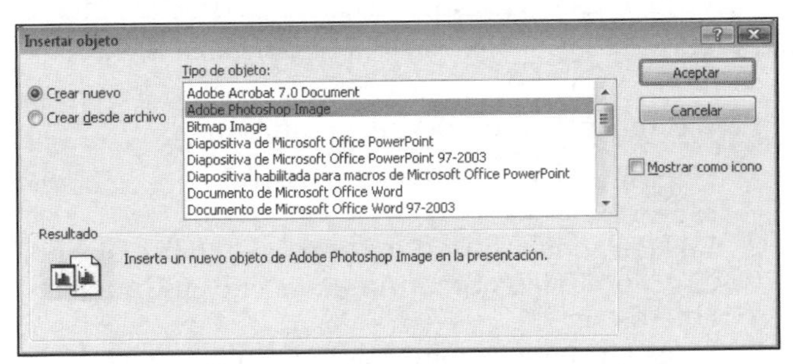

Figura 7.11. Cuadro de diálogo Insertar Objeto: Gráfico de Excel.

Agregar un organigrama SmartArt

Para agregar un organigrama SmartArt:

1. En la **Cinta de opciones** en la ficha **Insertar**, dentro del grupo **Ilustraciones**, haga clic en **SmartArt**.
2. En la galería **Elegir un Gráfico SmartArt** (figura 7.12), haga clic en **Jerarquía**, en un diseño de organigrama, por ejemplo **Organigrama** y, a continuación, en **Aceptar**.
3. Automáticamente surgirá el nuevo cuadro **Escriba aquí su texto**, con el nombre de título del gráfico en la parte inferior.
4. Escriba el texto para cada una de las partes del organigrama. También puede copiar texto desde otra ubicación o programa, en ese caso:

   - Haga clic en [Texto] en el **Panel de texto**, y a continuación pegue el texto.

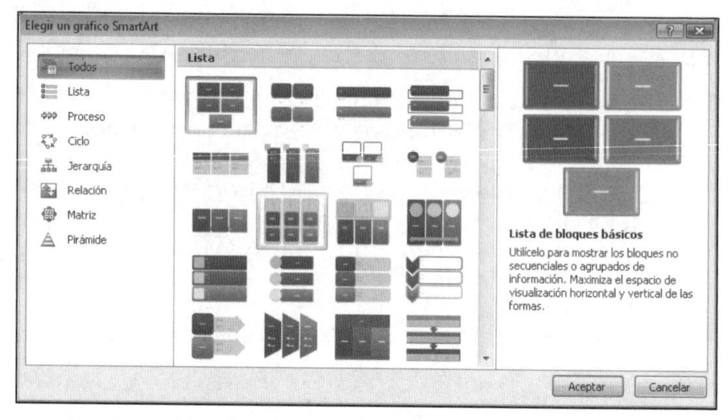

Figura 7.12. Cuadro elegir un organigrama SmartArt.

Para cambiar los colores del organigrama:

1. Haga clic en el gráfico SmartArt cuyo color desea cambiar.
2. En Herramientas de SmartArt, en la ficha Diseño, en el grupo Estilos SmartArt, haga clic en Cambiar colores .
3. Haga clic en la combinación de colores que desee.

Si desea aplicar un estilo SmartArt al organigrama:

1. Haga clic en el gráfico SmartArt cuyo estilo desea cambiar.
2. En Herramientas de SmartArt, en la ficha Diseño, en el grupo Estilos SmartArt, haga clic en el botón **Mas** . En la galería que se muestra a continuación, dispondrá de una serie de formas en relieve y 3D.

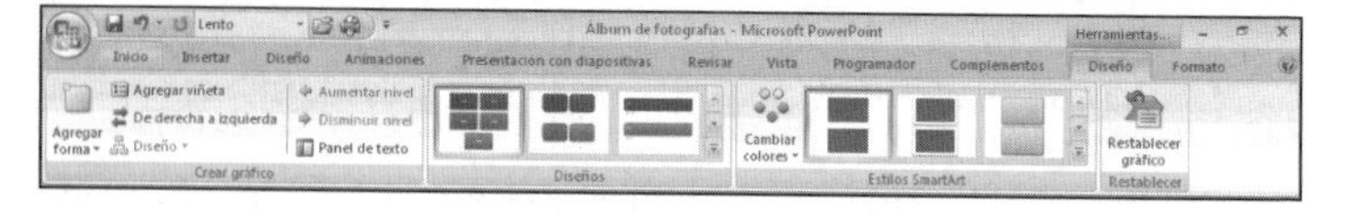

Figura 7.13.

7.8.2. Modificar una imagen

Para modificar las imágenes, haga clic sobre ellas. En las diferentes fichas del cuadro Formato de imagen podrá realizar diferentes cambios, como modificar el brillo y el contraste, recortar la imagen, cambiar el tamaño, rotar la imagen o modificar el color, como aparece en la figura 7.14.

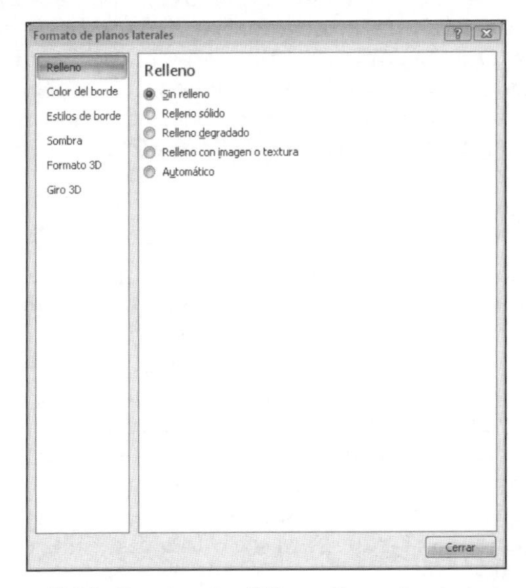

Figura 7.14. Cuadro de diálogo Formato de imagen.

7.8.3. Dibujar líneas y formas

Para este tipo de tareas, utilizaremos básicamente la ficha Insertar en la Cinta de opciones, dentro del grupo Ilustraciones. Véase la figura 7.15.

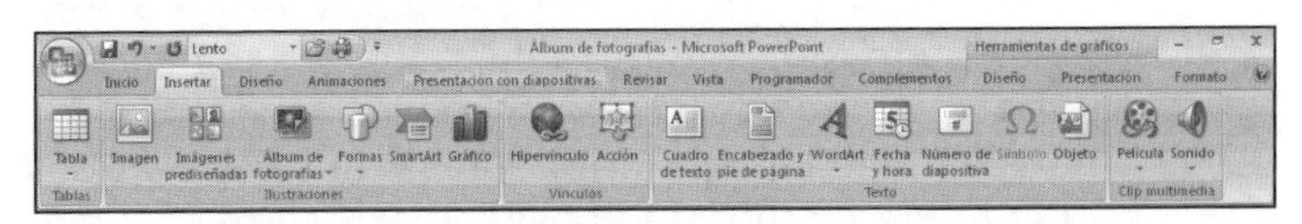

Figura 7.15. La ficha Insertar. Grupo Ilustraciones.

7.9. Aplicar formato a las diapositivas

7.9.1. Diseños

1. En el Panel de Diapositivas seleccione las diapositivas a las que desea aplicar el formato.

2. En la ficha Formato, nos centraremos en los tres grupos de tareas: Ajustar, para dar brillo, contraste o volver a colorear la diapositiva; Estilos de imagen, para dar formato de marco, contorno, y efectos; y Organizar para trasladas mover y aplicar tamaño a las diapositivas. Se recomienda que pruebe las diferentes opciones y seleccione el diseño que mas le plazca para aplicar a las diapositivas.

7.9.2. Plantillas

Cuando crea una plantilla, genera un archivo (`.potx`) que incluye cualquier personalización que se realice en una combinación de patrón de diapositivas, un patrón de diapositiva almacena información acerca de la plantilla de diseño aplicada, incluidos los estilos de fuentes, posiciones y tamaños de los marcadores de posición, diseño de fondo y combinaciones de colores. Las plantillas se utilizan como base para crear presentaciones similares en el futuro, ya que dicha información de puede aplicarse a una presentación posterior. Para crear una plantilla, siga el procedimiento siguiente:

1. Haga clic en el **Botón de Office** y, a continuación, haga clic en **Nuevo**.
2. En la galería de la derecha seleccione Plantillas instaladas o Temas instalados. (Como opción adicional si dispone de conexión a Internet, puede buscar y descargar las plantillas que desee desde el sitio de Microsoft Office Online.)
3. También puede agregar un diseño propio o que tenga guardado, por lo tanto seleccione Mis plantillas o Nuevo a partir de existente.
4. Una vez iniciada la plantilla y realizado los cambios o creado el documento, haga clic en **Guardar como**, y asignar un nombre.

7.9.3. Agregar un patrón de diapositivas

Un patrón de diapositivas es una parte de una plantilla que almacena información como posiciones de texto y objetos en una diapositiva, tamaños de los marcadores de posición de texto y objetos, estilos de texto, fondos, temas de color, efectos y animación.

Al guardar uno o varios patrones de diapositivas como un solo archivo de plantilla (`.potx`), se crea una plantilla que puede utilizarse para crear nuevas presentaciones. Cada patrón de diapositivas contiene uno o varios conjuntos de diseños estándar o personalizados.

La imagen siguiente (figura 7.16) muestra un solo patrón de diapositivas que contiene tres diseños.

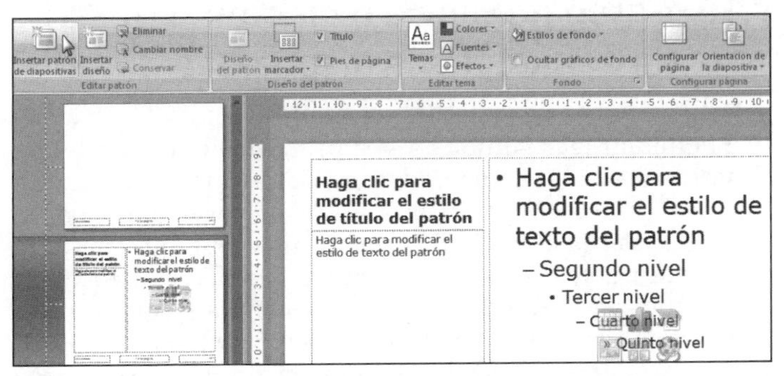

Figura 7.16. Ejemplo de patrón de diapositivas.

7.9.4. Tamaño y orientación de las diapositivas

1. Haga clic en Configurar página de la ficha Diseño, y a continuación, en el cuadro de diálogo Tamaño de diapositivas para seleccione el tamaño que desee, o bien introduzca el tamaño exacto que prefiera utilizando los cuadros Alto y Ancho.
2. Seleccione la orientación para las diapositivas y para las notas, documentos y esquemas.
3. Haga clic en **Aceptar**.

7.9.5. Encabezado y pie de página

1. En la ficha Insertar, grupo Texto, haga clic en Encabezado y pie de página.

2. En el cuadro de diálogo correspondiente, para agregar encabezados y pies de página a las diapositivas, haga clic en la ficha Diapositivas y, a continuación, seleccione las opciones que desee, tales como incluir fecha y hora, el número de diapositiva y un pie de página.

Si pretende introducir encabezados y pies de página a las notas, y los documentos para distribuir, haga clic en la ficha Notas y documentos para distribuir, y realice la misma selección que con las diapositivas. Tiene las opciones de **Aplicar a Todas** o al **número de página** que escriba en el cuadro de nombre.

7.10. Agregar música o efectos de sonido a una diapositiva

Puede agregar sonidos a sus presentaciones desde archivos del equipo, una red o la Galería multimedia de Microsoft. También puede grabar sus propios sonidos para agregar una presentación o utilizar música de un CD.

Sólo se pueden incrustar archivos `.wav` (WAV: formato de archivo en el que Windows almacena los sonidos con forma de ondas. Estos archivos tienen la extensión `.wav`). Todos los demás tipos de archivos multimedia se vinculan, no se incrustan, es decir es importado por el archivo de destino pero no forma parte de él.

Agregar un sonido

1. En el Panel explorador que contiene las fichas Esquema y Diapositivas, haga clic en la ficha Diaposi-tivas.
2. Haga clic en la diapositiva a la que desea agregar un sonido.
3. En la ficha Insertar, en el grupo Clip multimedia. Haga clic en la flecha situada bajo Sonido .
   Siga uno de estos procedimientos:
   - Haga clic en Sonido de archivo, busque la carpeta que contiene el archivo y haga doble clic en el archivo que desee agregar.
   - Haga clic en Sonido de la Galería multimedia, desplácese hasta el clip que desea en el panel de tareas Imágenes prediseñadas y, a continuación, haga clic en él para agregarlo a la diapositiva.

> ***Advertencia:*** *Para evitar posibles problemas con los vínculos, se recomienda copiar los sonidos en la misma carpeta que la presentación antes de agregarlos a la misma.*

Al insertar un sonido, un mensaje le pregunta cómo desea que se inicie el sonido:

- **Automáticamente:** El sonido se reproducirá automáticamente cuando muestra la diapositiva, a menos que existan otros efectos multimedia en la diapositiva. Si no hay otros efectos, por ejemplo una animación, el sonido se reproduce después de ese efecto.
- **Manualmente:** El sonido se producirá durante la presentación si se hace clic encima del icono que representa el clip de sonido. Al insertar un sonido, se agrega un efecto desencadenador de reproducción. Esta opción se conoce como desencadenador porque para reproducir el sonido hay que hacer clic en un elemento específico, a diferencia de hacer clic simplemente en la diapositiva.

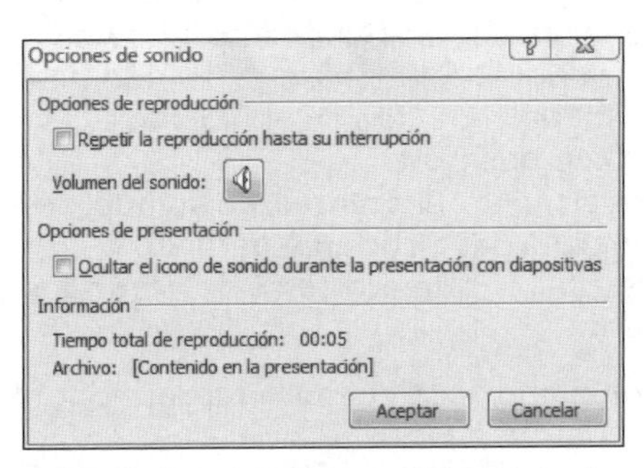

Figura 7.17. Cuadro de diálogo Opciones de sonido.

Puede reproducir un sonido continuamente durante una sola diapositiva o entre varias diapositivas.

1. Haga clic en el icono de sonido .

Advertencia: *Para repetir un sonido hasta que lo detenga o durante toda la presentación, debe especificar opciones de detención o para que se reproduzca continuamente. Si la duración del archivo de sonido no es lo bastante prolongada, puede establecer que el sonido se repita o se reproduzca repetidamente. Si no especifica cuándo debe detenerse un sonido, se detendrá la próxima vez que haga clic con el ratón.*

2. En Herramientas de sonido, en el grupo Opciones de sonido de la ficha Opciones, active la casilla de verificación Repetir la reproducción hasta su interrupción.

Cuando repite un sonido, se reproduce continuamente hasta que avance a la diapositiva siguiente.

7.10.1. Animaciones

1. En el grupo Animaciones de la ficha Animaciones, haga clic en Personalizar animación.
2. Elegir cuándo se inicia la reproducción de un sonido.
3. En la ficha Efecto, en Iniciar reproducción, siga uno de estos procedimientos:

   - Para iniciar el archivo de sonido inmediatamente, haga clic en **Desde el principio** .
   - Para iniciar el archivo de sonido desde la última pista reproducida en el CD, haga clic en Desde la última posición.
   - Para iniciar el archivo de sonido después de un retardo, haga clic en A partir de y, a continuación, escriba el número total de segundos para el retardo.

4. Elegir cuándo se detiene la reproducción de un sonido.
5. En la ficha Efecto, en Detener la reproducción, siga uno de estos procedimientos:

   - Para detener el archivo de sonido al hacer clic sobre la diapositiva, haga clic en Al hacer clic.
   - Para detener el archivo de sonido después de esta diapositiva, haga clic en Después de la diapositiva actual.

7.10.2. Agregar una narración a una presentación

Una narración puede mejorar las presentaciones si se ejecutan automáticamente. También es útil para archivar una sesión, para que pueda revisarla más adelante y oír los comentarios, o presentar a otros.

Nota: Cuando agrega una narración a una diapositiva, aparecerá un icono de sonido en la diapositiva, como ocurre con cualquier sonido, puede hacer clic en el icono para reproducir el sonido o establecer que se reproduzca automáticamente. La narración de voz tiene prioridad sobre otros sonidos y durante una presentación sólo se reproduce un sonido al mismo tiempo. Como resultado, otros sonidos son reemplazados por la narración. Sin embargo, los sonidos pueden reproducirse al hacer clic encima.

Para grabar y oír una narración, su equipo tiene que disponer de una tarjeta de sonido, micrófono y altavoces.

Intervalos de diapositivas y narración automáticos

Cuando graba una narración, PowerPoint 2007 se graba automáticamente la cantidad de tiempo que se emplea en cada diapositiva, puede elegir entre guardar esos intervalos de diapositivas con la narración o configurar los intervalos manualmente. Los intervalos de diapositivas son útiles si desea que la presentación se ejecute automáticamente con la narración. Puede desactivar los intervalos cuando no desee que la presentación los utilice.

Puede incrustar o vincular una narración. Cuando incrusta una narración, pasa a formar parte de la presentación y se incluye con ella, por lo que la presentación tiene un tamaño de archivo mayor. Cuando vincula una narración, como un sonido, el tamaño de archivo de la presentación es más pequeño es necesario vincular o extraer la narración o el archivo de sonido desde el disco duro.

***Truco:** La mejor manera de mover una presentación y sus archivos vinculados es utilizar la característica* Empaquetar para CD-ROM. *O bien, puede actualizar manualmente los vínculos en el segundo equipo si elimina la narración y vuelve a agregar el archivo de sonido de la narración antes de ofrecer la presentación.*

Obtener una vista previa de una narración

1. En la diapositiva, haga clic en el icono de sonido.
2. En Herramientas de sonido, en el grupo Reproducir de la ficha Opciones, haga clic en Vista previa o haga doble clic en el icono de sonido.

7.11. Ejecutar presentaciones

Hay dos tipos de presentaciones personalizadas: básicas y con hipervínculos. Una presentación personalizada básica es una presentación independiente o una presentación que incluye algunas de las diapositivas del original. Una presentación personalizada con hipervínculos es una manera rápida de desplazarse a una o varias presentaciones diferentes.

- Presentaciones personalizadas básicas. Use una presentación personalizada básica para ofrecer presentaciones distintas. Por ejemplo, si la presentación contiene un total de cinco diapositivas, puede crear una personalizada denominada "Proyecto 1" que incluya las diapositivas 1, 3 y 5 y podría crear una segunda denominada "Proyecto 2" que incluya las diapositivas 1, 2, 4 y 5. Cuando cree una presentación personalizada a partir de otra, siempre puede ejecutarla en su orden de secuencia original.
- Presentaciones personalizadas con hipervínculos. Use una presentación con hipervínculos para organizar el contenido en una presentación. Por ejemplo, si crea una presentación personalizada puede vincular a varios grupos y exportar elementos de una fuente externa, Disco Duro, Web, o Intranet.

7.11.1. Crear una presentación personalizada básica

1. En el grupo Iniciar presentación con diapositivas de la ficha Presentación con diapositivas, haga clic en la flecha situada junto a Presentación personalizada> Presentaciones personalizadas.
2. En el cuadro de diálogo Presentaciones personalizadas, haga clic en **Nueva**. En Diapositivas de la presentación, haga clic en las diapositivas que desea incluir en la presentación personalizada y, a continuación, haga clic en **Agregar**.

7.11.2. Configurar intervalos y transiciones

El intervalo es el tiempo que permanecerá en pantalla cada diapositiva. Puede dar a todas las diapositivas el mismo tiempo o ajustarlo según le suponga más o menos tiempo exponer el contenido de cada diapositiva.

1. En la ficha Presentación con diapositivas, en el grupo Configurar, haga clic en Ensayar intervalos Ensayar intervalos.
2. Aparece la barra de herramientas Ensayo (véase figura 7.18) y en el cuadro Tiempo de exposición comienza a registrarse el intervalo de presentación. Mientras registra los intervalos de la presentación, siga uno o varios de estos procedimientos en la barra de herramientas Ensayo:
   - Para pasar a la diapositiva siguiente, haga clic en **Siguiente**.
   - Para detener temporalmente el registro del tiempo, haga clic en **Pausa**.
   - Para reiniciar el registro del tiempo después de una pausa, haga clic en **Pausa**.
   - Para establecer un intervalo exacto de tiempo durante el que se mostrará una diapositiva, escriba el intervalo en el cuadro Tiempo de exposición.
   - Para reiniciar el registro del tiempo de la diapositiva actual, haga clic en **Repetir**.

Figura 7.18. Barra de herramientas Ensayo.

Después de establecer el tiempo de la última diapositiva, aparece un cuadro de mensaje que muestra el tiempo total de la presentación y le solicita que siga uno de estos procedimientos:

- Para mantener los intervalos de diapositivas registrados, haga clic en **Sí**.
- Para descartar los intervalos de diapositivas registrados, haga clic en **No**.
- Aparece la Vista Clasificador de diapositivas, que muestra el tiempo de cada diapositiva de la presentación.

Las transiciones de diapositivas son efectos de tipo animación que se producen en al vista presentación.

7.11.3. Realizar la presentación

Puede ejecutar la presentación de muchas maneras diferentes, desde hacerlo en una pantalla, utilizando transparencias y retroproyectores, actuando de orador, en el Web o una Intranet, repartiendo copias impresas en papel, o incluso crear una presentación autoejecutable. Para iniciar la presentación, pulse la tecla **F5**.

Durante la presentación, podrá escribir notas utilizando la función Pluma. Durante la presentación, haga clic con el botón derecho del ratón y seleccione Opciones de puntero y pluma. Para dejar de utilizar la pluma, vuelva a hacer clic con el botón derecho y seleccione Opciones de puntero y flecha.

7.12. Imprimir presentaciones

7.12.1. Configurar la impresora

Para que pueda imprimir documentos es necesario configurar la impresora. Para ello:

1. Haga clic en **Botón de Windows Vista** (Inicio en resto de sistemas de Windows), elija Panel de Control.
2. Haga clic en Impresoras.
3. Haga clic en el icono Agregar impresora.
4. Siga las instrucciones del asistente.

Puede imprimir toda la presentación (diapositivas, esquema, páginas de notas y documentos para la audiencia) en color, en escala de grises (escala de grises: serie de sombras de blanco a negro usado para mostrar o imprimir texto y gráficos.) o en blanco y negro puros.

En la mayoría de los casos, sin embargo, probablemente opte por imprimirla en blanco y negro o en escala de grises.

La mayoría de las presentaciones están pensadas para mostrarlas en color, si bien las diapositivas y los documentos suelen imprimirse en blanco y negro o en sombras de gris (escala de grises).

Al imprimir en escala de grises, se obtiene una imagen que contiene variaciones de tonos grises entre el blanco y el negro.

Configurar las propiedades para imprimir en blanco y negro o escala de grises

- En el grupo Color o Escala de grises de la ficha Vista, haga clic en Blanco y negro puros. Si desea imprimir escala de grises seleccione Escala de grises.
- En la parte superior de la ventana de PowerPoint, en el menú de la Cinta de opciones, haga clic en la ficha Blanco y negro o Escala de grises si desea hacerlo de esta forma.
  En la ficha Blanco y negro, o en Escala de grises, en el grupo Configuración, haga clic en los valores de configuración que desee.

7.12.2. Imprimir una presentación en blanco y negro o en escala de grises

1. Haga clic en el **Botón de Office**, en la flecha situada junto a Imprimir y, a continuación, en Vista preliminar.
2. En el grupo Imprimir, haga clic en la flecha situada debajo de Opciones, elija Color o Escala de grises y, a continuación, haga clic en Blanco y negro puros o Escala de grises.
3. En el grupo Imprimir, haga clic en Imprimir.

> ***Nota:** En* Escala de grises *el valor de configuración imprime el documento en escala de grises. Algunos colores, como el relleno de fondo, se muestran en blanco para aumentar su legibilidad. En* Blanco y negro puros *la configuración imprime el documento sin rellenos grises.*

7.12.3. Vista preliminar

Para comprobar el resultado de la presentación impresa, vaya a la Vista previa antes de imprimirla. Esta vista permite ver el aspecto final de las diapositivas, las notas y los documentos en blanco y negro puros o en escala de grises. Además, permite ajustar la apariencia de los objetos antes de imprimirlos.

En la Vista preliminar, puede organizar el contenido de un documento y, a continuación, obtener una vista preliminar para ver cómo va a quedar exactamente la versión impresa. Puede especificar que la página tenga orientación vertical u horizontal así como el número de diapositivas que desee mostrar por página.

También podrá hacer determinados cambios en la vista previa antes de imprimir. Puede seleccionar lo siguiente:

- Lo que desea imprimir: La presentación, documentos, páginas de notas o sólo el esquema.
- Un diseño par los documentos.
- Agregar marcos a las diapositivas, solamente en la impresión.
- La orientación horizontal o vertical de la presentación, diapositivas, esquemas o notas.
- Encabezados y pies de página.

Vista previa de una página antes de imprimirla

1. En el **Botón de Office**, haga clic en Vista preliminar.
2. Utilice los botones de la Cinta de opciones para revisar la página o realizar ajustes antes de imprimir.

7.12.4. Imprimir presentaciones

Puede imprimir toda la presentación: las diapositivas, el esquema, las páginas de notas y los documentos para los asistentes, en color, escala de grises o en blanco y negro puros. También puede imprimir diapositivas, documentos, páginas de notas o de esquema específicas.

- **Diapositivas y transparencias.** Puede imprimir sólo las diapositivas y utilizarlas como documentos. En cada página se imprime una diapositiva y el tamaño se puede ajustar a varios tamaños de papel. • **Esquema.** Puede imprimir todo el texto del esquema o sólo los títulos de las diapositivas, con orientación horizontal o vertical.
- **Páginas de notas.** Imprima las páginas de notas cuando realice una presentación o para incluirlas como documentos para otros. Las páginas de notas se pueden diseñar y darles formato con colores, formas, gráficos y opciones de diseño. Los encabezados y pies de página de las páginas de notas son diferentes de los encabezados y pies de página de las diapositivas.
- **Documentos.** Puede diseñar y crear documentos del mismo modo que crea las páginas de notas. No obs-

tante, puede elegir entre las muchas opciones de diseño al imprimir, desde 1 hasta 9 diapositivas por página.

Para imprimir una presentación, en el **Botón de Office** haga clic en Imprimir. En el cuadro Imprimir, que aparece en la figura 7.19, seleccione la impresora que desee utilizar y si desea imprimir las diapositivas, las páginas de notas, los documentos o el esquema. Elija también si desea imprimir todas las diapositivas o sólo algunas de ellas, y si lo hará en color, escala de grises o blanco y negro.

También podrá realizar una impresión con las opciones predefinidas pulsando el botón **Imprimir** de la barra de tareas.

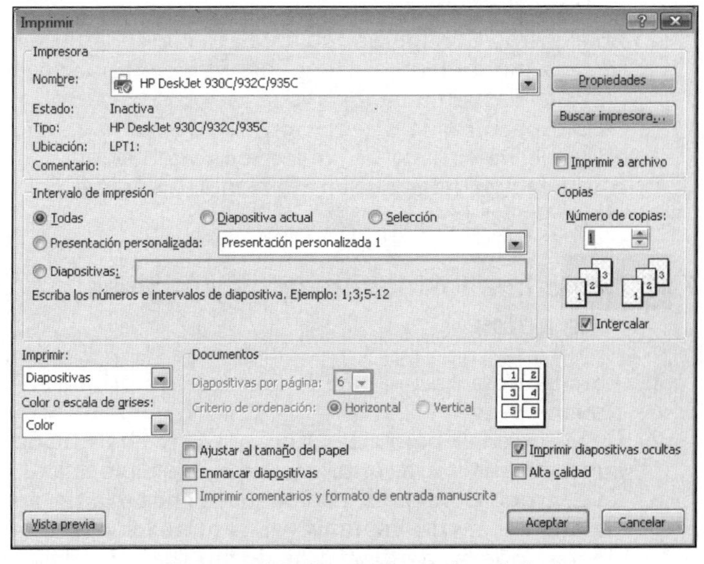

Figura 7.19. Cuadro para imprimir.

7.12.5. Imprimir diapositivas

1. Establecer el tamaño y la orientación de las diapositivas para la impresión.
2. Haga clic en el **Botón de Office**, en la flecha situada junto a Imprimir y, a continuación, en Vista preliminar.
3. En la lista Imprimir del grupo Configurar página, seleccione Diapositivas Diapositivas.

4. Haga clic en Opciones, elija Color o escala de grises y después haga clic en alguna de las opciones.
5. Haga clic en **Imprimir**.

7.12.6. Imprimir una presentación en la Vista Esquema

1. Abra la presentación que desea imprimir.
2. En el grupo Vistas de presentación de la ficha Vista, haga clic en Normal.
3. En el panel que contiene las fichas Esquema y Diapositivas, haga clic en la ficha Esquema.
4. Haga clic en el **Botón de Office**, seleccione la flecha situada junto a Imprimir y, a continuación, haga clic en Vista preliminar.
5. En el grupo Configurar página, haga clic en la flecha situada junto al cuadro Imprimir y, a continuación, en Vista Esquema Vista Esquema.
6. Para especificar la orientación de página, haga clic en la flecha situada en la sección Orientación y, a continuación, haga clic en Horizontal o Vertical.
7. Haga clic en **Imprimir**.

7.12.7. Imprimir los documentos y páginas de notas

1. Abra la presentación para la que desee imprimir documentos.
2. Haga clic en el **Botón de Office**, en la flecha situada junto a Imprimir y, a continuación, en Vista preliminar.
3. En el grupo Configurar página, haga clic en la flecha situada debajo de Imprimir y, a continuación, seleccione la opción de diseño de documento que desee en la lista.

> ***Truco:*** *El formato Documentos (3 diapositivas por página) proporciona líneas para que se puedan tomar notas.*

4. Para especificar la orientación de página, haga clic en la flecha situada en la sección Orientación y, a continuación, haga clic en Horizontal o Vertical.
5. Haga clic en **Imprimir**.

Imprimir páginas de notas

1. Abra la presentación para la que desee imprimir notas.
2. Haga clic en el **Botón de Office**, en la flecha situada junto a Imprimir y, a continuación, en Vista preliminar.
3. En el grupo Configurar página, haga clic en la flecha situada junto al cuadro Imprimir y, a continuación, haga clic en Páginas de notas Páginas de... .
4. Para especificar la orientación de página, haga clic en la flecha situada debajo de Orientación y, a continuación, en Vertical u Horizontal.
5. Haga clic en **Imprimir** .

Para configurar los encabezados y pies de página, haga clic en **Opciones** y después en **Encabezado** y **pie de página**.

> ***Nota:*** *Si desea imprimir las notas en color, elija una impresora en color. Haga clic en el* ***Botón de Office****, en la flecha situada junto a* Imprimir *y, a continuación, en* Vista previa. *En el grupo* Imprimir, *haga clic en* Opciones, *señale* Color *o* Escala de grises *y, a continuación, haga clic en* Color.

7.12.8. Cancelar impresión

Para cancelar la impresión de una presentación, haga clic en el botón de impresoras de la barra de tareas, o bien diríjase al Botón de Windows Vista (Iniciar), Inicio en resto de sistemas de Windows, vaya a Configuración>Impresoras. En el cuadro de la impresora, seleccione la impresión que desea cancelar, haga clic en el menú Documento y en Cancelar impresión.

8

Publisher

8.1. Introducción

Publisher 2007, es el programa de autoedición de Microsoft Office 2007. Su facilidad de uso permite la creación, el diseño y la publicación de material profesional de marketing y comunicación. En este capítulo aprenderá a crear publicaciones para imprimir, enviar por correo electrónico y usar en la Web con la misma interfaz de usuario conocida de otros programas del sistema Microsoft Office.

Office Publisher 2007 se ha rediseñado para simplificar aún más los procesos de crear y abrir publicaciones rápidamente. Puede crear sus propias publicaciones partiendo de una gran variedad de plantillas diseñadas para el uso profesional, y personalizarlas como estime conveniente y, a continuación, cambiar de un tipo de publicación con un solo clic.

Office Publisher 2007 contiene un nuevo panel de tareas, Tareas de Publisher, que incluye sugerencias para la creación de publicaciones y vínculos rápidos a funciones que se utilizan con frecuencia, como la sección de combinación de colores del panel de tareas Formato de publicación. Los artículos de Tareas de Publisher, le proporcionan asistencia paso a paso para usar Publisher de un modo más eficaz, encauzando y ofreciendo opciones durante el proceso de creación y diseño de las publicaciones.

8.2. La ventana de Publisher

La ventana inicial de Publisher aparecerá automáticamente cuando abra el programa. Para ello, haga clic en el

Botón de Windows Vista (**Inicio**, en el resto de sistemas de Windows)>Programas>Microsoft Office y, a continuación, haga clic en Microsoft Publisher.

Una vez iniciado el programa, en la ventana inicial de Publisher aparecerán los elementos indicados en la figura 8.1.

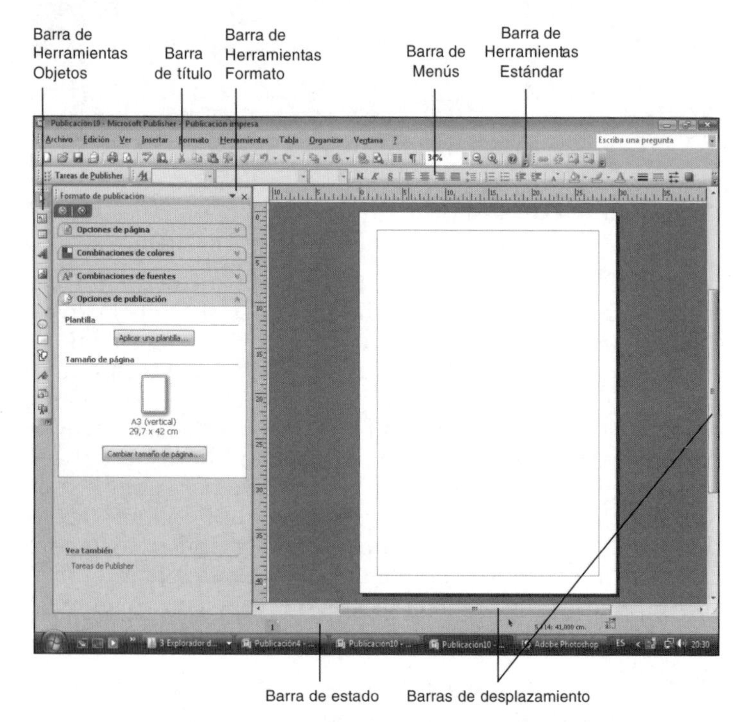

Figura 8.1. Ventana inicial de Publisher.

1. **Barra de Títulos.** Aparece el nombre que asigna al documento, una vez que se ha guardado en disco. Si todavía no le ha asignado un nombre, aparecerá Publicación1 Publisher. En la parte derecha de esta barra, hay tres botones para **Minimizar**, **Restaurar** o **Cerrar** el documento.
2. **Barra de Menús.** Contiene los menús Archivo, Edición, Ver, Insertar, Formato, Herramientas, Tabla, Organizar, Ventana y ? (Ayuda). En cualquiera de estos menús, aparecerán submenús desplegables con múltiples opciones que se desarrollaremos a lo largo de este capítulo.

3. **Barras de Herramientas.** Muestra una serie de botones que permiten efectuar las tareas más usuales de Word. Para saber la utilidad de cada botón, coloque el puntero sobre él y aparecerá un pequeño cuadrado con la descripción de su cometido. Para activarlos, haga clic sobre el icono. Si quiere personalizar estas barras, en el menú Ver, haga clic en Barras de Herramientas y, a continuación, haga clic en Personalizar. Seleccione las barras que desee activar.
4. **Opciones de barra de herramientas.** Se ha agregado como una nueva barra de Publisher 2007, cuya funcionalidad consiste en disponer a la vista, una serie de comandos habituales de la barra de herramientas estándar, como seleccionar objetos, cuadro de texto, insertar tablas, gráficos SmartArt, marco de imagen, líneas, etc. se sitúa verticalmente a la izquierda de la ventana principal.
5. **Tareas de Publisher.** La novedad más aparente en la nueva interfaz de usuario de Publisher 2007 es el Panel de Tareas de Publisher, que incluye sugerencias para la creación de publicaciones y vínculos rápidos a funciones que se utilizan con frecuencia, como la sección de combinación de colores del panel de tareas Formato de publicación.
6. **Barras de desplazamiento.** Permiten moverse con rapidez por la zona de texto. Están situadas, una en la parte derecha de la ventana y otra, en la parte inferior.
7. **Barra de estado.** Muestra el número de hojas de la publicación, las coordenadas de ubicación del cuadro u objeto en el área de trabajo, opciones de zoom, o tipos de archivo.

8.3. Crear una publicación nueva

Puede crear una publicación con el asistente de publicaciones:

1. En el menú Archivo, haga clic en **Nuevo** .
   A continuación Publisher mostrará el asistente de la figura 8.2. El asistente consta de una ventana de introducción dividida en tres paneles verticales: en la parte izquierda, se mostrará un amplio menú de plantillas y tipos de publicaciones para elegir; en el panel central,

le ofrecerá los diferentes estilos de los tipos de publicación disponibles; y en el panel de la derecha, un panel de documentos recientes creados con Publisher y la vista previa de los estilos de tipo de publicación.

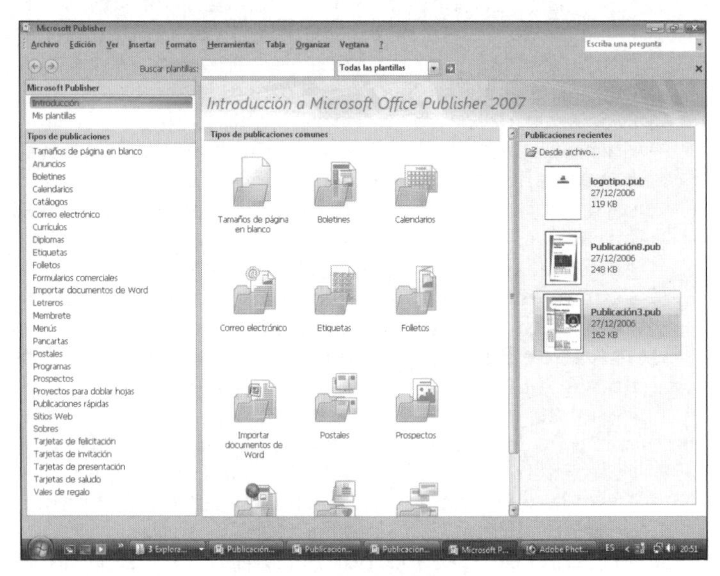

Figura 8.2. Asistente Nueva publicación de Publisher.

2. En el asistente Nueva publicación, en A partir de un diseño, existen varias opciones:
3. Para crear una publicación que desee imprimir, haga clic en Publicaciones para impresión. A continuación, haga clic en el tipo de publicación que desee crear. La galería central del asistente dispone de plantillas predeterminadas con los tipos de publicaciones comunes. Éstos son; **Pagina en blanco**, **Boletines**, **Calendarios**, **Correo electrónico**, **Etiquetas**, **Folletos**, **Importar documentos de Word**, **Postales**, **Prospectos**, **Sitios Web**, **Tarjetas de felicitación** y **Tarjetas de presentación**.

Para crear un sitio Web o una publicación para su envío en un mensaje de correo electrónic

1. Haga clic en Correo electrónico.
2. Haga clic en Sitios Web o Correo electrónico y, por último, haga clic en el tipo de publicación que desee.

3. En Vista preliminar de la galería, haga clic en el diseño que desee. En la figura 8.2, se ha seleccionado Boletines. Elija en el panel central el tipo que más se ajuste y haga clic en el botón **Crear**.
4. Para cambiar el diseño general de la publicación, haga clic en Opciones de página en el panel de tareas.
5. Para cambiar la combinación de colores o fuentes de la publicación, haga clic en Combinaciones de colores o Combinaciones de fuentes en el panel de tareas (Véase figura 8.3).

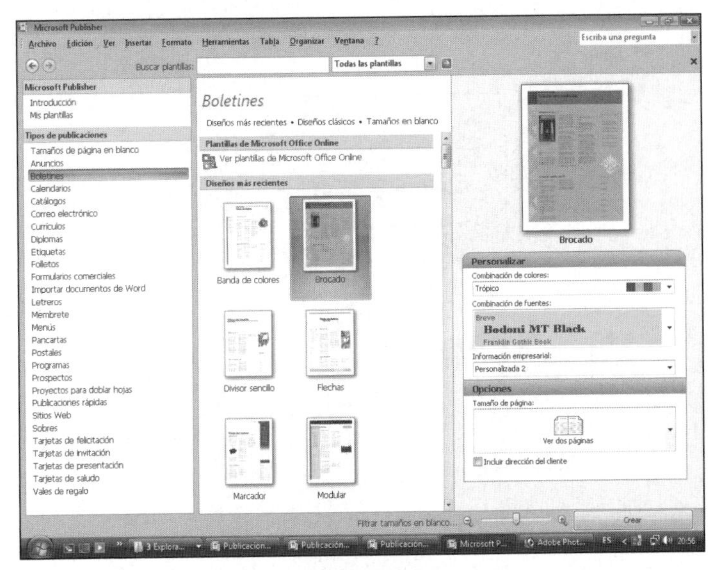

Figura 8.3.

6. En el panel de tareas, cambie o seleccione cualquier otra opción para el tipo de publicación creado.
7. En la publicación, sustituya el texto marcador y las imágenes por los suyos propios o por otros objetos.
9. En el menú Archivo, haga clic en Guardar como.
10. En el cuadro Guardar en, seleccione la carpeta en la que desea guardar la nueva publicación.
11. En el cuadro Nombre de archivo, escriba un nombre para la publicación.
12. En el cuadro Guardar como tipo, haga clic en **Archivos de Publisher**.
13. Haga clic en **Guardar**.

> ***Nota:*** *En la barra de estado en el margen inferior de cualquier publicación, aparecen unas fichas naranjas con forma de hoja, para acceder a las páginas de la publicación. Se activan haciendo clic en cada una de ellas. Las publicaciones constan de portada, contraportada y varias páginas de ejemplo que integran cuadros de texto, imágenes dibujos u otros objetos.*

Para crear una publicación a partir de una página en blanco:

1. En el menú Archivo, haga clic en **Nuevo** .

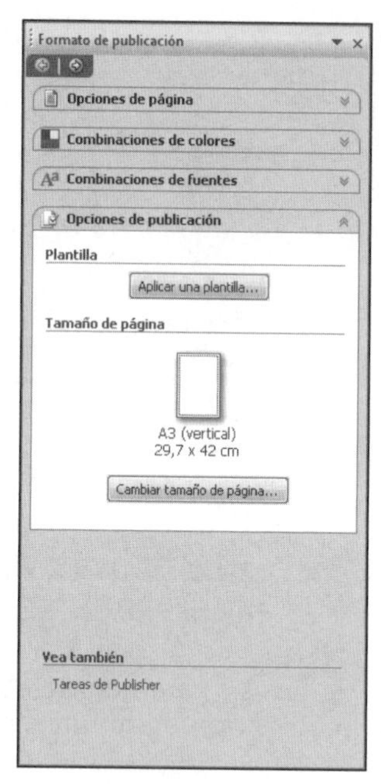

Figura 8.4.

2. En el panel de tareas Tipos de publicación, en Nueva, siga uno de estos procedimientos:
   - Para crear una publicación que desee imprimir, haga clic en Publicación impresa en blanco.
   - Para crear una página Web, haga clic en Página Web en blanco.

- Seleccione el modelo de página en blanco en el panel central.
- Haga clic en el botón Crear.

3. Agregue texto, imágenes y cualquier otro objeto que desee a la publicación.
4. En el menú Archivo, haga clic en Guardar como.
5. En el cuadro Guardar en, seleccione la carpeta en la que desea guardar la nueva publicación.
6. En el cuadro Nombre de archivo, escriba un nombre para la publicación.
7. En el cuadro Guardar como tipo, haga clic en Archivos de Publisher.
8. Haga clic en **Guardar**.

8.3.1. Crear o cambiar una plantilla

Para crear una plantilla, siga estos pasos:

1. Cree la publicación que desee utilizar como plantilla.
2. En el menú Archivo, haga clic en Guardar como.
3. En el cuadro Nombre de archivo, escriba un nombre para la plantilla.
4. En el cuadro Guardar como tipo, haga clic en Plantilla de Publisher. La carpeta de destino cambiará a Plantillas. Deberá guardar la plantilla en esta carpeta si desea que aparezca posteriormente en Vista preliminar de la galería del panel de tareas Tipo de publicación.
5. Haga clic en **Guardar**.

También puede cambiar una plantilla. Este procedimiento sólo funcionará si ha creado una plantilla con Publisher (si eligió Plantilla de Publisher en la lista Guardar como tipo en el momento de guardar la publicación) o si desea utilizar una plantilla de otros fabricantes creada para Publisher. A continuación:

1. En el menú Archivo, haga clic en **Nuevo** .
2. En el panel de tareas Tipo de publicación, en Mis plantillas, haga clic en Plantillas.
3. En Vista preliminar de la galería, haga clic en la plantilla que desee.
4. Realice los cambios que desee en la plantilla.
5. En el menú Archivo, haga clic en Guardar.
6. En el cuadro Guardar como tipo, haga clic en Plantilla de Publisher.

7. Haga clic en el nombre de la plantilla que haya cambiado.
8. Haga clic en **Guardar**.

8.3.2. Crear una tarjeta de presentación

1. En el menú Archivo, haga clic en **Nuevo** .
2. En el asistente seleccione en Tipos de publicación, Tarjetas de presentación, haga clic en el diseño que prefiera.
   En el caso de la figura 8.5, se ha elegido el diseño "Móvil"
3. En Personalizar, si lo desea, puede modificar el aspecto original del diseño, la combinación de colores, las fuentes, el tamaño y la orientación de la página e incluir información empresarial o el logotipo.
4. En la Vista preliminar de la galería, haga clic en el diseño que desee.
5. Utilice los comandos del panel de tareas Opciones de Invitación para personalizar la invitación.
6. En Archivo>Guardar como. Escriba un nombre para la publicación y haga clic en **Aceptar**.

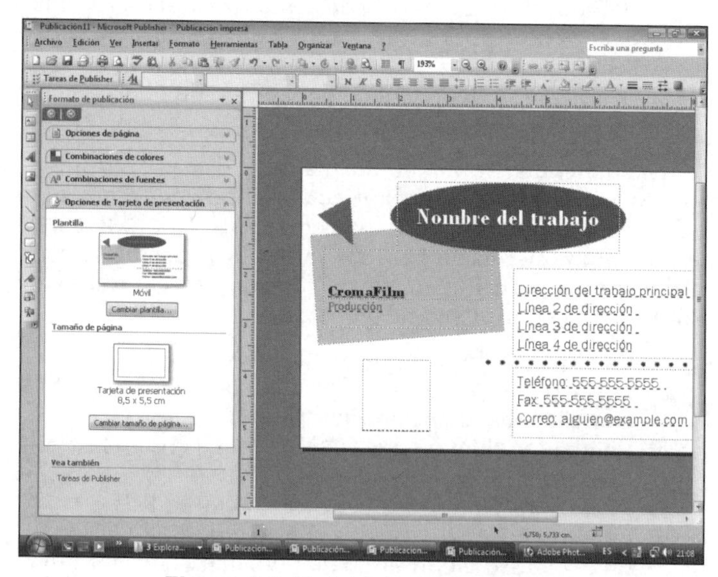

Figura 8.5. Tarjeta de presentación.

8.3.3. Crear catálogos

Seleccionamos catálogos entre los distintos tipos de publicación como ejemplo de edición profesional para ser impreso con la calidad y formato para fines comerciales.

1. En el menú Archivo, haga clic en **Nuevo** .
2. En el asistente seleccione en Tipos de publicación, Catálogos, haga clic en el diseño que prefiera. En este caso, se ha elegido "Planos inclinados".

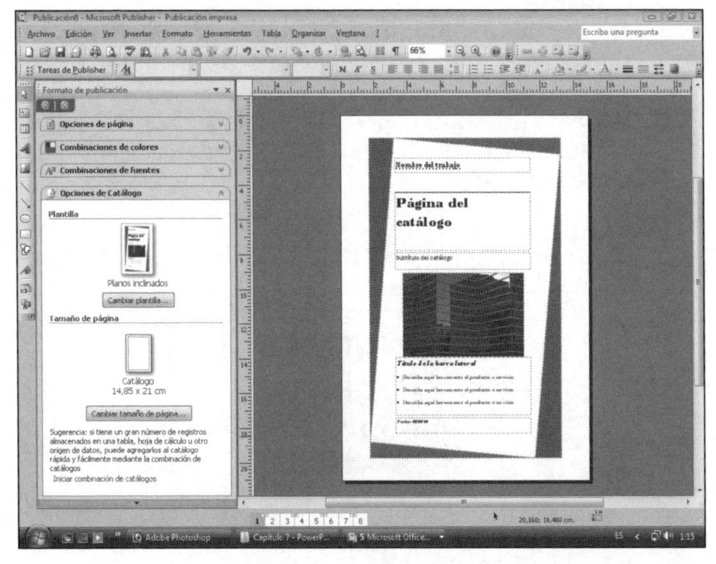

Figura 8.6. Crear catálogo.

3. En la Vista Previa personalice las opciones de Combinación de colores, Combinación de fuentes, y otras opciones predeterminadas si lo desea.
4. Haga clic en el botón **Crear**.
5. En la ventana de Publisher 2007, compruebe la personalización de estilo en el Panel de Tareas y realice los cambios que considere oportunos
6. En Archivo>Guardar como>Guardar en, seleccione la carpeta en la que desea guardarla.
7. En el cuadro Nombre de archivo, escriba un nombre para la publicación.
8. En el cuadro Guardar como tipo, haga clic en Archivos de Publisher. Haga clic en **Guardar**.

8.3.4. Crear una invitación

Si desea crear una invitación, siga estos pasos:

1. En el menú Archivo, haga clic en **Nuevo** .
2. En el panel del asistente busque en Tipos de publicación, Tarjetas de invitación.
3. En Tarjetas de invitación seleccione el diseño que prefiera.
4. En la Vista preliminar de la galería, haga clic en el diseño que desee.
5. Utilice los comandos del panel de las fichas de personalización y las Opciones de Invitación para personalizar la invitación.
6. Si desea guardarla, en Archivo, haga clic en Guardar como. Escriba un nombre para la publicación y haga clic en **Aceptar**.
7. En la Barra de estado, haga clic en **Crear**.

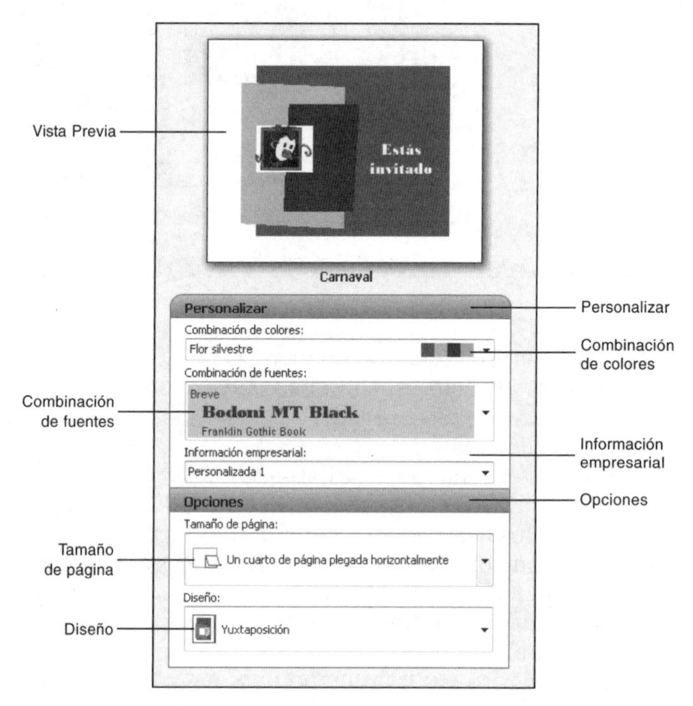

Figura 8.7. Vista previa para crear una invitación.

8.4. Trabajar con texto

En Publisher, el texto no rellena el espacio existente entre los márgenes y el flujo de una página a la siguiente. Al contrario, cada bloque de texto se incluye en un contenedor denominado cuadro de texto. Las publicaciones se crean distribuyendo los cuadros de texto en las páginas. Agregar texto nuevo a una publicación es un procedimiento de dos pasos:

1. Crear un nuevo cuadro de texto para contener el texto.
2. Escribir el texto que desee dentro del cuadro.

De esta forma Publisher le ofrece la posibilidad de:

- Colocar los cuadros de texto en cualquier lugar de las páginas y desplazarlo de un lado a otro.
- Hacer que cada cuadro tenga el tamaño, formato, alineación bordes y rellenos que desee y cambiarlos siempre que lo estime oportuno.
- Dividir un cuadro de texto en columnas.
- Conectar cuadros de texto, incluso cuadros de texto ubicados en distintas páginas.

Procedimiento para agregar nuevo texto a una página:

1. Haga clic en **Cuadro de texto**, en la barra de herramientas Objetos. (De manera predeterminada, la barra de herramientas Objetos está colocada verticalmente a lo largo del lado izquierdo de la ventana.)
2. Arrastre para crear un rectángulo en la página.
3. En el cuadro de texto que acaba de crear, véase la figura 8.8, escriba el texto que desee incluir.

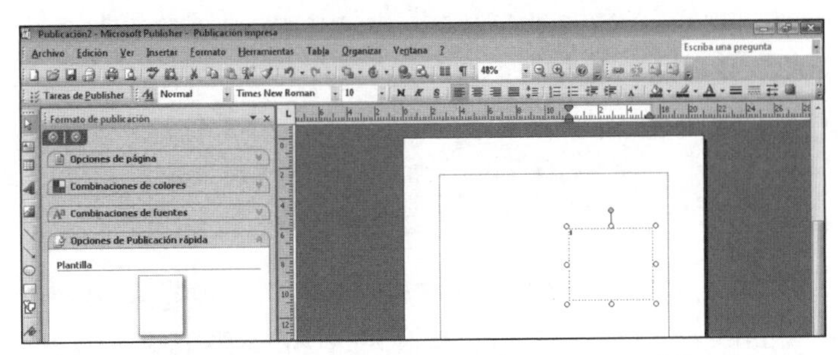

Figura 8.8. Cuadro de texto insertado en una publicación en blanco.

> ***Truco:*** *Para dar formato al texto, selecciónelo. En el menú* Formato, *haga clic en:*
>
> - **Fuente** para cambiar la fuente o el tamaño, color y estilo de la misma.
> - **Párrafo** para cambiar la alineación, sangría, interlineado y saltos de línea y de párrafo.
> - **Numeración y viñetas** para agregar o cambiar el estilo de los números y las viñetas.
> - Para dar formato a un cuadro de texto, haga clic en él. En el menú Formato, haga clic en **Cuadro de texto**.

8.4.1. Crear cuadros de texto

1. En la barra de herramientas Objetos>Cuadro de texto .
2. En la publicación, haga clic en el lugar donde desee que aparezca una esquina del texto y, a continuación, arrastre en diagonal hasta que el cuadro tenga el tamaño que desee.

Crear varios cuadros de texto rápidamente

1. En la barra de herramientas Objetos>Cuadro de texto .
2. En la publicación, haga clic en el lugar donde desee que aparezca una esquina del texto y, a continuación, arrastre en diagonal hasta que el cuadro tenga el tamaño que desee.
3. Repita esta acción para cada uno de los cuadros de texto.
4. Cuando haya terminado de agregar cuadros de texto, presione **Esc**.

> ***Truco:*** *Método abreviado de teclado. Para alinear un texto seleccionado a la izquierda, presione* ***Control-Z****; a la derecha, presione* ***Control-Z-Tab****; al centro,* ***Control-E****.*

Activar y desactivar el ajuste de texto automáticamente

Publisher puede reajustar el texto automáticamente en un cuadro de texto cuando éste no esté conectado a otros cuadros de texto.

Para activar el ajuste de texto:

1. Haga clic en el cuadro de texto.
2. En el menú Formato, elija Autoajustar texto.
3. Siga uno de estos procedimientos:
   - Para reducir o expandir texto de forma que se ajuste al cuadro de texto cuando cambie su tamaño o escriba en él, haga clic en Ajuste perfecto.
   - Para reducir el tamaño, en puntos, del texto hasta que no quede texto en el área de desbordamiento, haga clic en Comprimir el texto al desbordarse.

Para desactivar el ajuste de texto:

Si el texto cambia de tamaño a medida que escribe o cuando cambia el tamaño del cuadro de texto, tiene activado Autoajustar texto. A continuación se indica cómo desactivarlo para que el texto se mantenga con el mismo tamaño.

1. Haga clic en el cuadro de texto.
2. En el menú Formato, elija Autoajustar texto y, a continuación, haga clic en No autoajustar.

Con el ajuste de texto automático desactivado, el tamaño de fuente permanecerá igual aunque cambie el tamaño del cuadro de texto.

Ajustar el texto manualmente

A continuación se indican algunas maneras de ajustar el texto manualmente en un cuadro de texto:

- Cambiar el tamaño o la fuente del texto.
- Eliminar texto.
- Aumentar el tamaño de un cuadro de texto.
- Reducir el interlineado.
  1. En el menú Formato> Párrafo y después haga clic en la ficha Sangría y espaciado.
  2. En Interlineado, seleccione las opciones que desee.

Ajuste el espaciado entre todos los caracteres (ajuste de espaciado)

1. Seleccione los párrafos que desee cambiar.
2. En el menú Formato, haga clic en Espaciado entre caracteres.

3. En el cuadro de diálogo Espaciado entre caracteres, en Ajuste de espacio entre caracteres, siga uno de estos procedimientos:
    - Para ajustar automáticamente el espaciado entre caracteres, haga clic en una de las opciones de espaciado preestablecidas.
    - Para ajustar manualmente el espaciado entre caracteres, haga clic en **Personalizado** y, en el cuadro Cantidad, escriba un porcentaje entre 0,1% y 600%.

> ***Nota:*** *El ajuste de espaciado entre caracteres sólo está disponible cuando se trabaja en una publicación impresa.*

Reducir el tamaño del margen del cuadro de texto

1. Seleccione el cuadro de texto.
2. En el menú Formato, haga clic en **Cuadro de texto** .
3. En el cuadro de diálogo Formato de cuadro de texto, haga clic en la ficha Cuadro de texto.
4. En Márgenes de cuadro de texto, escriba los valores para los márgenes.

Mover texto a otro cuadro de texto

Cuando se conectan cuadros de texto, el texto que no se ajuste en el primer cuadro, fluye al siguiente.

Una cadena de cuadros de texto conectados, también denominada artículo, puede abarcar varias páginas. Utilice cuadros conectados para:

- Continuar un artículo en otro cuadro de texto.
- Crear columnas con anchos diferentes.
- Mover texto en desbordamiento a otro cuadro.

Si es necesario, cree un cuadro de texto nuevo:

1. En la barra de herramientas Objetos, haga clic en **Cuadro de texto** .
2. En la publicación, haga clic en el lugar donde desee que aparezca una esquina del texto y, a continuación, arrastre en diagonal hasta que el cuadro tenga el tamaño que desee.
3. Haga clic en el cuadro de texto que desea que aparezca en primer lugar en el artículo.

4. En la barra de herramientas Conectar cuadros de texto, haga clic en **Crear vínculo con cuadro de texto** . El puntero del ratón se convierte en una jarra .
5. Haga clic en el cuadro de texto que desea que aparezca a continuación en el artículo.

Este cuadro de texto está conectado ahora al primer cuadro y el texto que se encontraba en el desbordamiento ahora se muestra en el siguiente cuadro. Para conectar más cuadros de texto al artículo, repita los pasos 3 y 4.

8.4.2. Texto en formas

Agregar texto a una forma

En la publicación, seleccione una autoforma. Escriba el texto que desee.

> ***Nota:*** *Algunas autoformas, como las líneas, los conectores y algunos dibujos de formas libres, no tienen espacio para incluir texto. Aunque no se puede agregar texto a la forma, puede colocarlo cerca de ella. Sólo tiene que agregar un cuadro de texto, colocarlo cerca de la forma y escribir el texto en él.*

1. En la barra de herramientas Objetos, haga clic en **Cuadro de texto** .
2. Haga clic en la **Autoforma** o cerca de la autoforma a la que desee agregar el texto y comience a escribir.

Agrupar objetos:

1. Haga clic en la herramienta **Seleccionar objetos** y mantenga presionada la tecla **Mayús** mientras hace clic en cada uno de los objetos que desee incluir en el grupo.
2. En el menú Organizar, haga clic en Agrupar.

Desagrupar objetos:

1. Seleccione los objetos agrupados que desee desagrupar.
2. En el menú Organizar, haga clic en Desagrupar.

Ajustar texto en una forma:

1. Haga clic con el botón secundario del ratón en la forma que contiene el texto que no se ajusta.

> ***Truco:*** *Puede seleccionar un objeto de un grupo de objetos sin desagruparlo. Mantenga presionada la tecla* ***Mayús*** *mientras hace clic en el objeto que desee seleccionar.*

2. En el menú contextual, haga clic en Formato de autoforma.
3. En el cuadro de diálogo en Formato de autoforma, haga clic en la ficha Cuadro de texto.
4. En Autoajuste del texto, seleccione la opción que desee.

También puede reducir el tamaño del margen entre el texto y el borde de la forma:

1. Haga clic con el botón secundario del ratón en el rectángulo de selección de la forma que desee cambiar.
2. En el menú contextual, haga clic en en Formato de autoforma.
3. En el cuadro de diálogo en Formato de autoforma, haga clic en la ficha Cuadro de texto.
4. En Márgenes de cuadro de texto, ajuste las medidas de la distancia entre el texto y el borde.

8.4.3. Modificar texto

Puede modificar texto directamente en Microsoft Publisher o Microsoft Word. Si sólo necesita modificar algunas palabras, resulta más rápido quedarse en Publisher. Si necesita modificar un artículo largo, puede resultar más fácil hacerlo en Word, además desee beneficiarse de funciones como la revisión gramatical y el seguimiento de la revisión. Si desea modificar texto con Publisher, coloque el punto de inserción donde desee realizar las modificaciones.

8.4.4. Buscar y reemplazar texto

Puede reemplazar automáticamente una palabra o frase con otra, por ejemplo, puede reemplazar "Caja" con "Carcasa".

1. En el menú Edición, haga clic en Buscar.
2. En la cuadro Buscar, escriba el texto que desea buscar y haga clic en **Buscar siguiente**.

Para reemplazar:

1. En el menú Edición, haga clic en Reemplazar.
2. En el cuadro Buscar, escriba el texto que desea buscar.
3. En el cuadro Reemplazar con, escriba el texto con el que desea sustituir el texto buscado.

Para buscar la siguiente aparición del texto, haga clic en **Buscar siguiente**, reemplazar una aparición del texto, haga clic en **Reemplazar**. Tras hacer clic en **Reemplazar**, avanza a la siguiente aparición del texto. Para reemplazar todas las apariciones del texto, haga clic en **Reemplazar todas**.

8.5. Aplicar estilo y formato al texto

Un estilo de texto es un conjunto de características de formato que se pueden aplicar a un texto párrafo por párrafo. Un estilo contiene la información de formato del texto: fuente y tamaño de fuente, color de fuente, sangrías, espaciado, interlineado, tabulaciones y formatos especiales, como listas numeradas.

8.5.1. Trabajar con estilos de texto

Para crear un estilo de texto nuevo:

1. Seleccione el texto que contenga el formato que desee incluir en el estilo.
2. En la barra de herramientas Formato, haga clic en **Estilo** .
3. Sobrescriba el nombre del estilo existente para asignar un nombre al nuevo estilo.
4. Pulse la tecla **Intro**.

También podrá aplicar un estilo de texto a un párrafo:

1. Haga clic en cualquier lugar del párrafo al que desee aplicar el estilo de texto.
2. En la barra de herramientas Formato, haga clic en **Estilo** . Seleccione un estilo en el cuadro Estilo.

Si quiere cambiar un estilo de texto:

1. En el menú Formato, haga clic en Estilo y formato.
2. En el panel de tareas Estilos y formato, elija el estilo que desee cambiar y haga clic en la flecha.

3. Haga clic en Modificar.
4. En el cuadro de diálogo Modificar el estilo, realice los cambios que desee.

> ***Nota:*** *El estilo se elimina de la publicación y se aplica automáticamente el estilo Normal a todos los párrafos con ese estilo. Sin embargo, se mantiene el texto cuyo formato se cambió manualmente.*

No olvide, que podrá importar estilos que haya utilizado en otra publicación o en un documento de Microsoft Word. Esto ayuda a que todas las publicaciones relacionadas tengan una presentación y efecto general comunes.

1. En Panel de tareas, haga clic en Estilo y formato.
2. En Estilos, haga clic en **Importar estilos**.
3. Haga clic en la publicación o el documento que contenga los estilos que desea importar.
4. Haga clic en **Aceptar**. Se importa cada estilo de la otra publicación o documento.

> ***Nota:*** *Si importa estilos de un archivo creado con Publisher 2000 o con una versión anterior, el estilo conocido como* ***sin estilo*** *se convierte en el estilo* Normal.

8.5.2. Formato de texto

Aplicar un color de la paleta

Puede cambiar el color del texto, un color de la combinación de colores o seleccionando un nuevo color, tinta o sombreado. Por ejemplo, puede cambiar la tinta del cobalto al azul celeste si agrega blanco, o puede cambiar el sombreado del azul celeste al negro azulado agregando negro.

Seleccione el texto que desee cambiar.

1. En la barra de herramientas Formato, haga clic en **Fuente** .
2. Haga clic en el color que desee de la paleta Color de fuente.

Aplicar un tono o sombreado

Puede cambiar el color del texto y, a continuación, perfeccionarlo con sombreados.

Sin embargo, no puede rellenar el color con tramas, texturas o degradados.

Seleccione el texto que desee cambiar y vaya a Formato>Fuente>Color de fuente>Efectos de relleno, y en la lista Color base, haga clic en el color que desee utilizar como base de la tinta o sombreado.

En Estilo de sombra, haga clic en la tinta o sombreado que desee y acepte. Publisher aplica la tinta o el sombreado al texto seleccionado y lo agrega a las paletas Color de fuente y Color de relleno.

Ajustar el espaciado entre caracteres

Para cambiar el espaciado entre todos los caracteres de texto, debe ajustar el espaciado entre caracteres. Éste sólo está disponible cuando se trabaja en una publicación impresa.

Seleccione los párrafos que desee cambiar:

1. En el menú Formato, haga clic en Espaciado entre caracteres. Se mostrará el cuadro de diálogo Espaciado entre caracteres de la figura 8.9.

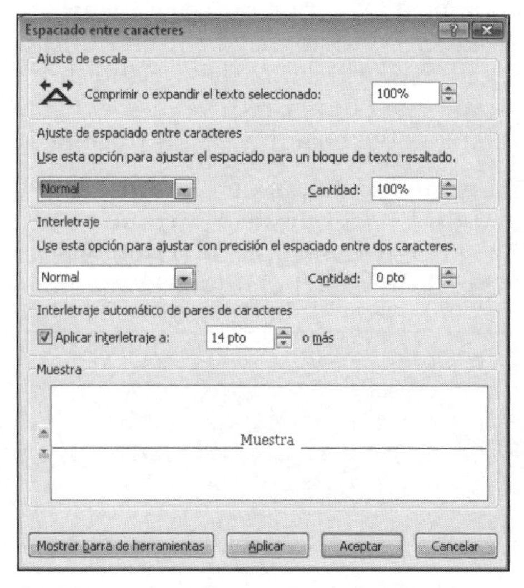

Figura 8.9. Cuadro de diálogo Espaciado entre caracteres.

2. En Ajuste de escala para Comprimir o expandir el texto, establezca un porcentaje.

3. Para Ajuste de espaciado entre caracteres, haga clic en una de las opciones preestablecidas.
4. Para ajustar manualmente el espaciado entre caracteres, haga clic en Personalizado y, en el cuadro Cantidad, escriba un porcentaje comprendido entre 0,1% y 600%.

Ajustar el interletraje

Para cambiar el espacio entre dos caracteres de texto, debe ajustar el interletraje:

1. Seleccione los dos caracteres que desee cambiar.
2. En el menú Formato, haga clic en Espaciado entre caracteres.
3. En el cuadro de diálogo, en Interletraje, haga clic en Expandir o Condensar para ajustar el espaciado y, en el cuadro Cantidad, escriba una cantidad comprendida entre 0,1 y 600 puntos.

Cambiar el espaciado entre líneas o párrafos

Cambiar el espaciado entre párrafos:

1. Seleccione el texto que desee cambiar.
2. En el menú Formato, haga clic en Párrafo y, a continuación, haga clic en la ficha Sangría y espaciado, mostrada en la figura 8.10.
3. En Interlineado, elija una de las opciones siguientes:
   - En el cuadro Antes de párrafos, escriba la cantidad de espacio sobre el párrafo.
   - En el cuadro Después de párrafos, escriba la cantidad de espacio bajo el párrafo que desea.

> ***Truco:*** *El valor predeterminado del espacio antes o después de párrafos se especifica en puntos. Puede especificar otras unidades de medida escribiendo su abreviatura a continuación del valor numérico: pulgadas (pda), centímetros (cm), picas (pi), puntos (pto) o píxeles (px). Si no especifica puntos como unidad, Publisher convierte la medida en puntos.*

Establecer el espaciado automático entre las líneas de texto:

1. Seleccione el texto que desee cambiar.
2. En el menú Formato>Párrafo>Sangría y espaciado.

3. En Interlineado, escriba en el cuadro Entre líneas la cantidad de espacio entre líneas de texto que desea.

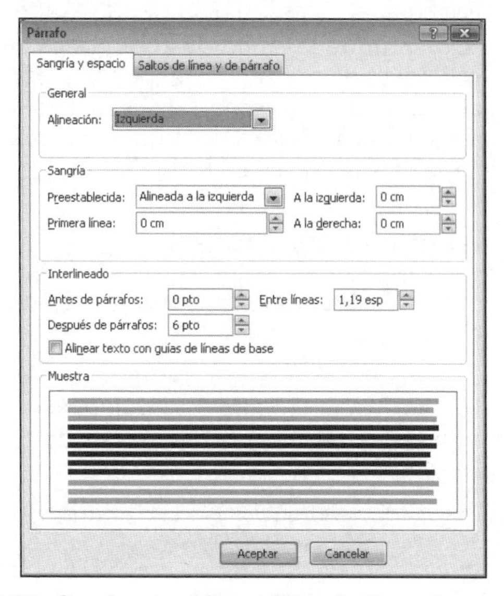

Figura 8.10. Cuadro de diálogo Párrafo Sangría y espaciado.

Convertir el texto en vertical

Hacer que el texto fluya verticalmente en un cuadro de texto o Autoforma. Puede cambiar la dirección del texto de un cuadro de texto o Autoforma para que fluya verticalmente en vez de horizontalmente.

1. Seleccione el texto que desee que fluya verticalmente.
2. En el menú Formato, haga clic en **Cuadro de texto** o en **Autoforma** y haga clic en la ficha Cuadro de texto.
3. Coloque el puntero en el conector con punto verde hasta que se convierta en un símbolo de Giro y lo gire en la dirección que desee hasta colocarlo verticalmente.

Cambiar el interlineado de un párrafo

En su publicación, haga clic en el texto para el que desea cambiar el interlineado:

1. En el menú Formato>Párrafo.
2. En el cuadro de diálogo Párrafo, haga clic en la ficha Sangría y espaciado.

3. En Interlineado, siga estos procedimientos:
   - Para especificar la cantidad exacta de espacio que desea insertar antes y después de cada párrafo de texto, indique las medidas que desea en los cuadros Antes de párrafo y Después de párrafo.
   - Para cambiar la cantidad de espaciado automático entre líneas del texto en un párrafo, seleccione la opción que desee en Entre líneas.

8.5.3. Viñetas y Tabulaciones

Para cambiar la ubicación de una tabulación existente, siga uno de estos pasos:

1. En la regla, arrastre la tabulación existente que desea cambiar hacia la izquierda o derecha de la regla hasta que encuentre la posición deseada.

> ***Nota:*** *La regla debe estar visible para poder definir o borrar las tabulaciones. En el menú* Ver, *haga clic en* Reglas.

Si desea establecer las tabulaciones en posiciones concretas que no logra establecer haciendo clic en la regla, siga este procedimiento:

1. En el menú Formato, haga clic en Tabulaciones.
2. En el cuadro de diálogo Tabulaciones, seleccione la tabulación que desea cambiar de la lista y haga clic en **Borrar**.
3. En el cuadro Posiciones de tabulación, escriba la medida para la nueva posición de tabulación y haga clic en **Establecer**.
4. Para aplicar los cambios, haga clic en **Aceptar**.

> ***Truco:*** *Para cambiar rápidamente una tabulación existente, haga doble clic sobre la tabulación en la regla para abrir el cuadro*

Borrar tabulaciones:

1. En el menú Formato, haga clic en Tabulaciones.
2. En el cuadro de diálogo Tabulaciones, seleccione la tabulación que desea borrar de la lista y haga clic en

Borrar. Para borrar todas las tabulaciones de la lista, haga clic en **Borrar todas**.
3. Haga clic en **Aceptar**.

Fijar tabulaciones

Publisher 2007 puede utilizar la regla para fijar tabulaciones manualmente a la izquierda, derecha o en el centro de las publicaciones.

- Una **Tabulación izquierda** fija la posición inicial de un texto que se extenderá hacia la derecha al escribir.
- Una **Tabulación central** fija la posición en el centro del texto. El texto se centra en esta posición al escribir.
- Una **Tabulación derecha fija** la posición en el extremo derecho del texto. Al escribir, el texto se extiende hacia la izquierda.
- Una **Tabulación decimal** alinea los números en torno al punto decimal, el punto decimal siempre mantendrá la misma posición.

Si desea fijar las tabulaciones en posiciones determinadas, siga esto pasos:

1. En el menú Formato, haga clic en Tabulaciones.
2. En el cuadro de diálogo Tabulaciones, realice estos procedimientos:
3. En el cuadro Posiciones de tabulación, escriba la medida para la nueva posición de tabulación.
4. En Alineación, elija cómo debe alinearse el texto con respecto a la tabulación
5. En Relleno, seleccione el estilo de los caracteres de relleno que desea agregar delante de la tabulación.

Para agregar la nueva tabulación a la lista, haga clic en **Establecer**.
Para establecer tabulaciones adicionales, repita todos los pasos.

Crear una lista con viñetas

1. En el menú Formato, haga clic en Numeración y viñetas y, a continuación, haga clic en la ficha Viñetas.
2. Seleccione las opciones que desee y, a continuación, haga clic en **Aceptar**.

3. Escriba el primer elemento de la lista y, a continuación, realice una de las acciones siguientes:

   - Para comenzar una línea nueva con una viñeta, presione la tecla **Intro**.
   - Para comenzar una línea nueva sin una viñeta, presione las teclas **Mayús-Intro**.
   - Para finalizar una lista con viñetas, presione la tecla **Intro** dos veces.

Crear una lista numerada

1. En el menú Formato, haga clic en Numeración y viñetas y, a continuación, haga clic en la ficha Numeración.
2. Seleccione las opciones de formato que desee y, a continuación, haga clic en **Aceptar**.
3. Escriba el primer elemento de la lista y, a continuación, realice una de las acciones siguientes:

   - Para comenzar una línea nueva con un número, presione la tecla **Intro**.
   - Para comenzar una línea nueva sin un número, presione las teclas **Mayús-Intro**.
   - Para finalizar una lista numerada, presione la tecla **Intro** dos veces.

***Nota:** Publisher numera automáticamente los párrafos de la lista. Si agrega o elimina párrafos, Publisher actualizará los números.*

8.5.4. Fuentes

Para visualizar las fuentes que pueden utilizarse en una publicación, puede entrar en la galería de fuentes en el menú Formato>Fuente. En el cuadro de diálogo correspondiente, aparecerán las fuentes y las diferentes opciones de **Estilo**, **Tamaño**, **Subrayado**, **Color**, **Efectos** y **Vista previa**. Sin embargo en Publisher 2007, tiene la opción de poder seleccionar y modificar según desee las características de fuente accediendo al Panel de Tareas y seleccionando Combinaciones de fuentes. Además, en el Panel de Tareas, también podrá disponer fácilmente del tipo de fuentes que esté utilizando en la publicación en Estilos, mostrándole opciones de **Titulo y nivel** e **Importar estilos**.

8.6. Ortografía

Para revisar la ortografía automáticamente mientras escribe, en el menú Herramientas, elija Ortografía y, a continuación, haga clic en la opción Mostrar errores ortográficos. Los subrayados con líneas rojas onduladas en el texto indicarán posibles errores ortográficos. Para corregir un error, haga clic con el botón secundario del ratón en una de las palabras subrayadas con una línea roja ondulada y, a continuación, haga clic en la opción que desee del menú contextual.

8.6.1. Comprobar la ortografía de una publicación

1. Haga clic en el cuadro de texto, marco de tabla o autoforma que desee comprobar.
2. En el menú Herramientas, elija Ortografía y, después, haga clic en Ortografía.
3. En el cuadro de diálogo Revisar la ortografía, haga clic en la opción que desee para cada palabra que aparezca en el cuadro No está en el diccionario. Puede dejar la ortografía de la palabra como está, cambiarla o agregar la palabra al. Puede omitir o suprimir las palabras repetidas.
4. Para revisar la ortografía de los cuadros de texto, marcos de tablas y autoformas de la publicación actual, active la casilla de verificación Comprobar todos los artículos.
5. Para detener la revisión ortográfica antes de que haya terminado, haga clic en **Cerrar**.

8.7. Diseñar páginas

8.7.1. Elegir un tamaño de página

Use el cuadro de diálogo Tamaño de página para seleccionar un tamaño de página o crear un nuevo tamaño de página personalizado para la publicación. Puede elegir cualquier tamaño de página, incluso si el tamaño de página que desea aparece en otra categoría diferente de tipos de publicación.

Por ejemplo, si está creando un menú, los tamaños de página predeterminados para los menús aparecen en la categoría de tipo de publicación "**Menús**". No obstante, puede hacer un menú de tamaño de pancarta haciendo clic en la categoría de tipo de publicación "**Pancartas**" y seleccionando un tamaño de página o puede hacer clic en el botón **Crear tamaño de página personalizado** para crear un menú con el tamaño que desee.

Seleccionar un tamaño de página estándar

Tras crear una publicación, haga clic en Cambiar tamaño de página en Opciones de tipo de publicación en el Panel de tareas Formato de publicación.

Por ejemplo, si ha creado un menú, haga clic en Cambiar tamaño de página en Opciones de menús.

1. Haga clic en el icono que representa el tamaño de página que desea. Por ejemplo, haga clic en **Carta 21,59 x 27,94 cm**.
2. Si no ve el tamaño que desea, puede desplazarse hacia abajo y elegir un tamaño de otro tipo de publicación. Por ejemplo, si desea imprimir el menú como pancarta, puede ir a Pósteres y hacer clic en el icono para el tamaño de página que desee.

Crear un tamaño de página personalizado

Si desea usar un tamaño de página diferente para una publicación, como un tamaño de 12,7 x 22,86 cm para un anuncio, puede crear un tamaño de página personalizado. Al crear un tamaño de página personalizado, se agrega automáticamente a la lista de tamaños de página de la categoría de tipo de publicación. Tras crear una publicación, haga clic en Cambiar tamaño de página en Opciones de tipo de publicación en el Panel de tareas Formato de publicación. Por ejemplo, si ha creado un anuncio, haga clic en Cambiar tamaño de página en Opciones de anuncios. En Anuncios, haga clic en Crear tamaño de página personalizado.

> ***Nota:*** *Si hace clic en* Crear tamaño de página personalizado *en un tipo de publicación, el nuevo tamaño de página aparecerá en ese tipo de publicación. Por ejemplo, si hace clic en* Crear tamaño de página personalizado *en* Anuncios, *el nuevo tamaño de página aparecerá ahí.*

1. En el cuadro de diálogo Tamaño de página personalizado, seleccione las opciones que desee, escriba un nombre para el tamaño de página personalizado y haga clic en **Aceptar**.
2. Tras crear un tamaño de página personalizado, puede cambiarlo, duplicarlo o eliminarlo eligiendo el tamaño de página personalizado, haciendo clic en la flecha y luego en **Modificar**, **Duplicar** o **Eliminar**.

> ***Nota:*** *Si reduce los márgenes de una publicación para dejar más espacio en la página, es posible que desee mover los objetos al área agregada. Aunque haya cambiado los márgenes, debe asegurarse de que los objetos que desea imprimir siguen en el área imprimible para una determinada impresora.*

8.7.2. Establecer márgenes para las páginas o cuadros de texto

Hay dos tipos de márgenes en Publisher. Los márgenes de página que determinan la distancia desde los bordes de una página con los objetos que contiene dicha página, y los márgenes de cuadro de texto que determinan la distancia desde el borde del cuadro de texto al texto que contiene el cuadro.

> ***Truco:*** *Las impresoras de escritorio suelen tener una zona no imprimible en torno a los bordes del papel, que suele tener entre 4,3 mm y 12,7 mm de ancho. No se imprimirá nada de lo que haya situado en esa zona. Si establece los márgenes de página para su publicación de manera que coincidan con el margen mínimo admitido por su impresora, primero debe averiguar el tamaño de la zona no imprimible de la impresora.*

Puede especificar los márgenes de página en la ficha Guías de márgenes del cuadro de diálogo Guías de diseño (véase la figura 8.11) en el menú Organizar. Para especificar los márgenes de cuadro de texto, seleccione la ficha Cuadro de texto del cuadro de diálogo Formato de cuadro de texto (menú Formato, comando Cuadro de texto).

1. En el menú Organizar>Guías de diseño>Guías de márgenes.

2. En Guías de márgenes, escriba los valores de los márgenes que desee utilizar.
3. Establezca los márgenes de página para que coincidan con los admitidos por su impresora.

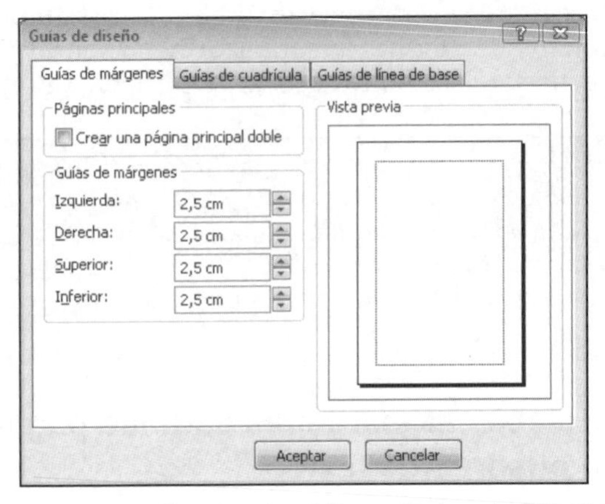

Figura 8.11. Cuadro de diálogo Guías de Diseño.

Establecer los márgenes dentro de un cuadro de texto

1. Haga clic con el botón secundario del ratón en un cuadro de texto y, a continuación, haga clic en Formato de cuadro de texto.
2. En el cuadro de diálogo Formato de cuadro de texto, haga clic en la ficha Cuadro de texto.
3. En Márgenes de cuadro de texto, escriba o seleccione los valores de los márgenes Izquierdo, Derecho, Superior e Inferior.
4. Haga clic en **Aceptar**.

8.7.3. Sangría e interlineado

Los márgenes de cuadro de texto determinan el ancho global del área de texto principal (es decir, el espacio entre el texto y el borde del cuadro de texto). La sangría determina la distancia del párrafo al borde derecho o izquierdo del cuadro de texto. Dentro de los márgenes, podrá aumentar o reducir la sangría de un párrafo o grupo de párrafos. También podrá crear una sangría negativa, que mueva el párrafo hacia el margen izquierdo si el sentido del texto es de izquierda a derecha o hacia el margen derecho si el sentido del texto es de derecha a izquierda. Otra posibilidad es crear una sangría francesa, en la que no se sangra la primera línea del párrafo y se sangran las líneas siguientes.

Puede establecer la sangría en la ficha Sangrías y espaciado del cuadro de diálogo Párrafo en el menú Formato.

- Alineación: La alineación horizontal del texto determina la apariencia y la orientación de los bordes izquierdos y derecho del párrafo con respecto a los márgenes del cuadro de texto (y las sangrías existentes). Las alineaciones más frecuentes son izquierda, derecha, centrar y justificar.
  Puede establecer la alineación en la ficha Sangrías y espaciado del cuadro de diálogo Párrafo (menú Formato). Las opciones de alineación de texto son las siguientes:
  - Izquierda: El carácter del extremo izquierdo de cada línea se alinea con el margen izquierdo y las posiciones de los caracteres del borde derecho de cada línea son desiguales.
  - Centrar: Se alinea el centro de cada línea de texto con el punto central de los márgenes derecho e izquierdo del cuadro de texto y los bordes izquierdos y derecho de cada línea quedan desiguales.
  - Derecha: El carácter del extremo derecho de cada línea se alinea con el margen derecho y las posiciones de los caracteres del borde izquierdo de cada línea son desiguales. Es la alineación predeterminada para párrafos en los que el sentido del texto es de derecha a izquierda.
  - Justificar: Se alinean el primer y el último carácter de cada línea (excepto la última) con los márgenes izquierdo y derecho y se llenan las líneas agregando o quitando espacio entre palabras y en ellas.
  - Distribuida: Se alinean el primer y el último carácter de cada línea (excepto la última) con los márgenes izquierdo y derecho y se llenan las líneas agregando o quitando la misma cantidad de cada carácter.
  - Distribuir todas las líneas: Se alinean el primer y el último carácter de cada línea (incluida la última línea del párrafo) con los márgenes izquierdo

y derecho y se llenan las líneas agregando o quitando la misma cantidad de cada carácter.

- Además de la alineación horizontal, puede alinear texto verticalmente con las guías de las líneas de base. Puede establecer las guías de líneas de base en la ficha Guías de líneas de base del cuadro de diálogo Guías de diseño (menú Organizar). Para elegir la forma de alinear texto con las guías de líneas de base, seleccione la ficha Sangrías y espaciado del cuadro de diálogo Párrafo (menú Formato).

- Interlineado: Determina la cantidad de espacio vertical entre las líneas de texto de un párrafo. Si una línea contiene un carácter de texto o un gráfico grande, Publisher aumentará el espaciado para esa línea. Para espaciar todas las líneas uniformemente, deberá especificar una cantidad exacta de espaciado escribiendo un valor y una unidad de medida.

También puede alinear texto con las guías de las líneas de base para alinear de forma precisa el texto de varias columnas. El espaciado de párrafos determinará la cantidad de espacio que hay por encima y por debajo de un párrafo. Cuando pulse la tecla **Intro** para iniciar otro párrafo, se aplicará el mismo espaciado al párrafo siguiente, pero podrá cambiar la configuración para cada párrafo.

Para establecer el interlineado y el espacio entre párrafos, seleccione la ficha Sangrías y espaciado del cuadro de diálogo Párrafo (menú Formato).

8.7.4. Guías de diseño

Las guías se clasifican en guías de márgenes, columnas, filas y líneas de base. Se utilizan para crear una cuadrícula en una página principal. Esta cuadrícula aparece en todas las páginas en que se utilice dicha página principal. Las guías de diseño permiten organizar el texto, las imágenes y demás objetos en columnas y filas para que la publicación tenga un aspecto uniforme. Puede configurar las guías de diseño en el cuadro diálogo Guías de diseño en el menú Organizar. (Véase figura 8.11.)

Las guías de márgenes, las guías de columnas y las guías de filas se representan mediante líneas punteadas azules, las guías de líneas de base se representan mediante líneas punteadas doradas y las guías de regla se representan mediante líneas punteadas verdes.

Para estructurar la página con guías de diseño, en el menú Organizar, haga clic en Guías de diseño y después realice una de las acciones siguientes:

- Configurar la publicación para que se imprima en páginas enfrentadas (como un libro):
    1. Haga clic en la ficha Guías de márgenes y después seleccione Crear página principal doble en Páginas principales.
    2. En Guías de márgenes escriba los valores para los márgenes Interior, Exterior, Superior e Inferior.
- Configurar las guías de filas y columnas:
    1. Haga clic en la ficha Guías de cuadrícula.
    2. En Guías de columnas, escriba el número de columnas y después escriba el valor del espaciado que desee.
    3. En Guías de filas, escriba el número de filas y después el valor del espaciado que desee.
- Configurar las guías de líneas de base:
    1. Haga clic en la ficha Guías de líneas de base.
    2. En Línea de base horizontal, escriba o seleccione el valor de espaciado que desee y después escriba el valor de desplazamiento que desee entre la primera guía de línea de base y el margen superior.
    3. Haga clic en **Aceptar**.

También puede configurar las columnas de texto con las guías de diseño. Este procedimiento resulta útil si trabaja en una publicación que no tiene columnas de texto prediseñadas (por ejemplo, está creando un boletín desde el principio y no a partir de una plantilla prediseñada).

1. En el menú Organizar>Guías de diseño>Guías de cuadrícula.
2. En Guías de cuadrícula, escriba o seleccione el número de columnas que desea en el cuadro Columnas y, a continuación, escriba o seleccione el valor del espaciado (cantidad de margen) en el cuadro Espaciado. Las guías de columnas que cree aparecerán en la página principal actual y en cada página de la publicación que utilice esa página principal.

3. Si la publicación se va a imprimir en páginas enfrentadas, seleccione Crear una página principal doble en Páginas principales en la ficha Guías de márgenes y después haga clic en **Aceptar**.
4. En la página en la que desee que se muestren las columnas, haga clic en la herramienta **Cuadro de texto** en la barra de herramientas Objetos dentro de las columnas definidas mediante las guías de diseño para crear cuadros de texto.

> **Nota:** *Si el comando* A las guías *del menú* Organizar, *comando* Ajustar, *está activado, cada cuadro de texto se ajustará a la guía de diseño más cercana cuando libere el botón del ratón.*

Las guías de cuadrícula constan de guías de columnas y guías de filas.

Puede utilizar estas guías para configurar una cuadrícula de diseño para una publicación, que le permitirá organizar y alinear mejor los objetos de una página.

1. En el menú Organizar>Guías de diseño y seleccione la ficha Guías de cuadrícula.
2. En Guías de columnas, cambie el número de columnas a 1.
3. En Guías de filas, en el cuadro Filas, cambie el número de filas a 1.
4. Haga clic en **Aceptar**.

Para un párrafo:

1. Seleccione el párrafo (o los párrafos) que desee cambiar.
2. En el menú Formato>Párrafo y, a continuación, haga clic en la ficha Sangría y espaciado.
3. En Interlineado, active la casilla de verificación Alinear texto con guías con líneas de base.

> **Nota:** *Esto sólo afecta a los párrafos seleccionados; no afecta al resto del texto de la publicación.*

Para ocultar o mostrar las guías de diseño, las guías de regla y los bordes de objeto, en el menú Ver, haga clic en Límites y guías.

> ***Nota:*** *Si el comando Ajustar a las guías está activado (en el menú* Organizar, *seleccione* Ajustar *y después haga clic en* A las guías*), los objetos continuarán ajustándose a las guías incluso cuando éstas estén ocultas.*

8.7.5. Reglas y guías de regla

Puede crear guías de regla en cualquier página de una publicación.

Las guías de regla creadas en una página de una publicación sólo se verán en esa página. Las guías de regla creadas en una página principal se verán en todas las páginas a las que se aplique esa página principal.

1. Siga uno de estos procedimientos:
   - Para crear una guía horizontal, coloque el puntero del ratón sobre la regla horizontal.
   - Para crear una guía vertical, coloque el puntero del ratón sobre la regla vertical hasta que aparezca el puntero.
2. Arrastre el puntero hasta que la nueva guía esté donde desea.

> ***Nota:*** *Si el comando Ajustar a las marcas de las reglas está activado, la guía de regla se ajustará a una marca de regla. Si el comando Ajustar a los objetos está activado, la guía se ajustará a un objeto.*

Para mover una regla:

1. Mantenga presionada la tecla **Mayús** y coloque el puntero del ratón sobre la regla hasta que aparezca una flecha de dos puntas.
2. Arrastre la regla hasta la nueva posición.

Si desea quitar una guía de regla:

1. Coloque el puntero del ratón sobre la guía de regla que desea eliminar, hasta que el puntero se convierta en cursor separador.
2. Haga clic con el botón secundario del ratón y, a continuación, en el menú contextual que aparece seleccione Eliminar guía.

Para quitar todas las guías de regla, en el menú Organizar, elija Guías de regla y, después, haga clic en Borrar todas las guías de regla.

8.7.6. Agregar o eliminar páginas

Cuando agregue o elimine páginas, deberá trabajar en el primer plano de la publicación. Si no es así, desactive la casilla de verificación Página principal, del menú **Ver** antes de utilizar los procedimientos siguientes.

Para agregar una página:

1. En la publicación abierta, vaya a la página que va a estar antes o después de las páginas que desea agregar.
2. En el menú Insertar, haga clic en Página.
3. En el cuadro Insertar página, seleccione las opciones que desee y haga clic en **Aceptar**.

> ***Nota:*** *Si se encuentra en la vista de dos páginas, es mejor agregar páginas en múltiplos de cuatro.*

También puede agregar una página duplicada. En el clasificador de páginas, haga clic con el botón secundario del ratón en la página que desee copiar.

En el menú contextual, haga clic en Insertar página duplicada. La página duplicada se insertará en la publicación inmediatamente después de la página seleccionada.

> ***Nota:*** *Si se encuentra en la vista de dos páginas, se insertará una nueva vista de dos páginas inmediatamente después de la vista de dos páginas seleccionada.*

Al eliminar una página, sólo se eliminará con ella el texto y los objetos específicos de la página. Por ejemplo, si la página contiene texto procedente de una cadena de marcos conectados, el texto simplemente se moverá a una página adyacente.

1. En la publicación abierta, vaya a la página que desee eliminar.
2. En el menú Edición, haga clic en Eliminar página.
3. Si se encuentra en la vista de dos páginas, aparecerá el cuadro de diálogo Eliminar página. Seleccione la

opción que desee y, a continuación, haga clic en **Aceptar**.

8.7.7. Columnas y filas

Puede crear columnas con varios cuadros de texto:

1. En el menú Organizar>Guías de diseño y seleccione la ficha Guías de cuadrícula.
2. En Guías de columnas, escriba o seleccione el número de columnas que desee y después escriba o seleccione el valor del espaciado (margen) que desee.
3. Haga clic en **Aceptar**.
4. Cree cuadros de texto para ajustar las columnas definidas por las guías de columnas.

Para crear columnas en un cuadro de texto:

1. Haga clic con el botón secundario del ratón en el cuadro de texto.
2. En el menú contextual, haga clic en Formato de cuadro de texto.
3. En el cuadro de diálogo Formato de cuadro de texto>Cuadro de texto>Columnas.
4. En el cuadro de diálogo Columnas, escriba o seleccione el número de columnas que desea en el cuadro Números y escriba o seleccione el valor de espaciado que desea en el cuadro Espaciado.

Si desea crear filas:

1. En el menú Organizar>Guías de diseño>Guías de cuadrícula.
2. En Guías de filas, escriba o seleccione el número de filas que desea en el cuadro Filas y, después, escriba el valor del espaciado que desea entre las guías de filas en el cuadro Espaciado.
3. Haga clic en **Aceptar**.

8.8. Crear una tabla

Crear una tabla y escribir texto en ella

1. En la barra de herramientas Objetos, haga clic en **Insertar tabla**.

2. Haga clic dentro de la publicación.
3. Aparecerá el cuadro de diálogo Crear tabla.
4. Seleccione las opciones que desee y, a continuación, haga clic en **Aceptar**.

Ajustar el tamaño de la tabla:

1. Seleccione la tabla, coloque el puntero del ratón sobre un asa de selección hasta que aparezca el icono **Tamaño** y, a continuación, arrastre para cambiar el tamaño de la tabla.
2. En la tabla, haga clic en la celda donde desee agregar texto y comience a escribir.

Para agregar texto a otra celda, haga clic dentro de esa celda. Las celdas se expanden para ajustar el texto, a menos que bloquee el tamaño de la tabla desactivando la casilla de verificación situada junto a la opción Aumentar para ajustar el texto del menú Tabla.

Crear una tabla a partir de texto existente

1. Si el texto está en una tabla, seleccione las celdas que desee.
2. Si el texto está incluido en un cuadro de texto, asegúrese de que haya una tabulación o una coma entre las entradas de las filas y una marca de párrafo al final de cada fila. Resalte el texto.
3. Haga clic en el texto resaltado con el botón secundario y, a continuación, haga clic en **Copiar**.
4. En el menú Edición, haga clic en Pegado especial.
5. En la lista del cuadro de diálogo, en Como, haga clic en Nueva tabla.
6. Haga clic en **Aceptar**.

8.9. Trabajar con gráficos y objetos

8.9.1. Agregar WordArt

1. En la barra de herramientas Objetos, haga clic en Insertar WordArt.
2. En la Galería de WordArt, haga clic en el WordArt que desee y luego en **Aceptar**.
3. Escriba el texto en el cuadro Texto.

8.9.2. Copiar y pegar objetos

1. Haga clic con el botón secundario del ratón en el objeto que desee copiar y, a continuación, haga clic en **Copiar**.
2. Haga clic con el botón secundario del ratón en el lugar donde desee copiar el objeto y, a continuación, haga clic en **Pegar**.

Puede copiar atributos de formato, como el color o el relleno, de un objeto a otro. Siga los siguientes pasos:

1. Haga clic en el objeto cuyos atributos desee copiar.
2. En la barra de herramientas Estándar, haga clic en **Copiar formato** y, a continuación, en el objeto en el que desee copiar los atributos.

Para copiar varios objetos (selecciónelos manteniendo presionada la tecla **Mayús** mientras hace clic en los objetos que desea copiar).

1. Haga clic con el botón secundario del ratón en los objetos y, haga clic en **Copiar**.
2. Haga clic con el botón secundario del ratón en el lugar donde desee copiar los objetos y, a continuación, haga clic en **Pegar**.

Copiar una página completa:

1. Vaya a la página de la publicación donde desee insertar la página.
2. En el menú Insertar, haga clic en Página.
3. En el cuadro de diálogo Insertar página, haga clic en Duplicar todos los objetos de la página y, a continuación, escriba el número de la página que desee copiar.
4. Haga clic en **Aceptar**.

8.9.3. Guardar un gráfico

Para guardar un gráfico, selecciónelo, y si desea guardarlo como un archivo:

1. Haga clic con el botón secundario del ratón en la imagen, WordArt, autoforma o grupo de objetos que desee guardar como un gráfico y, a continuación, seleccione Guardar como imagen.

2. En el cuadro de diálogo Guardar como, seleccione un formato o utilice el formato predeterminado.
3. Haga clic en **Guardar**.

> ***Nota:** En el caso de los objetos de dibujo (como autoformas), seleccione la extensión de metarchivo de Windows en la lista* Guardar como tipo *para modificar la imagen más adelante.*

8.10. Trabajar con imágenes

Insertar un marco de imagen vacío:

1. En la barra de herramientas Objetos, haga clic en Marco de imagen y, a continuación, haga clic en Vaciar marco de imagen.
2. En la publicación, arrastre el ratón diagonalmente hasta que el marco tenga el tamaño deseado.

8.10.1. Insertar imágenes

Puede insertar imágenes desde la Galería multimedia o la galería de diseño. Para, ello tiene que buscar el clip multimedia que desee insertar. Siga estos pasos:

1. En el menú Insertar, elija Imagen y haga clic en Imágenes prediseñadas.
2. En el cuadro Buscar escriba una palabra o frase que describa el clip que desea. Para limitar la búsqueda, realice una de estas acciones o ambas:
    - Para limitar los resultados de la búsqueda a un conjunto de clips específico, en el cuadro Buscar en, seleccione el conjunto que desee buscar.
    - Para limitar los resultados de la búsqueda a un tipo concreto de archivo, en el cuadro Los resultados deben ser, active la casilla de verificación situada junto a los tipos de clips que desee buscar.
3. Haga clic en Buscar.
4. En la lista Resultados, haga clic en el clip para insertarlo.

Para insertar una imagen desde un archivo:

1. En la barra de herramientas Insertar, en el comando Imagen haga clic en **Marco de imagen vacío** y, a continuación, haga clic en Imagen del archivo.
2. Arrastre el ratón en diagonal hasta dibujar el marco de imagen del tamaño deseado.
3. En el cuadro de diálogo Insertar imagen busque la carpeta que contiene la imagen que desea insertar y, después, haga clic en el archivo de imagen.
4. Lleve a cabo uno de los procedimientos siguientes:
   - Para incrustar la imagen, haga clic en **Insertar**.
   - Para vincular la imagen al archivo de imagen guardado en el disco duro, haga clic en la flecha situada junto a **Insertar** y, a continuación, haga clic en **Vincular al archivo**.

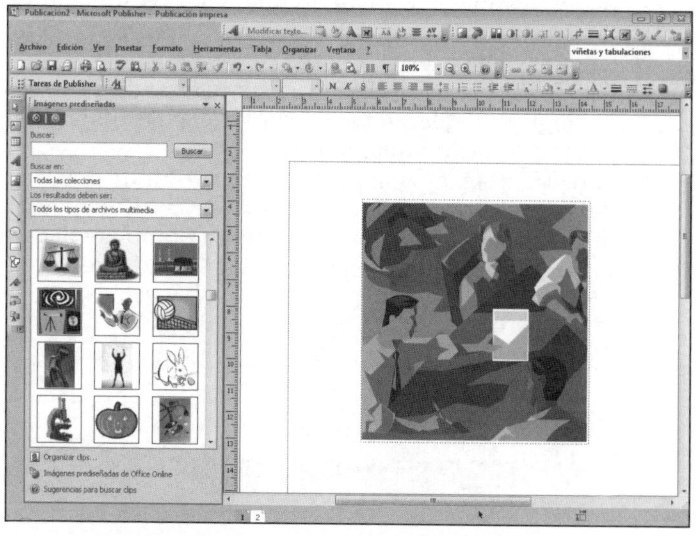

Figura 8.12. Imagen prediseñada insertada en una publicación.

8.11. Galería de diseño

En una publicación puede insertar objetos desde la Galería multimedia o la Galería de diseño:

1. En la barra de herramientas Objetos>Objeto de la Galería de diseño.
2. En el panel de la Galería de diseño seleccione el tema en Objetos por categoría.
3. Seleccione una categoría o diseño.
4. En el panel derecho, haga clic en el objeto que desee.

8.11.1 Crear un logotipo mediante la Galería de diseño

1. En la publicación, haga clic donde desee situar el logotipo.
2. En la Barra de herramientas Objetos, haga clic en **Objeto de la Galería de diseño** y, a continuación, en **Logotipos**.
3. Haga clic en un diseño de logotipo, seleccione el gráfico y las opciones de texto que desee, por ejemplo, dos líneas de texto con el logotipo, y, a continuación, haga clic en **Insertar objeto**.
4. Para reemplazar el texto del marcador de posición del logotipo, seleccione el texto en el cuadro de texto y escriba el texto que desee.
5. Para reemplazar la imagen del marcador de posición del logotipo, haga clic en el marco de la imagen, haga doble clic en la imagen, haga clic en Cambiar imagen y, por último, seleccione la imagen que desee.

Figura 8.13. Logotipo creado mediante la Galería de diseño.

8.12. Convertir publicaciones impresas en Web y viceversa

Con Publisher se pueden crear dos tipos de publicaciones: publicaciones impresas y publicaciones Web. Cuando se trabaja en una publicación impresa, se trabaja en el modo Impresión. Las funciones Web que no son necesarias para las publicaciones impresas, como las barras de exploración, no están disponibles en el modo Impresión. Así mismo, cuando se trabaja en modo Web, las funciones de impresión que no se reproducen fielmente en un explorador Web, como el ajuste del texto alrededor de las imágenes y gráficos, no están disponibles en la vista Web.

Una vez creada una publicación impresa, se puede convertir en una publicación Web y viceversa. Si ha utilizado el asistente para crear la publicación original, no podrá utilizar las opciones disponibles en el asistente en la publicación convertida. Como algunas de las funciones de impresión no están disponibles en el modo Web y, a su vez, algunas de las funciones Web no están disponibles en el modo Impresión, la conversión de una publicación puede afectar a su formato.

8.12.1. Convertir una publicación impresa en una publicación Web

1. Abra la publicación impresa que desee convertir en una publicación Web.
2. En el menú Archivo, haga clic en Convertir en publicación Web.
3. Siga las instrucciones del asistente Convertir en publicación Web.
4. En la casilla ¿Desea guardar la publicación...?, marque Si y haga clic en **Siguiente**.
5. En el siguiente cuadro, le solicita si desea agregar una barra de exploración a la publicación Web, marque la casilla de verificación Si, agregar una barra de exploración.
6. Haga clic en **Finalizar**.
7. En el cuadro de diálogo Guardar Como, escriba un nombre de archivo y seleccione Tipo: Archivos de Publisher, a continuación haga clic en **Guardar**.

8.12.2. Convertir una publicación Web en una publicación impresa

1. Abra la publicación Web que desee convertir en una publicación impresa.

2. En el menú Archivo, haga clic en Convertir en publicación impresa.
3. Siga las instrucciones del asistente Convertir en publicación impresa.

8.12.3. Agregar una página al sitio Web

Para agregar un tipo de página específico:

1. En el menú Insertar, haga clic en Página.
2. En el cuadro de diálogo Insertar página Web, en Seleccione un tipo de página, seleccione el tipo de página que desee y, a continuación, haga clic en **Aceptar**.

Si desea agregar más páginas según el objetivo del sitio Web:

1. En el menú Ver, haga clic en Panel de tareas para mostrar el panel de tareas.
2. En el menú del panel de tareas, haga clic en Opciones de Sitio Web .
3. En Agregar al sitio Web, haga clic en Agregar funcionalidad.
4. En el cuadro de diálogo Generador de sitios Web fáciles, seleccione las opciones que desee para el sitio Web y, a continuación, haga clic en **Aceptar**.

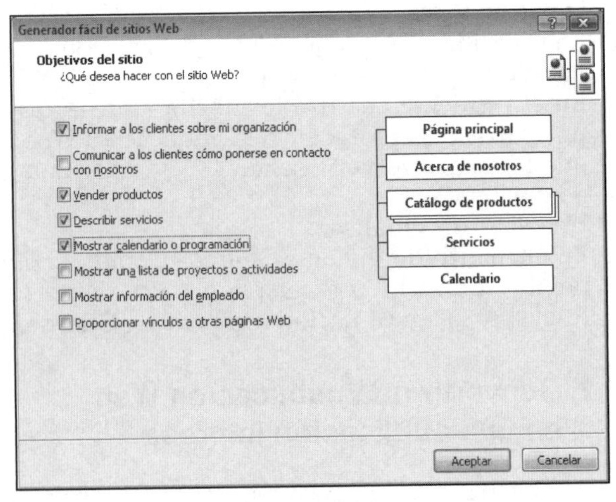

Figura 8.14.

Para agregar una página en blanco:

1. En el clasificador de páginas, haga clic con el botón secundario del ratón en la página donde desee insertar una página en blanco.
2. En el menú contextual, haga clic en Insertar página.
3. En el cuadro de diálogo Insertar página Web, en Seleccione un tipo de página, haga clic en la opción En blanco.

> ***Nota:*** *Si ha desactivado la casilla de verificación* Utilizar un asistente para publicaciones en blanco *(menú* Herramientas, *comando* Opciones, *ficha* Asistencia al usuario*) e intenta crear un sitio Web seleccionando* Página Web en blanco *en el panel de tareas* Nueva publicación, *el cuadro de diálogo* Insertar página *aparecerá inmediatamente.*

8.12.4. Insertar una imagen animada en una página Web

Tenga en cuenta las directrices siguientes cuando agregue imágenes a una página Web:

- Utilice archivos de gráficos con el tamaño más pequeño posible para evitar largas descargas a los visitantes. Mantenga el tamaño total de los gráficos de cada página por debajo de 40 KB.
- Para reducir el tiempo de descarga de los gráficos en el sitio Web, seleccione Permitir formato PNG para mejorar la calidad de los gráficos en la ficha Web (comando Opciones, menú Herramientas). Si selecciona esta opción, las personas que vean el sitio Web en un explorador que no reconozca los gráficos en formato PNG, como Microsoft Internet Explorer 5.0 o una versión anterior, no podrán ver los gráficos.
- Coloque los gráficos grandes en otra página Web y cree un vínculo a ella mediante una imagen del gráfico en miniatura con hipervínculos.
- Utilice la misma imagen más de una vez. Esto permite obtener coherencia y que se descargue una sola vez. Las imágenes que se pueden volver a utilizar incluyen los botones de exploración o el logotipo de la compañía.

- Si desea utilizar un gráfico de otro origen (por ejemplo, si desea copiar un gráfico de un sitio Web), necesitará obtener el permiso del propietario del copyright para utilizar la imagen.
- En función de su finalidad, guarde las imágenes en uno de los siguientes formatos de archivo de gráficos Web.

Para agregar una imagen animada a una página Web:

1. En el menú Insertar, elija Imagen y, a continuación, haga clic en Desde archivo.
2. En el cuadro de diálogo Insertar imagen, localice la carpeta que contiene la imagen animada que desea insertar y, a continuación, haga clic en el archivo correspondiente.
3. Haga clic en **Insertar**.

8.13. Imprimir

8.13.1. Establecer una impresora como predeterminada

Para establecer una impresora como predeterminada:

1. Haga clic en el menú Inicio, elija Configuración.
2. Haga clic en Impresoras.
3. Con el botón derecho del ratón, haga clic en el icono de la impresora que desee utilizar como predeterminada.
4. Aparecerá un menú, haga clic en Fijar como predeterminada. Si hay una marca de verificación junto al icono Impresora, ya está configurada como predeterminada.

8.13.2. Vista previa de una página antes de imprimirla

1. En el menú Archivo, haga clic en Vista preliminar.
2. Utilice los botones de la barra de herramientas para revisar la página o realizar ajustes antes de imprimir.

Para imprimir una o más copias de una publicación:

1. En el menú Archivo, haga clic en Imprimir.
2. Establezca las opciones que desee en el cuadro.
3. Haga clic en **Aceptar**.

También puede imprimir por ambas caras de una hoja de papel (impresión a doble cara). No todas las impresoras admiten la impresión a doble cara. Si no está seguro de si su impresora lo admite, consulte el manual de la impresora o póngase en contacto con el fabricante. Siga estos pasos:

1. En el menú Archivo, haga clic en Imprimir.
2. En Imprimir haga clic en **Propiedades**.
3. Haga clic en la ficha Presentación.
4. En Imprimir en ambas caras, haga clic en la opción que desee.

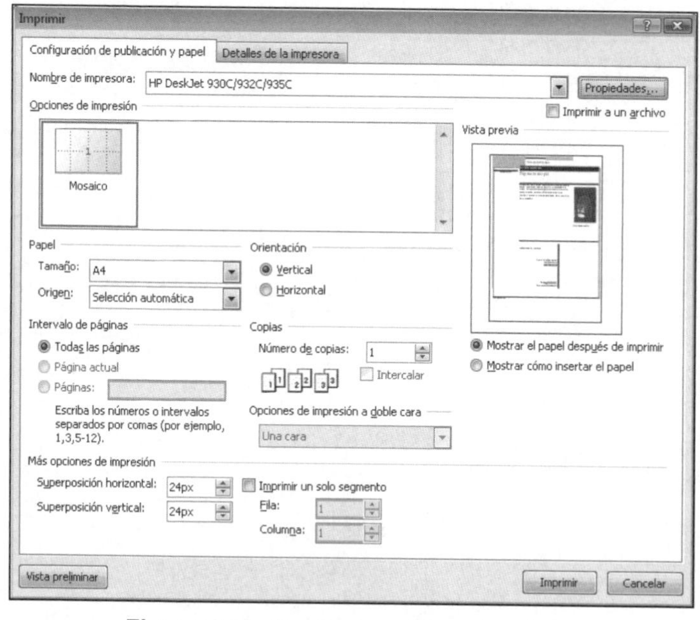

Figura 8.15. Cuadro de diálogo Imprimir.

Para imprimir determinadas páginas de una publicación en una impresora de escritorio:

1. En el menú Archivo, haga clic en Imprimir.
2. En Intervalo de impresión, haga clic en Páginas.

3. En los cuadros Desde y hasta escriba los números de las páginas primera y última del intervalo que desee imprimir.
4. Para imprimir sólo una página, escriba el mismo número en los cuadros Desde y hasta.

8.13.3. Cancelar impresión

Para cancelar la impresión, haga doble clic en el icono Impresora en el área de estado de la barra de tareas.

A continuación, seleccione el documento que desee cancelar.

Finalmente, en el menú Documento, haga clic en Cancelar impresión.

> ***Nota:*** *No se podrá cancelar la impresión del documento de otro usuario sin el permiso apropiado.*

9 Otras herramientas de Office

9.1. InfoPath

InfoPath 2007 es la nueva versión de la aplicación en Microsoft Office 2007 que simplifica el proceso de recopilar información al permitir a los equipos y organizaciones crear y trabajar fácilmente con formularios completos y dinámicos. La información recopilada puede ser integrada con una amplia variedad de procesos debido a que InfoPath es compatible con cualquier esquema *Extensible Markup Language* (XML) definido por el cliente y se integra con los servicios XML Web. Como resultado, InfoPath ayuda a los profesionales de la información a conectarse directamente a los proveedores de información y les proporciona la habilidad de trabajar en ella, lo que conduce a una mayor rapidez y eficacia. Microsoft InfoPath Office 2007 permite:

- Crear formularios avanzados y dinámicos que los equipos y organizaciones pueden utilizar para recopilar, compartir, reutilizar y administrar información.
- Implementar formularios como mensajes de correo electrónico de Outlook 2007, para que puedan completar formularios sin tener que abandonar el entorno de Office. Después de recopilar la información en Outlook 2007, puede exportarla a una hoja de cálculo de Excel o volver a combinar los datos en un formulario de InfoPath.
- InfoPath 2007 y Microsoft Office InfoPath Forms Services facilitan la ampliación de los formularios más allá de su servidor de seguridad, ya que los formularios se pueden rellenar utilizando una gran variedad de exploradores Web y dispositivos móviles.

- Convertir fácilmente documentos de Word 2007 y hojas de cálculo de Excel 2007 en formularios de InfoPath. Al convertir los documentos de Word y las hojas de cálculo de Excel en plantillas de formulario de InfoPath, permitiendo la integridad de los datos, el control de versiones y la estructura en la recopilación de información.
- Crear formularios e informes a partir de fragmentos predefinidos con una interfaz simple de arrastrar y colocar agregando fragmentos predefinidos de otras plantillas
- Crear registros PDF o XPS de sus datos de formulario con fines de archivado y administración de registros.
- Agilizar el flujo de trabajo de los formularios con InfoPath 2007 y Microsoft Office SharePoint Server 2007. Utilice las herramientas de administración de flujo de trabajo de Office SharePoint Server 2007 para que los procesos de recopilación de información se desarrollen con eficacia.
- Diseñar un único formulario para exploradores Web y clientes de InfoPath 2007, pues incluye un comprobador de diseño para garantizar la compatibilidad de los formularios implementados en Forms Services de Office InfoPath.
- Mejorar la protección de la información importante en las plantillas de formulario de InfoPath. Office InfoPath 2007 es compatible con Information Rights Management para ayudar a proteger los formularios contra usos indebidos y contra su distribución.
- Ayudar a los desarrolladores y a los diseñadores de formularios a trabajar en armonía con las opciones de implementación mejoradas de Office InfoPath 2007.
- Controlar el proceso de diseño de formularios mediante las nuevas opciones de implementación de InfoPath 2007, que incluyen el desarrollo de formularios sin código, la personalización de la interfaz de usuario y las bibliotecas de fragmentos de plantillas.
- Desarrollar soluciones avanzadas para formularios con InfoPath 2007 y Microsoft Visual Studio 2005.

Para iniciar InfoPath:

1. Haga clic en el **Botón de Windows Vista** (**Inicio** en el resto de sistemas de Windows)

2. Seleccione Programas, haga clic en la carpeta de **Microsoft Office 2007** y, a continuación, haga clic en **Microsoft InfoPath**.

9.1.1. Trabajar con plantillas

Abrir una plantilla de formulario almacenada en el equipo

1. En el menú Archivo, haga clic en Diseñar un formulario.
2. En Abrir una plantilla de formulario, haga clic en En mi PC.
3. En el cuadro de diálogo Abrir en modo Diseño, haga clic en la plantilla de formulario que desea abrir y, a continuación, haga clic en **Abrir**.

Abrir una plantilla de formulario desde un servidor

Cuando abre una plantilla de formulario desde un servidor que está ejecutando Windows SharePoint Services 3.0 u Office SharePoint Server 2007, InfoPath abre una versión de sólo lectura de la plantilla de formulario para ayudarle a evitar que sobrescriba la plantilla de formulario publicada, por lo tanto tiene que guardar una copia en una ubicación distinta de la ubicación de publicación.

Después de terminar de modificar la plantilla de formulario, puede publicar la plantilla de formulario modificada en el servidor.

1. En el menú Archivo, haga clic en Abrir desde el sitio de SharePoint.
2. En el cuadro Especifique la ubicación del sitio de SharePoint o InfoPath Forms Services, escriba la dirección URL del sitio Windows SharePoint Services 3.0 u Office SharePoint Server 2007 y, a continuación, haga clic en **Siguiente**.
3. En la lista Seleccione la biblioteca de documentos que desea abrir, seleccione la biblioteca de documentos que contiene la plantilla de formulario que desea modificar y, a continuación, haga clic en **Abrir**.
4. Cuando reciba un mensaje acerca de la actualización de la plantilla, haga clic en **Sí**.
5. En el menú Archivo, haga clic en Guardar como.
6. Si recibe un mensaje acerca de la publicación de la plantilla de formulario, haga clic en **Aceptar**.

7. En el cuadro de diálogo Guardar como, busque la ubicación donde desea guardar una copia de la plantilla y, a continuación, haga clic en **Guardar**.
8. Después de realizar los cambios necesarios para la plantilla de formulario, puede volver a publicar la plantilla de formulario modificada en la Biblioteca de documentos.

Crear un formulario en blanco

1. En el menú Archivo, haga clic en Diseñar una plantilla de formulario.
2. En el cuadro de diálogo en Diseñar nuevo, active la casilla de verificación Plantilla de formulario y en el cuadro Basado en haga clic en En blanco.
3. Aparecerá la ventana con la hoja en blanco de InfoPath. Diseñe el formulario según desea.
4. Para guardar, haga clic en Guardar como, elija una ubicación, escriba un nombre para el archivo y haga clic en **Aceptar**.

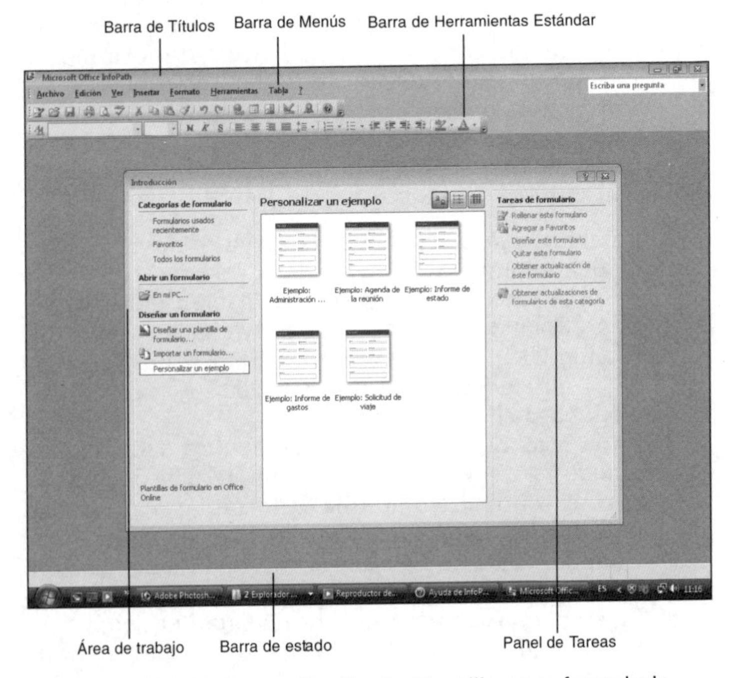

Figura 9.1. Ventana Diseño de Plantilla para formulario.

Nota: Como observará, el nuevo Panel de Tareas, *situado ala izquierda de la pantalla, le servirá de asistente a lo largo del diseño del formulario en las tareas de diseño, insertar cuadros y objetos, y utilizar secciones de otras plantillas con solo un clic.*

9.1.2. Crear un formulario

A continuación, ofrecemos un ejemplo de creación de formulario a partir de una plantilla existente, que integra una serie de elementos y controles habituales y puede servir de base modelo para el diseño de sus propios formularios.

Abra un formulario siguiendo los pasos anteriormente descritos en 9.1.1. Abrir una plantilla de formulario almacenada en el equipo. Hemos escogido un modelo de formulario prediseñado, como puede ver en la figura 9.2.

INFORME DE GASTOS

Fecha del informe: | Código de gastos: | Fecha de comienzo: | Fecha de finalización:

Motivo profesional:

Información del empleado

Nombre: | Puesto:

Departamento: | Número de Id.:

Dirección de correo electrónico:

Información del superior

Nombre: | Dirección de correo electrónico:

Gastos desglosados

Fecha	Descripción	Categoría	Costo
			0,00
		Subtotal	
		Menos efectivo adelantado	0,00
		Gastos totales	

Tabla extensible

Figura 9.2. Modelo de formulario prediseñado.

Como comprobamos, en el formulario diseñado identificaremos controles de tipo cuadros de texto, listas desplegables, imágenes, expresiones y tablas.

Existe una gran variedad de elementos que nos permiten diseñar y estructurar formularios muy completos. En el Panel de Tareas, que muestra la figura 9.3, contamos con las siguientes secciones:

- **Diseño:** Nos ofrece plantillas completas de tablas para organizar nuestro contenido dentro de un formulario.

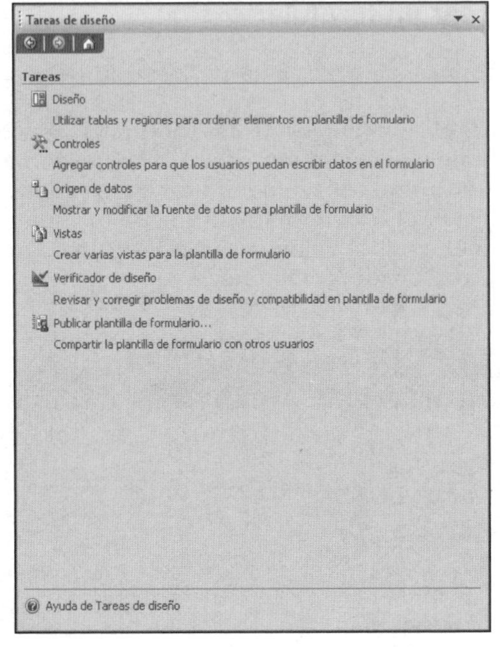

Figura 9.3. El Panel de Tareas de InfoPath 2007.

- **Controles:** Un catálogo de controles que podemos utilizar para capturar información. Los que más utilizamos son la caja de texto, el campo de lista desplegable, el control de archivo (nos permite incluir cualquier archivo dentro de nuestro formulario), etc.
- **Orígenes de datos:** Vemos reflejada la estructura de datos que nuestro formulario InfoPath va almacenando. Esta estructura se puede integrar por cada control que vamos incluyendo en nuestro formulario sin embargo, también podemos generar nuestro origen de datos basado en una tabla o un servicio Web.
- **Vistas:** Tenemos la noción de múltiples vistas para visualizar la información, puedes ver a InfoPath

como un contenedor de vistas en donde cada vista es una hoja de tu formato.

- **Verificador de diseño:** Es una herramienta útil porque verifica problemas de diseño de nuestra estructura de datos, nos puede informar y validar que nuestra estructura se encuentra bien ordenada y que no existan campos repetidos en ella, entre otro tipo de verificaciones.
- **Publicar plantilla de formulario:** Ésta es una opción que nos permite hacer una especie de *Submit* a mecanismos de recepción como bibliotecas de formulario en SharePoint, Bandejas de correo electrónico, servicios Web, etc.

9.1.3. Tablas de diseño y el Panel de Tareas Diseño

Lo idóneo es diseñar una plantilla de formulario que sea visualmente atractiva y fácil de usar.

Las tablas de diseño pueden ayudarle a lograr ambos objetivos. El Panel de Tareas Diseño ofrece una colección de tablas de diseño prediseñadas que puede usar en la plantilla de formulario para proporcionar una estructura visual.

Puede encontrar tablas de diseño previamente diseñadas en el Panel de Tareas Diseño.

Insertar una tabla de diseño predefinida

1. En la plantilla de formulario, coloque el cursor donde desee insertar la tabla de diseño.
2. En el menú Formato, haga clic en Diseño.
3. En la lista Insertar tablas de diseño del Panel de tareas Diseño, haga clic en el tipo de diseño que desee.
4. Para agregar más filas y columnas a la tabla, haga clic en una celda de la tabla en la plantilla de formulario y, después, haga clic en las opciones que desee en la lista Combinar y dividir celdas.

Truco: *Para eliminar filas, columnas o la tabla, haga clic con el botón secundario del ratón en cualquier lugar de la tabla, elija* ***Eliminar*** *y, después, haga clic en la opción que desee.*

Insertar una tabla de diseño personalizada con dimensiones específicas

1. En la plantilla de formulario, coloque el cursor donde desee insertar la tabla de diseño.
2. En la barra de herramientas Tablas, haga clic en Insertar y, después, en **Tabla de diseño** .
3. En el cuadro de diálogo Insertar **tabla**, escriba el número de filas y columnas que desee incluir en la tabla.

Dibujar una tabla de diseño personalizada

1. En la plantilla de formulario, coloque el cursor donde desee dibujar la tabla de diseño.
2. En la barra de herramientas Tablas, haga clic en Dibujar tabla.
3. El puntero adopta la forma de un lápiz.

> ***Nota:*** *Para definir los límites exteriores de la tabla, dibuje un rectángulo en la plantilla de formulario y, después, dibuje los límites de las columnas y filas dentro del rectángulo.*

Para borrar una línea o un bloque de líneas, haga clic en Borrador en la barra de herramientas Tablas y, después, haga clic y arrastre el borrador por la línea que desee borrar.

9.1.4. Controles y Origen de datos de una tabla de diseño

Puede usar el Panel de tareas Controles o el Panel de tareas Origen de datos para insertar controles en la plantilla de formulario. Si utiliza el Panel de tareas Origen de datos para insertar controles, puede usar un acceso directo que le permite insertar inmediatamente controles y sus etiquetas correspondientes dentro de una tabla de diseño en una sección. Este acceso directo es más útil cuando se diseña una plantilla de formulario basada en una base de datos, servicio Web u otro origen de datos externo, y se desea insertar un grupo no extensible desde el origen de datos. Los controles como las secciones y las secciones opcionales se enlazan a grupos no extensibles.

Si el Panel de tareas Origen de datos no está visible, haga clic en Origen de datos en el menú Ver.

En el Panel de tareas Origen de datos, seleccione un grupo no extensible que contenga uno o varios campos.

1. Haga clic con el botón secundario del ratón en el grupo y, después, haga clic en Controles de la tabla de presentación en el menú contextual.
   InfoPath agrega automáticamente una tabla de diseño a la plantilla de formulario que contiene los controles y etiquetas de cada campo del grupo seleccionado. InfoPath determina el tipo de control que se debe agregar, en función del tipo de datos del campo o grupo. Por ejemplo, si los campos individuales de un grupo utilizan un tipo de datos Texto (cadena), InfoPath agrega controles de cuadro de texto en las celdas de la tabla.

El Panel de Controles disponible en el Panel de tareas permite insertar cuadros de texto, de lista desplegable, de fecha, casillas de verificación, botones de opción, y otros tipos de botones de forma inmediata con un solo clic.

9.1.5. Vistas

Al diseñar varias vistas de formulario, puede ofrecer a los usuarios presentaciones diferentes de los datos. Por ejemplo, puede crear una vista especial optimizada para la impresión, o una vista de resumen que prescinda de algunos detalles en una plantilla de formulario compleja. Si va a diseñar un formulario que incluya funciones de usuario y contenga varias vistas, puede resultar útil que se muestre una vista basada en la función de usuario que tenga asignada un usuario.

En el Panel de Tareas puede agregar o eliminar tipos de vista y cambiar de una vista a otra. Haciendo clic en el botón propiedades de la vista, puede personalizar la configuración para las vistas seleccionadas. Puede, por ejemplo crear o asociar una vista de impresión para diferenciarla de otro tipo de vista.

Diseñar una vista de impresión basada en una vista existente

1. En el menú Ver, haga clic en Administrar vistas.
2. En la lista Seleccione una vista del panel de tareas Vistas, haga clic en la vista en la que desea crear una vista de impresión.

3. En Acciones, haga clic en Crear versión de impresión para esta vista.
4. En el cuadro de diálogo Crear versión de impresión, escriba un nombre para la vista de impresión y, a continuación, haga clic en **Aceptar**.
5. En el panel de tareas Vistas, haga doble clic en la vista de impresión.
6. En el cuadro de diálogo Propiedades de la vista, seleccione las opciones que desee en las fichas Configuración de impresión y Configurar página y, a continuación, haga clic en **Aceptar**.
7. Para cambiar a la vista original, en el Panel de tareas Vistas, haga clic en el nombre de la vista en la lista Seleccione una vista.
8. Para seleccionar todo en una vista, presione **Control-A**.
9. Para copiar la selección en el Portapapeles, presione **Control-C**.
10. Para cambiar a la vista de impresión, en el Panel de tareas Vistas, haga clic en el nombre de la vista de la lista Seleccione una vista.
11. Para pegar la selección de la vista original en la vista de impresión, presione **Control-V**.
12. Elimine los controles o elementos de diseño que no necesite o agregue controles adicionales.
13. Para agregar saltos de página en la vista de impresión, haga clic donde desea que comience la nueva página y, a continuación, en el menú Insertar, haga clic en **Salto de página** .

9.1.6. Verificador de diseño

La mejor forma de asegurarse de que la plantilla de formulario funciona correctamente es usar el panel de tareas Verificador de diseño para revisar los problemas potenciales. Puede realizar las siguientes acciones:

- Buscar problemas de compatibilidad que existan en la plantilla de formulario.
- Cambiar la configuración de compatibilidad de la plantilla de formulario.

En la siguiente tabla se describen las diferencias entre errores y mensajes en el panel de tareas Verificador de diseño.

Tabla 9.1. Errores y Mensajes en el Verificador de diseño.

Icono	*Tipo*	*Descripción*
	Error	La plantilla de formulario no funcionará correctamente. Solucione los errores antes de publicar la plantilla de formulario.
	Mensaje	Puede que el funcionamiento de la plantilla de formulario no sea el esperado. Los mensajes son menos graves que los errores. Puede elegir si soluciona este mensaje antes de publicar la plantilla de formulario.

9.1.7. Archivar

En InfoPath, puede archivar un formulario abriéndolo y exportándolo a uno de los formatos siguientes:

- PDF (*Portable Document Format*). PDF es un formato electrónico de archivos de diseño fijo que conserva el formato del documento y permite el uso compartido de archivos. El formato PDF asegura que cuando un archivo se ve en línea o se imprime, conserva el formato exacto pretendido y que los datos del archivo no se pueden copiar ni modificar fácilmente.
- XPS (*XML Paper Specification*). XPS es un formato electrónico de archivos que conserva el formato del documento y permite el uso compartido de archivos. El formato XPS asegura que cuando un archivo se ve en línea o se imprime, conserva el formato exacto pretendido y que los datos del archivo no se pueden copiar ni modificar fácilmente.
  Podrá guardar como un archivo PDF o XPS de un programa Microsoft Office 2007 únicamente después de instalar o habilitar un complemento.
- MHTML. También puede exportar un formulario completado como página Web, en formato de Página Web de un solo archivo (MHTML: Documento HTML guardado en formato MHTML que integra gráficos en línea, subprogramas, documentos vinculados y otros elementos de apoyo a los que se hace referencia en el documento). Este tipo de archivo permite a las personas leer (pero no modificar) el contenido de un formulario en un explorador.

9.2. OneNote

OneNote es una versión electrónica de un bloc de notas en el que puede escribir notas, ideas, pensamientos, recordatorios y anotaciones de todo tipo. A diferencia del formato de página de documento tradicional que presentan los programas de tratamiento de texto o de hoja de cálculo, por ejemplo, OneNote ofrece un lienzo de forma libre para escribir mediante el teclado o a mano alzada, o dibujar notas con formato de texto, gráfico o imagen, del modo y en el momento que se desee. Sus notas pueden incluir cualquier combinación de texto escrito, fotografías y gráficos, incluidos texto e imágenes procedentes de páginas Web, así como escritura a mano digital, clips de audio y vídeo, etc.

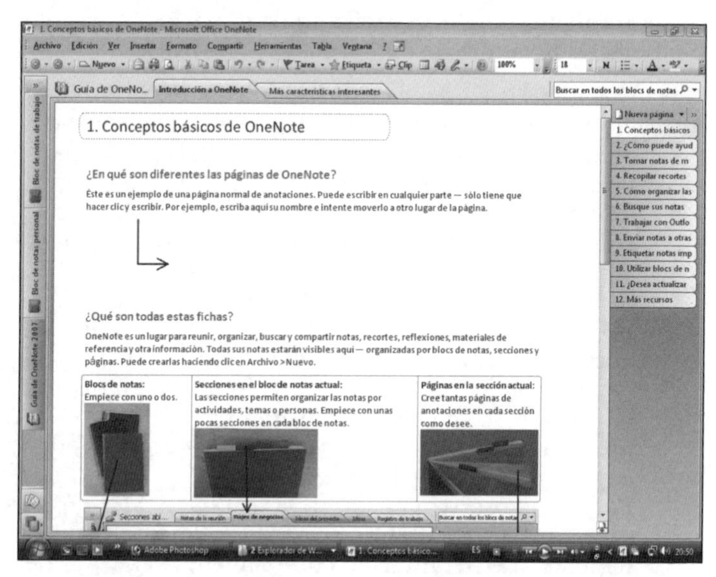

Figura 9.4. La página de introducción de OneNote.

Es posible agregar, mover y borrar cualquier cosa en sus páginas y secciones. Es posible arrastrar y soltar elementos con notas en la sección que les corresponda, o incluso en cuadernos distintos, para mantener todo bien organizado. Puede organizar y separar las notas por tema o por proyecto o, simplemente, mantener blocs distintos para intereses y lugares distintos.

9.2.1. Actualizar notas existentes al nuevo formato de archivo

La primera vez que ejecute OneNote 2007 después de actualizar de una versión anterior, las notas existentes se actualizan al formato de archivo de OneNote 2007, que admite todas las nuevas características y capacidades que ofrece la nueva versión. Todas las notas que tome una vez instalado OneNote 2007 se almacenarán automáticamente en el nuevo formato.

Sin embargo, OneNote 2003 no puede abrir los archivos de OneNote 2007. Para compartir sus notas de OneNote 2007 con personas que no tienen OneNote 2007 instalado todavía, debería distribuirlas por correo electrónico en lugar de compartir los archivos de OneNote.

> ***Truco:*** *Mientras organiza o reorganiza la estructura de su bloc de notas, le conviene expandir la barra de Exploración situada en el margen izquierdo para ver la jerarquía completa de los blocs, con sus páginas y secciones. Para ello, haga clic en Expandir la barra de exploración.*

9.2.2. Escribir notas en una página

Para hacer notas escritas, haga clic en cualquier parte de la página en la que desee que aparezcan las notas y luego escríbalas. OneNote crea un contenedor de notas para cada bloque de texto que escriba a mano o con el teclado.

Si está utilizando un dispositivo de entrada con lápiz, haga clic en **Pluma** en la barra de Herramientas de escritura, haga clic en Herramienta Escribir/Selección.

Para mover texto en una página siga uno de estos procedimientos:

1. Para mover texto dentro de la misma página, desplace el puntero sobre el texto.
2. Cuando aparezca el contenedor de notas, haga clic en el borde superior del contenedor de notas y, a continuación, arrástrelo a una nueva ubicación en la página.
3. Para copiar o mover el texto desde una página a otra, haga clic con el botón secundario del ratón en la parte superior del contenedor de notas, haga clic en las

opciones **Copiar** o **Cortar** del menú contextual y, a continuación, pegue las notas en la página que desee.

Si desea agregar espacio a una página:

1. Haga clic en **Insertar espacio adicional de escritura** en la barra de herramientas Estándar.
2. En la página, haga clic donde desee insertar más espacio y, a continuación, arrastre el puntero en la dirección indicada por la flecha para agregar el espacio que desee.
3. Arrastre para agregar espacio en los bordes de la página o entre líneas de texto.

> ***Truco:*** *Para agregar rápidamente más espacio en la parte inferior de una página, haga clic en* ***Desplazar a la mitad de la página*** *en la barra de desplazamiento vertical.*

9.2.3. Crear una nueva página

1. Haga clic en el botón **Nueva página** que se encuentra encima de las fichas de página para crear rápidamente una nueva página. (Haga clic en la flecha que se encuentra junto al botón **Nueva página** para elegir una página en blanco, crear una subpágina en un grupo de páginas o crear una página a partir de una plantilla.)
2. En el cuadro Título de la parte superior de la página, escriba un título para dicha página. El título que escribe aparece en la ficha de página en el margen de la ventana de OneNote.

Cambiar el orden de las páginas

Para mover una página dentro de una sección, haga clic y arrastre la ficha de página ligeramente hacia la derecha hasta que aparezca una flecha pequeña y, a continuación, arrastre la ficha de página hacia arriba o hacia abajo para colocarla en una nueva ubicación de la sección actual.

Guardar notas

OneNote guarda el trabajo de forma automática y continua mientras toma notas, siempre que cambie a otra página o sección, y al cerrar las secciones y blocs de notas. No es necesario guardar las notas manualmente, incluso una vez terminadas.

9.2.4. Insertar la hora y la fecha

Dependiendo de cómo utilice OneNote, puede utilizar la fecha y hora actuales de su equipo en las notas para marcar o realizar el seguimiento de los eventos cronológicos. Por ejemplo, puede mantener un registro de las llamadas telefónicas recibidas a determinadas horas del día, o marcar entradas del diario o de los registros Web (weblog) de OneNote con la fecha actual.

1. Coloque el puntero donde desee agregar una marca de fecha y hora. Siga uno de estos procedimientos:
   - En el menú Insertar, haga clic en Fecha y hora.
   - Para insertar la fecha y hora actuales, presione **Alt-Mayús-F**.
   - Para insertar sólo la fecha, presione **Alt-Mayús-D**.
   - Para insertar sólo la hora, presione **Alt-Mayús-T**.

9.2.5. Crear listas y tablas

Crear una lista con viñetas:

1. En la barra de herramientas Estándar, haga clic en **Viñetas**.
2. Escriba el texto que desee para el primer elemento de la lista y, a continuación, presione **Intro**. Automáticamente, se crea una nueva viñeta para el siguiente elemento de la lista.
3. Para finalizar la lista con viñetas y continuar escribiendo un párrafo normal, presione **Intro** dos veces o presione **Retroceso**.

Crear una lista numerada:

1. En la barra de herramientas Estándar, haga clic en **Numeración**.
2. Escriba el texto que desee para el primer elemento de la lista y, a continuación, presione **Intro**. Automáticamente, se crea un nuevo número para el siguiente elemento de la lista.
3. Para finalizar la lista numerada y continuar escribiendo un párrafo normal, presione **Intro** dos veces

o presione **Retroceso** para eliminar el último número de la lista.

Crear una tabla:

1. Haga clic en la ubicación en la que desea insertar una tabla.
2. En el menú Tabla, haga clic en Insertar tabla.
3. En el cuadro de diálogo Insertar tabla, introduzca el número de columnas y filas que desee.

9.2.6. Agregar o modificar un hipervínculo

OneNote crea automáticamente un hipervínculo siempre que escriba o pegue una dirección URL de Internet o *World Wide Web* en las notas.

Para agregar un hipervínculo siga uno de estos procedimientos:

- En las notas, escriba o pegue la dirección de Internet a la que deba hacer referencia el hipervínculo. Por ejemplo, para agregar un hipervínculo al sitio Web de Microsoft, escriba `http://www.microsoft.com`.
- En el menú Insertar, haga clic en Hipervínculo, y en el cuadro de diálogo Insertar hipervínculo, especifique la dirección de Internet a la que debería señalar el hipervínculo y, a continuación, especifique el Texto para mostrar donde aparece el hipervínculo en sus notas.

9.2.7. Etiquetas

Agregar una etiqueta de nota

1. Coloque el puntero en el párrafo que desee etiquetar.
2. En la barra de herramientas Estándar, haga clic en la flecha junto al botón Etiquetas y, a continuación, en la etiqueta de nota que desee. Por ejemplo, para adjuntar una casilla de verificación a algún elemento para el que desea realizar un seguimiento, haga clic en **Tareas pendientes** ☑.
3. Después de agregar etiquetas a sus notas, puede buscar entre ellas los elementos etiquetados, así como agruparlos en función de su nombre de etiqueta.

Índice alfabético

A

B

C

D

E

F

G

H

I

J

L

M

N

O

P

R

S

T

V

W

X

Z